단기핵심공략서
SPEED CORE

스코어

스피드
SPEED

핵심은 빠르게!
11강, 핵심 유형 공략

지은이

NE능률 수학교육연구소

NE능률 수학교육연구소는 혁신적이며 효율적인 수학 교재를 개발하고
수학 학습의 질을 한 단계 높이고자 노력하는 NE능률의 연구 조직입니다.

조정묵 여의도고등학교 교사
정연석 중앙고등학교 교사
이병하 중산고등학교 교사
김상철 잠일고등학교 교사
김정배 현대고등학교 교사
이직현 중동고등학교 교사
권백일 양정고등학교 교사
김병로 인하대학교 사범대학 부속고등학교 교사
강인우 진선여자고등학교 교사
이향수 명일여자고등학교 교사
한명주 명일여자고등학교 교사

검토진

강수아 (휘경여고) 권승미 (한뜻학원) 권치영 (지오학원) 김경진 (씨알학원) 김정효 (스팀수학학원) 박민경 (한얼학원)
박수경 (동대부고) 박용우 (신등용문학원) 송경섭 (성수고) 신동식 (EM학원) 윤인영 (브레인수학) 이승구 (트임학원)
이재영 (EM학원) 이준철 (신의한수학원) 이흥식 (흥샘수학) 임원균 (자양고) 임혜선 (이현수학) 조승현 (동덕여고)
최정희 (세화고) 편유선 (동대부고) 황중돈 (글로벌EM학원)

단기핵심공략서
SPEED CORE

스코어

스피드

SPEED

수학 Ⅱ

STRUCTURE 구성과 특징

1 교과서 핵심 개념 & 확인문제

2 꼭 나오는 핵심 유형 익히기

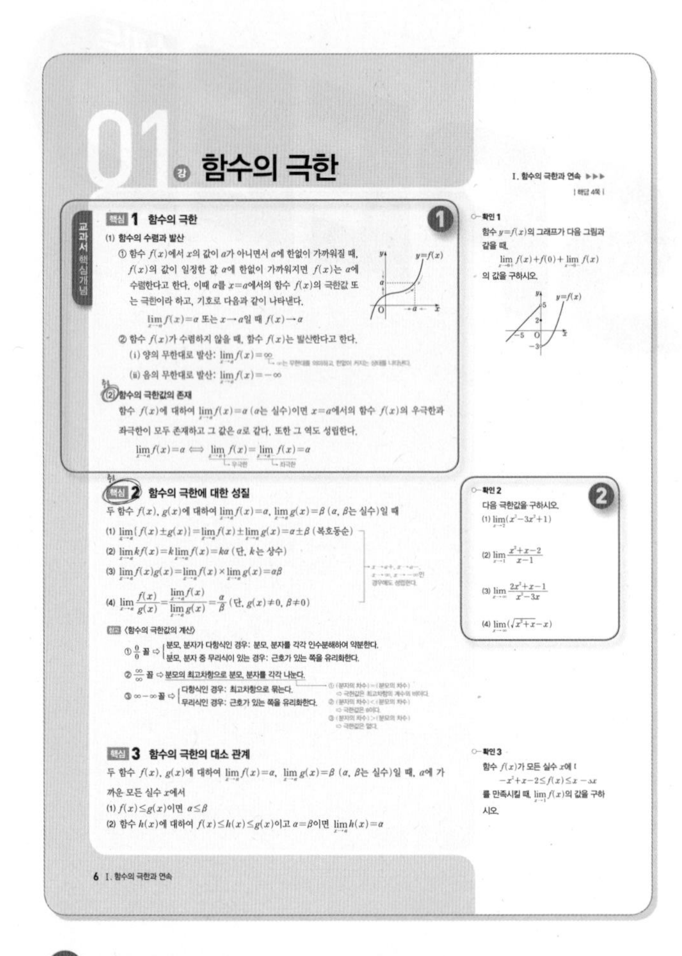

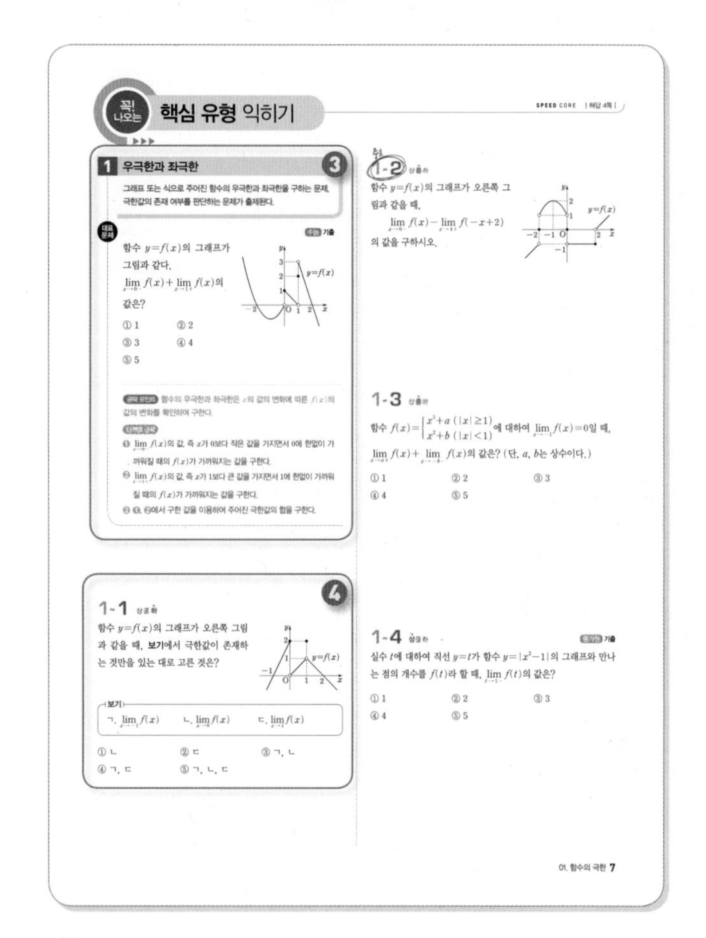

① 교과서 핵심 개념

교과서 핵심 개념 및 실전에 필요한 공식을 수록하였고, 중요한 개념은 (출제) 로 표시하여 학습 효율을 높였습니다.

② 확인문제

교과서 핵심 개념을 잘 이해했는지 확인하고 정리할 수 있도록 기본 문제를 수록하였습니다.

③ 대표문제

주제별 핵심 유형의 출제 포인트를 짚어주고 교과서와 기출문제를 철저히 분석하여 대표문제를 선정하였습니다. 또한 공략 포인트 를 통해 문제 풀이에 핵심이 되는 전략과 단계별 공략 을 제시하였습니다.

④ 유사문제

대표문제와 유사한 문제를 다양한 난이도로 제시하여 핵심 유형을 확실히 익힐 수 있도록 하였고, 중요한 문제는 (출제) 로 표시하여 강조하였습니다.

MUST **핵심 유형**
빠르게 공략하자!

- 강별 6페이지 11강으로 빠르게 점수 UP
- 대표문제와 유사문제로 핵심 유형 공략
- 기출&예상문제로 내신+수능 대비 완성

3 기출&예상 **실전 문제로 마무리**

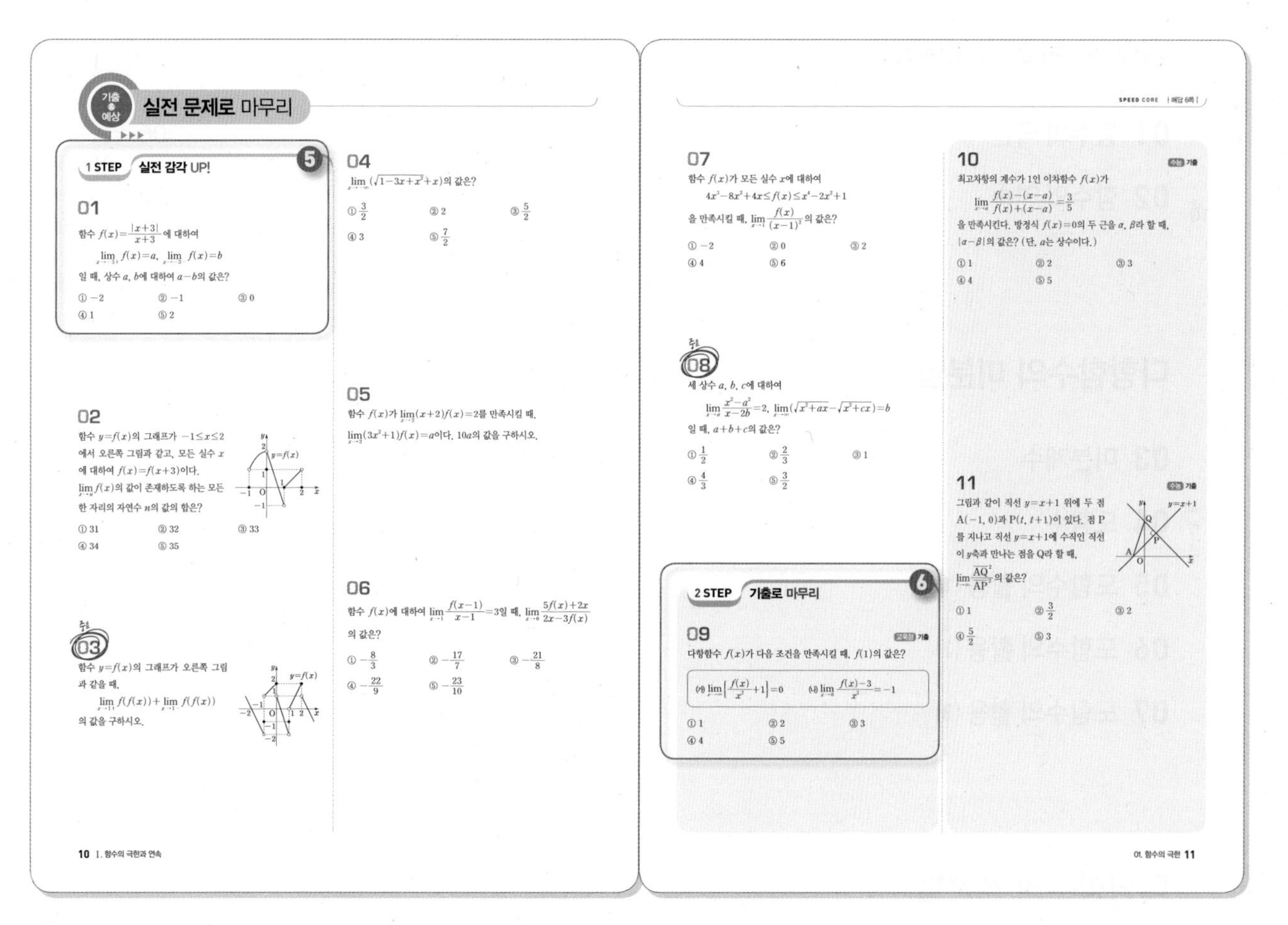

5 실전 감각 UP!
문제 해결력을 높이고 실전 감각을 익힐 수 있는 출제 예상 문제를 수록하였습니다.

6 기출로 마무리
실전 감각을 최종 점검할 수 있도록 수능, 평가원, 교육청 기출 중 응용력을 더해 주는 문제를 수록하였습니다.

CONTENTS 차례

STUDY PLAN 학습계획표

※ 스스로 학습 성취도를 체크해 보고, 부족한 강은 복습을 하도록 합니다.

강명	1차 학습일	2차 학습일
01 함수의 극한	월 일 성취도 ○ △ ×	월 일 성취도 ○ △ ×
02 함수의 연속	월 일 성취도 ○ △ ×	월 일 성취도 ○ △ ×
03 미분계수	월 일 성취도 ○ △ ×	월 일 성취도 ○ △ ×
04 도함수	월 일 성취도 ○ △ ×	월 일 성취도 ○ △ ×
05 도함수의 활용 (1)	월 일 성취도 ○ △ ×	월 일 성취도 ○ △ ×
06 도함수의 활용 (2)	월 일 성취도 ○ △ ×	월 일 성취도 ○ △ ×
07 도함수의 활용 (3)	월 일 성취도 ○ △ ×	월 일 성취도 ○ △ ×
08 부정적분	월 일 성취도 ○ △ ×	월 일 성취도 ○ △ ×
09 정적분 (1)	월 일 성취도 ○ △ ×	월 일 성취도 ○ △ ×
10 정적분 (2)	월 일 성취도 ○ △ ×	월 일 성취도 ○ △ ×
11 정적분의 활용	월 일 성취도 ○ △ ×	월 일 성취도 ○ △ ×

01강 함수의 극한

| 해답 4쪽 |

교과서 핵심개념

핵심 1 함수의 극한

(1) 함수의 수렴과 발산

① 함수 $f(x)$에서 x의 값이 a가 아니면서 a에 한없이 가까워질 때, $f(x)$의 값이 일정한 값 α에 한없이 가까워지면 $f(x)$는 α에 수렴한다고 한다. 이때 α를 $x=a$에서의 함수 $f(x)$의 **극한값** 또는 **극한**이라 하고, 기호로 다음과 같이 나타낸다.

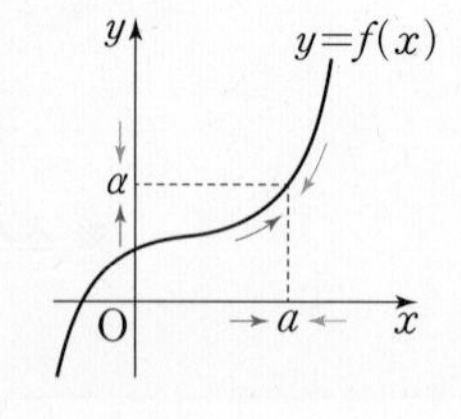

$$\lim_{x\to a} f(x)=\alpha \text{ 또는 } x\to a\text{일 때 } f(x)\to\alpha$$

② 함수 $f(x)$가 수렴하지 않을 때, 함수 $f(x)$는 **발산**한다고 한다.

(i) 양의 무한대로 발산: $\lim_{x\to a} f(x)=\infty$ ↳ ∞는 무한대를 의미하고, 한없이 커지는 상태를 나타낸다.

(ii) 음의 무한대로 발산: $\lim_{x\to a} f(x)=-\infty$

(2) 함수의 극한값의 존재

함수 $f(x)$에 대하여 $\lim_{x\to a} f(x)=\alpha$ (α는 실수)이면 $x=a$에서의 함수 $f(x)$의 우극한과 좌극한이 모두 존재하고 그 값은 α로 같다. 또한 그 역도 성립한다.

$$\lim_{x\to a} f(x)=\alpha \iff \lim_{x\to a+} f(x)=\lim_{x\to a-} f(x)=\alpha$$

(↳ 우극한, ↳ 좌극한)

핵심 2 함수의 극한에 대한 성질

두 함수 $f(x)$, $g(x)$에 대하여 $\lim_{x\to a} f(x)=\alpha$, $\lim_{x\to a} g(x)=\beta$ (α, β는 실수)일 때

(1) $\lim_{x\to a}\{f(x)\pm g(x)\}=\lim_{x\to a} f(x)\pm\lim_{x\to a} g(x)=\alpha\pm\beta$ (복호동순)

(2) $\lim_{x\to a} kf(x)=k\lim_{x\to a} f(x)=k\alpha$ (단, k는 상수)

(3) $\lim_{x\to a} f(x)g(x)=\lim_{x\to a} f(x)\times\lim_{x\to a} g(x)=\alpha\beta$

(4) $\lim_{x\to a}\dfrac{f(x)}{g(x)}=\dfrac{\lim_{x\to a} f(x)}{\lim_{x\to a} g(x)}=\dfrac{\alpha}{\beta}$ (단, $g(x)\neq 0$, $\beta\neq 0$)

→ $x\to a+$, $x\to a-$, $x\to\infty$, $x\to-\infty$인 경우에도 성립한다.

참고 〈함수의 극한값의 계산〉

① $\dfrac{0}{0}$ 꼴 ⇨ 분모, 분자가 다항식인 경우: 분모, 분자를 각각 인수분해하여 약분한다. / 분모, 분자 중 무리식이 있는 경우: 근호가 있는 쪽을 유리화한다.

② $\dfrac{\infty}{\infty}$ 꼴 ⇨ 분모의 최고차항으로 분모, 분자를 각각 나눈다.

→ ① (분자의 차수)=(분모의 차수) ⇨ 극한값은 최고차항의 계수의 비이다.
② (분자의 차수)<(분모의 차수) ⇨ 극한값은 0이다.
③ (분자의 차수)>(분모의 차수) ⇨ 극한값은 없다.

③ $\infty-\infty$ 꼴 ⇨ 다항식인 경우: 최고차항으로 묶는다. / 무리식인 경우: 근호가 있는 쪽을 유리화한다.

핵심 3 함수의 극한의 대소 관계

두 함수 $f(x)$, $g(x)$에 대하여 $\lim_{x\to a} f(x)=\alpha$, $\lim_{x\to a} g(x)=\beta$ (α, β는 실수)일 때, a에 가까운 모든 실수 x에서

(1) $f(x)\le g(x)$이면 $\alpha\le\beta$

(2) 함수 $h(x)$에 대하여 $f(x)\le h(x)\le g(x)$이고 $\alpha=\beta$이면 $\lim_{x\to a} h(x)=\alpha$

확인 1

함수 $y=f(x)$의 그래프가 다음 그림과 같을 때,

$$\lim_{x\to 0+} f(x)+f(0)+\lim_{x\to 0-} f(x)$$

의 값을 구하시오.

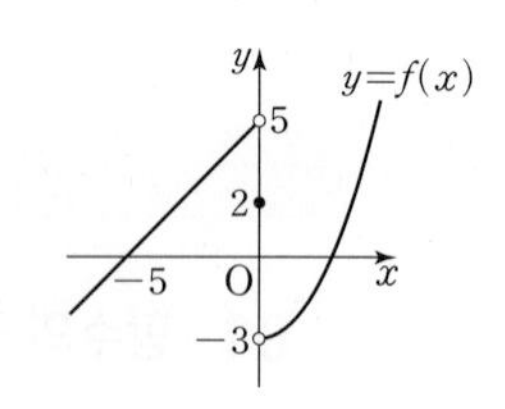

확인 2

다음 극한값을 구하시오.

(1) $\lim_{x\to 2}(x^3-3x^2+1)$

(2) $\lim_{x\to 1}\dfrac{x^2+x-2}{x-1}$

(3) $\lim_{x\to\infty}\dfrac{2x^2+x-1}{x^2-3x}$

(4) $\lim_{x\to\infty}(\sqrt{x^2+x}-x)$

확인 3

함수 $f(x)$가 모든 실수 x에 대하여

$$-x^2+x-2\le f(x)\le x^2-3x$$

를 만족시킬 때, $\lim_{x\to 1} f(x)$의 값을 구하시오.

핵심 유형 익히기

1 우극한과 좌극한

그래프 또는 식으로 주어진 함수의 우극한과 좌극한을 구하는 문제, 극한값의 존재 여부를 판단하는 문제가 출제된다.

대표문제 수능 기출

함수 $y=f(x)$의 그래프가 그림과 같다.

$\lim_{x \to 0-} f(x)+\lim_{x \to 1+} f(x)$의 값은?

① 1 ② 2
③ 3 ④ 4
⑤ 5

공략 포인트 함수의 우극한과 좌극한은 x의 값의 변화에 따른 $f(x)$의 값의 변화를 확인하여 구한다.

단계별 공략

❶ $\lim_{x \to 0-} f(x)$의 값, 즉 x가 0보다 작은 값을 가지면서 0에 한없이 가까워질 때의 $f(x)$가 가까워지는 값을 구한다.

❷ $\lim_{x \to 1+} f(x)$의 값, 즉 x가 1보다 큰 값을 가지면서 1에 한없이 가까워질 때의 $f(x)$가 가까워지는 값을 구한다.

❸ ❶, ❷에서 구한 값을 이용하여 주어진 극한값의 합을 구한다.

1-1 상중하

함수 $y=f(x)$의 그래프가 오른쪽 그림과 같을 때, **보기**에서 극한값이 존재하는 것만을 있는 대로 고른 것은?

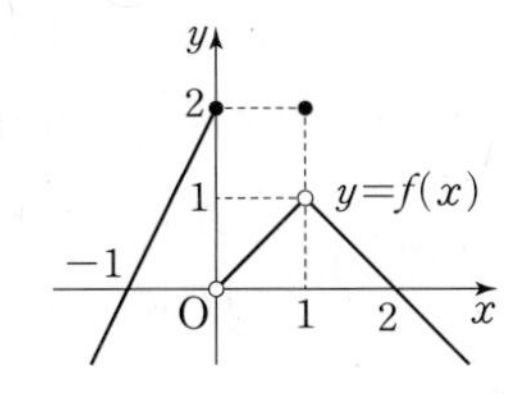

보기

ㄱ. $\lim_{x \to -1} f(x)$　ㄴ. $\lim_{x \to 0} f(x)$　ㄷ. $\lim_{x \to 1} f(x)$

① ㄴ ② ㄷ ③ ㄱ, ㄴ
④ ㄱ, ㄷ ⑤ ㄱ, ㄴ, ㄷ

1-2 상중하

함수 $y=f(x)$의 그래프가 오른쪽 그림과 같을 때,

$$\lim_{x \to 0-} f(x)-\lim_{x \to 4+} f(-x+2)$$

의 값을 구하시오.

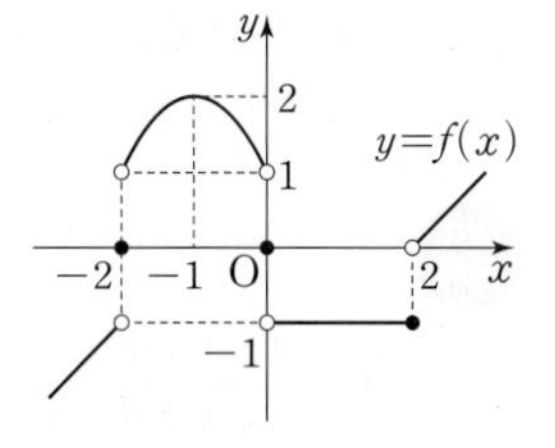

1-3 상중하

함수 $f(x)=\begin{cases} x^3+a & (|x| \ge 1) \\ x^2+b & (|x|<1) \end{cases}$에 대하여 $\lim_{x \to -1} f(x)=0$일 때,

$\lim_{x \to a+} f(x)+\lim_{x \to -b-} f(x)$의 값은? (단, a, b는 상수이다.)

① 1 ② 2 ③ 3
④ 4 ⑤ 5

1-4 상중하 평가원 기출

실수 t에 대하여 직선 $y=t$가 함수 $y=|x^2-1|$의 그래프와 만나는 점의 개수를 $f(t)$라 할 때, $\lim_{t \to 1-} f(t)$의 값은?

① 1 ② 2 ③ 3
④ 4 ⑤ 5

2 함수의 극한값의 계산

$\frac{0}{0}$, $\frac{\infty}{\infty}$, $\infty-\infty$, $\infty\times 0$ 꼴의 극한값을 구하는 문제, 함수의 극한에 대한 성질을 이용하여 식을 변형한 후 극한값을 구하는 문제가 출제된다.

대표 문제 평가원 기출

$\lim_{x\to 1}\frac{x^3-x^2+x-1}{\sqrt{x+8}-3}$의 값은?

① 0 ② 3 ③ 6 ④ 9 ⑤ 12

공략 포인트 $x=1$을 주어진 식의 분자, 분모에 각각 대입하여 주어진 극한이 어떤 꼴인지 확인한다.

▸ 무리식이 있는 $\frac{0}{0}$ 꼴: 근호가 있는 쪽을 유리화하고 분모, 분자의 공통인수를 약분한다.

단계별 공략

❶ 분자를 인수분해한다.
❷ 분모를 유리화하기 위해 분모, 분자에 각각 $\sqrt{x+8}+3$을 곱한다.
❸ 분모, 분자의 공통인수를 약분한다.
❹ $x=1$을 대입하여 주어진 극한값을 구한다.

2-1 상중하

$\lim_{x\to\infty}\frac{1}{x-\sqrt{x^2-3x-2}}$의 값은?

① 1 ② $\frac{2}{3}$ ③ $\frac{1}{2}$ ④ $\frac{1}{3}$ ⑤ 0

2-2 상중하

$\lim_{x\to 3}\frac{1}{x-3}\left\{\frac{1}{(x-2)^2}-1\right\}$의 값은?

① -5 ② -4 ③ -3 ④ -2 ⑤ -1

2-3 상중하

함수 $f(x)$에 대하여 $\lim_{x\to 1}\frac{f(x)}{x-1}=2$일 때,

$\lim_{x\to 1}\frac{f(x)+x^3-1}{\sqrt{x^2+3x}-(x+1)}$의 값은?

① 12 ② 16 ③ 20 ④ 24 ⑤ 28

2-4 상중하

두 함수 $f(x)$, $g(x)$에 대하여

$$\lim_{x\to\infty}f(x)=\infty,\ \lim_{x\to\infty}\{2f(x)-g(x)\}=5$$

일 때, $\lim_{x\to\infty}\frac{2f(x)+3g(x)}{4f(x)-g(x)}$의 값은?

① 0 ② 1 ③ 2 ④ 3 ⑤ 4

3 미정계수와 다항함수의 결정

극한값이 존재하기 위한 조건을 이용하여 미정계수 또는 다항함수를 결정하는 문제가 출제된다.

평가원 기출

두 상수 a, b에 대하여 $\lim_{x\to 1}\frac{4x-a}{x-1}=b$일 때, $a+b$의 값은?

① 8　② 9　③ 10
④ 11　⑤ 12

공략 포인트 $\lim_{x\to a}\frac{f(x)}{g(x)}=\alpha$ (α는 실수)일 때, $\lim_{x\to a}g(x)=0$이면 $\lim_{x\to a}f(x)=0$임을 이용한다.

단계별 공략
1. $x\to 1$일 때 (분모)$\to 0$이고 극한값이 존재하므로 (분자)$\to 0$임을 이용하여 a의 값을 구한다.
2. a의 값을 주어진 식에 대입하여 b의 값을 구한다.
3. $a+b$의 값을 계산한다.

3-1 상중하

상수 a에 대하여 $\lim_{x\to\infty}ax^2\left(\frac{2}{x+3}-\frac{2}{x-3}\right)=24$일 때, a의 값은?

① -4　② -2　③ 0
④ 2　⑤ 4

3-2 상중하

두 상수 a, b에 대하여 $\lim_{x\to 2}\frac{\sqrt{x+a}-b}{x-2}=\frac{1}{6}$일 때, $a+b$의 값을 구하시오.

3-3 상중하

세 상수 a, b, c에 대하여 이차함수 $f(x)=ax^2+bx$가

$$\lim_{x\to\infty}\frac{f(x)}{2x^2+1}=1,\ \lim_{x\to 1}\frac{f(x)}{x^2-1}=c$$

를 만족시킬 때, abc의 값은?

① -4　② -2　③ 0
④ 2　⑤ 4

3-4 상중하

삼차함수 $f(x)$가

$$\lim_{x\to -1}\frac{f(x)}{x+1}=-1,\ \lim_{x\to -2}\frac{x+2}{f(x)}=\frac{1}{3}$$

을 만족시킬 때, $f(1)$의 값을 구하시오.

실전 문제로 마무리

1 STEP 실전 감각 UP!

01

함수 $f(x)=\dfrac{|x+3|}{x+3}$에 대하여

$$\lim_{x\to-3+}f(x)=a,\ \lim_{x\to-3-}f(x)=b$$

일 때, 상수 a, b에 대하여 $a-b$의 값은?

① -2 ② -1 ③ 0
④ 1 ⑤ 2

02

함수 $y=f(x)$의 그래프가 $-1\le x\le 2$에서 오른쪽 그림과 같고, 모든 실수 x에 대하여 $f(x)=f(x+3)$이다. $\lim_{x\to n}f(x)$의 값이 존재하도록 하는 모든 한 자리의 자연수 n의 값의 합은?

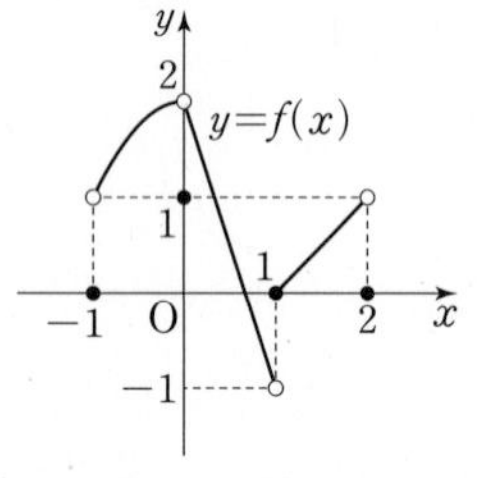

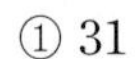

① 31 ② 32 ③ 33
④ 34 ⑤ 35

03

함수 $y=f(x)$의 그래프가 오른쪽 그림과 같을 때,

$$\lim_{x\to1+}f(f(x))+\lim_{x\to1-}f(f(x))$$

의 값을 구하시오.

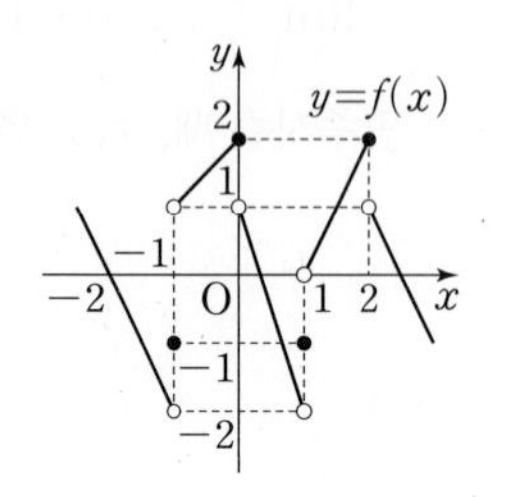

04

$\lim_{x\to-\infty}(\sqrt{1-3x+x^2}+x)$의 값은?

① $\dfrac{3}{2}$ ② 2 ③ $\dfrac{5}{2}$
④ 3 ⑤ $\dfrac{7}{2}$

05

함수 $f(x)$가 $\lim_{x\to2}(x+2)f(x)=2$를 만족시킬 때, $\lim_{x\to2}(3x^2+1)f(x)=a$이다. $10a$의 값을 구하시오.

06

함수 $f(x)$에 대하여 $\lim_{x\to1}\dfrac{f(x-1)}{x-1}=3$일 때, $\lim_{x\to0}\dfrac{5f(x)+2x}{2x-3f(x)}$의 값은?

① $-\dfrac{8}{3}$ ② $-\dfrac{17}{7}$ ③ $-\dfrac{21}{8}$
④ $-\dfrac{22}{9}$ ⑤ $-\dfrac{23}{10}$

07

함수 $f(x)$가 모든 실수 x에 대하여

$$4x^3-8x^2+4x \le f(x) \le x^4-2x^2+1$$

을 만족시킬 때, $\lim_{x\to 1}\frac{f(x)}{(x-1)^2}$의 값은?

① -2　② 0　③ 2
④ 4　⑤ 6

08

세 상수 a, b, c에 대하여

$$\lim_{x\to a}\frac{x^2-a^2}{x-2b}=2,\ \lim_{x\to\infty}(\sqrt{x^2+ax}-\sqrt{x^2+cx})=b$$

일 때, $a+b+c$의 값은?

① $\frac{1}{2}$　② $\frac{2}{3}$　③ 1
④ $\frac{4}{3}$　⑤ $\frac{3}{2}$

2 STEP 기출로 마무리

09

교육청 기출

다항함수 $f(x)$가 다음 조건을 만족시킬 때, $f(1)$의 값은?

(가) $\lim_{x\to\infty}\left\{\frac{f(x)}{x^2}+1\right\}=0$　(나) $\lim_{x\to 0}\frac{f(x)-3}{x^2}=-1$

① 1　② 2　③ 3
④ 4　⑤ 5

10

수능 기출

최고차항의 계수가 1인 이차함수 $f(x)$가

$$\lim_{x\to a}\frac{f(x)-(x-a)}{f(x)+(x-a)}=\frac{3}{5}$$

을 만족시킨다. 방정식 $f(x)=0$의 두 근을 α, β라 할 때, $|\alpha-\beta|$의 값은? (단, a는 상수이다.)

① 1　② 2　③ 3
④ 4　⑤ 5

11

수능 기출

그림과 같이 직선 $y=x+1$ 위에 두 점 A$(-1,\ 0)$과 P$(t,\ t+1)$이 있다. 점 P를 지나고 직선 $y=x+1$에 수직인 직선이 y축과 만나는 점을 Q라 할 때, $\lim_{t\to\infty}\frac{\overline{AQ}^2}{\overline{AP}^2}$의 값은?

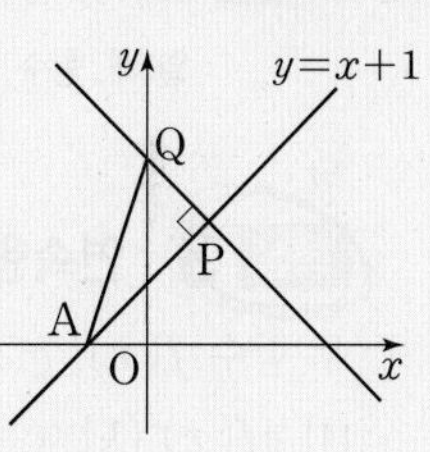

① 1　② $\frac{3}{2}$　③ 2
④ $\frac{5}{2}$　⑤ 3

02강 함수의 연속

| 해답 7쪽 |

교과서 핵심개념

핵심 1 함수의 연속과 불연속

(1) **함수의 연속**: 함수 $f(x)$가 실수 a에 대하여 다음 조건을 모두 만족시킬 때, 함수 $f(x)$는 $x=a$에서 연속이라 한다.

$y=f(x)$의 그래프가 $x=a$에서 끊어지지 않고 이어져 있다.

(i) 함수 $f(x)$는 $x=a$에서 정의되어 있다.

(ii) 극한값 $\lim_{x \to a} f(x)$가 존재한다.

(iii) $\lim_{x \to a} f(x)=f(a)$

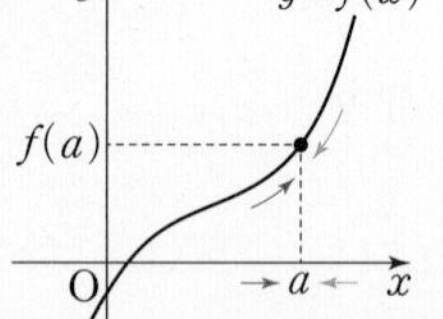
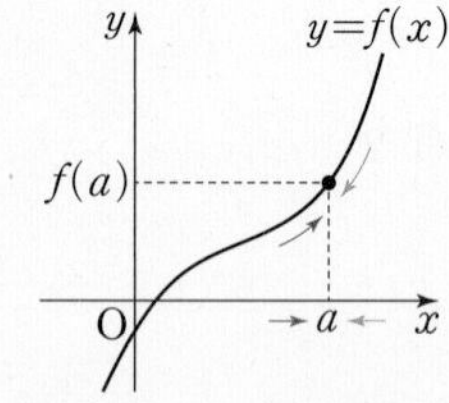

$y=f(x)$의 그래프가 $x=a$에서 끊어져 있다.

(2) **함수의 불연속**: 함수 $f(x)$가 $x=a$에서 연속이 아닐 때, 함수 $f(x)$는 $x=a$에서 불연속이라 한다. 즉, 위의 세 조건 중 어느 하나라도 만족시키지 않으면 함수 $f(x)$는 $x=a$에서 불연속이다.

확인 1

함수 $f(x)=\begin{cases} |x-2| & (x\neq 2) \\ 1 & (x=2) \end{cases}$이 $x=2$에서 연속인지 불연속인지 조사하시오.

핵심 2 연속함수

(1) **구간**: 두 실수 a, b $(a<b)$에 대하여 집합 $\{x|a\le x\le b\}$, $\{x|a\le x<b\}$, $\{x|a<x\le b\}$, $\{x|a<x<b\}$를 **구간**이라 하며, 기호로 각각 $[a, b]$, $[a, b)$, $(a, b]$, (a, b)와 같이 나타낸다. 이때 $[a, b]$를 **닫힌구간**, (a, b)를 **열린구간**, $[a, b)$, $(a, b]$를 **반닫힌 구간** 또는 **반열린 구간**이라 한다.

(2) **연속함수**: 함수 $f(x)$가 어떤 구간에 속하는 모든 실수에 대하여 연속일 때, 함수 $f(x)$는 그 구간에서 연속이라 한다. 또, 어떤 구간에서 연속인 함수를 **연속함수**라 한다.

참고 함수 $f(x)$가 (i) 열린구간 (a, b)에서 연속이고 (ii) $\lim_{x \to a+} f(x)=f(a)$, $\lim_{x \to b-} f(x)=f(b)$ 일 때, 함수 $f(x)$는 닫힌구간 $[a, b]$에서 연속이라 한다.

확인 2

함수 $f(x)=\begin{cases} 2x+5 & (x\neq 1) \\ a & (x=1) \end{cases}$가 실수 전체의 집합에서 연속일 때, 상수 a의 값을 구하시오.

핵심 3 연속함수의 성질

두 함수 $f(x)$, $g(x)$가 $x=a$에서 연속이면 다음 함수도 $x=a$에서 연속이다.

(1) $cf(x)$ (단, c는 상수)

(2) $f(x)\pm g(x)$

(3) $f(x)g(x)$

(4) $\dfrac{f(x)}{g(x)}$ (단, $g(a)\neq 0$)

참고 다항함수 $f(x)=a_nx^n+a_{n-1}x^{n-1}+\cdots+a_1x+a_0$ (a_n, a_{n-1}, $\cdots$, a_1, a_0은 상수, n은 자연수)은 모든 실수 x에 대하여 연속이다.

확인 3

두 함수 $f(x)=x^2-2x$, $g(x)=x^2+1$에 대하여 **보기** 중 모든 실수 x에서 연속인 함수인 것만을 있는 대로 고르시오.

보기

ㄱ. $f(x)+g(x)$ ㄴ. $f(x)g(x)$

ㄷ. $f(x)-g(x)$ ㄹ. $\dfrac{g(x)}{f(x)}$

핵심 4 최대 · 최소 정리와 사잇값의 정리

(1) **최대 · 최소 정리**: 함수 $f(x)$가 닫힌구간 $[a, b]$에서 연속이면 함수 $f(x)$는 이 구간에서 반드시 최댓값과 최솟값을 갖는다.

(2) **사잇값의 정리**: 함수 $f(x)$가 닫힌구간 $[a, b]$에서 연속이고 $f(a)\neq f(b)$이면 $f(a)$와 $f(b)$ 사이의 임의의 실수 k에 대하여 $f(c)=k$인 c가 열린구간 (a, b)에 적어도 하나 존재한다.

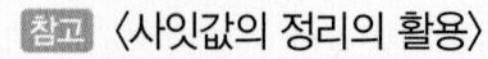

참고 <사잇값의 정리의 활용>

함수 $f(x)$가 닫힌구간 $[a, b]$에서 연속이고 $f(a)f(b)<0$이면 $f(c)=0$인 c가 열린구간 (a, b)에 적어도 하나 존재한다. 즉, 방정식 $f(x)=0$은 열린구간 (a, b)에서 적어도 하나의 실근을 갖는다. ← 방정식 $f(x)=0$의 실근의 존재 여부 판별에 이용

확인 4

연속함수 $f(x)$에 대하여 $f(-1)=-2$, $f(0)=1$, $f(1)=2$, $f(2)=-2$일 때, 방정식 $f(x)=0$은 구간 $(-1, 2)$에서 적어도 n개의 실근을 갖는다. 이때 n의 값을 구하시오.

핵심 유형 익히기

1 함수의 연속과 불연속

함수의 식이나 그래프에서 좌극한, 우극한, 함숫값을 비교하여 함수의 연속성을 파악하는 문제가 자주 출제된다. 또한, 함수가 주어진 구간에서 연속이 되도록 하는 미정계수의 값을 구하는 문제도 출제된다.

대표 문제 평가원 기출

함수 $f(x)=\begin{cases} \dfrac{x^2-5x+a}{x-3} & (x\neq3) \\ b & (x=3) \end{cases}$ 이 실수 전체의 집합에서 연속일 때, $a+b$의 값은? (단, a와 b는 상수이다.)

① 1 ② 3 ③ 5
④ 7 ⑤ 9

공략 포인트 함수 $f(x)$가 실수 전체의 집합에서 연속이려면 $f(x)$는 $x=3$에서 연속임을 보이면 된다.

단계별 공략

❶ $\lim_{x\to3}f(x)=f(3)$이므로 극한값이 존재하기 위한 조건을 이용하여 a의 값을 구한다.

❷ a의 값을 함수 $f(x)$의 식에 대입한 후 $\lim_{x\to3}f(x)=f(3)=b$임을 이용하여 b의 값을 구한다.

❸ $a+b$의 값을 계산한다.

1-1 상중하

다음 중 $x=0$에서 연속인 함수는?
(단, $[x]$는 x보다 크지 않은 최대 정수이다.)

① $f(x)=\sqrt{x-1}$ ② $f(x)=[x]$

③ $f(x)=\dfrac{1}{x}$ ④ $f(x)=\begin{cases} \dfrac{|x|}{x} & (x\neq0) \\ 1 & (x=0) \end{cases}$

⑤ $f(x)=\begin{cases} \dfrac{\sqrt{x+4}-2}{x} & (x\neq0) \\ \dfrac{1}{4} & (x=0) \end{cases}$

1-2 상중하

$-3<x<3$에서 정의된 함수 $y=f(x)$의 그래프가 오른쪽 그림과 같을 때, **보기**에서 옳은 것만을 있는 대로 고른 것은?

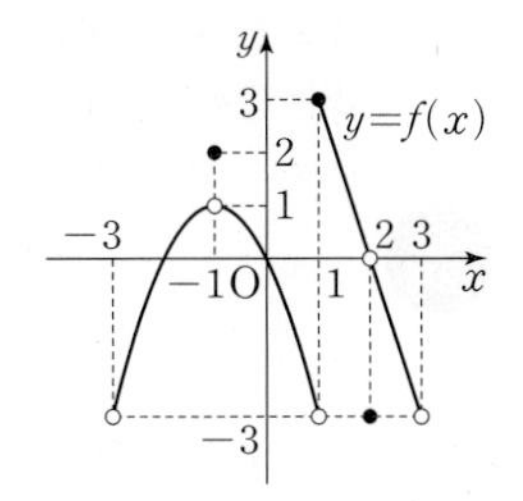

보기

ㄱ. $\lim_{x\to2}f(x)=0$

ㄴ. 함수 $f(x)$가 불연속인 점은 3개이다.

ㄷ. 함수 $|f(x)|$는 $x=1$에서 연속이다.

① ㄱ ② ㄱ, ㄴ ③ ㄱ, ㄷ
④ ㄴ, ㄷ ⑤ ㄱ, ㄴ, ㄷ

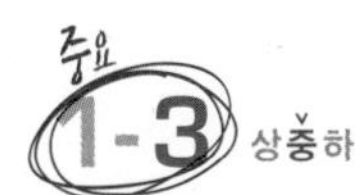

1-3 상중하

모든 실수 x에 대하여 연속인 함수 $f(x)$가

$$(x-2)f(x)=x^2-ax+4$$

를 만족시킬 때, $f(2)$의 값은? (단, a는 상수이다.)

① -2 ② -1 ③ 0
④ 1 ⑤ 2

1-4 상중하

함수 $f(x)=\begin{cases} ax+2 & (|x|<1) \\ bx^2+x & (|x|\geq1) \end{cases}$ 가 실수 전체의 집합에서 연속일 때, 상수 a, b에 대하여 $f(ab)$의 값을 구하시오.

2 합 또는 곱의 꼴의 함수의 연속

연속함수의 성질을 이용하여 두 함수의 합, 차, 곱, 몫의 형태의 함수의 연속성을 판별하거나 연속이 되도록 하는 미정계수의 값을 구하는 문제가 출제된다.

두 함수

$$f(x)=\begin{cases} x+3 & (x\le 2) \\ x^2-x & (x>2) \end{cases},\ g(x)=ax-4$$

에 대하여 함수 $f(x)g(x)$가 실수 전체의 집합에서 연속이 되도록 하는 상수 a의 값을 구하시오.

공략 포인트 함수 $g(x)$는 실수 전체의 집합에서 연속이므로 함수 $f(x)$가 불연속인 $x=2$에서 함수 $f(x)g(x)$가 연속이 되도록 하는 a의 값을 구한다.

단계별 공략

❶ $x=2$에서 함수 $f(x)g(x)$가 연속임을 이용하여 a에 대한 방정식을 세운다.

❷ ❶의 방정식을 풀어 a의 값을 구한다.

2-1 상중하

두 함수 $f(x)$, $f(x)g(x)$가 모두 $x=0$에서 연속일 때, **보기**의 함수 중 $x=0$에서 항상 연속인 것만을 있는 대로 고른 것은?

보기

ㄱ. $\{f(x)\}^2$ ㄴ. $f(x)\{1-g(x)\}$ ㄷ. $g(x)$

① ㄱ ② ㄷ ③ ㄱ, ㄴ
④ ㄴ, ㄷ ⑤ ㄱ, ㄴ, ㄷ

2-2 상중하

두 함수

$$f(x)=x^2-2ax+4a-3,\ g(x)=x^3-x+1$$

에 대하여 함수 $\dfrac{g(x)}{f(x)}$가 모든 실수 x에서 연속이 되도록 하는 자연수 a의 값을 구하시오.

2-3 상중하

함수 $y=f(x)$의 그래프가 오른쪽 그림과 같을 때, 함수 $g(x)=(kx+2)f(x)$가 실수 전체의 집합에서 연속이 되도록 하는 상수 k의 값은?

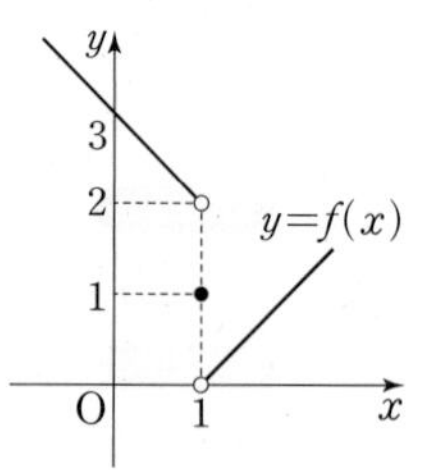

① -2 ② -1
③ 0 ④ 1
⑤ 2

2-4 상중하

최고차항의 계수가 1인 이차함수 $f(x)$와 함수

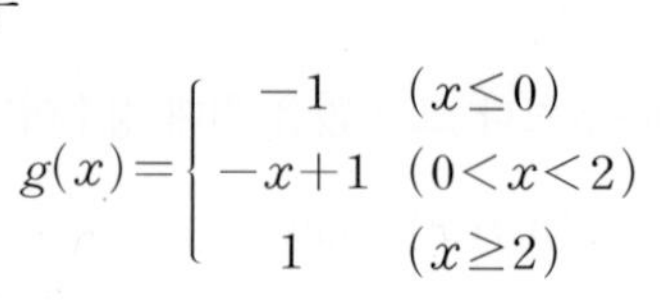

$$g(x)=\begin{cases} -1 & (x\le 0) \\ -x+1 & (0<x<2) \\ 1 & (x\ge 2) \end{cases}$$

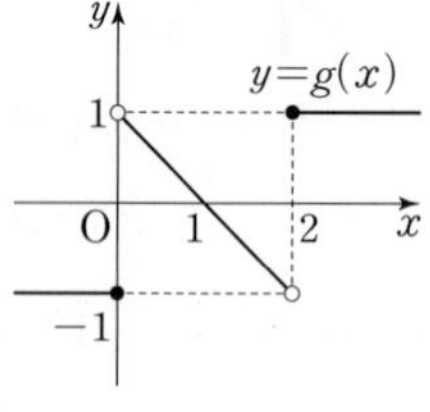

에 대하여 함수 $f(x)g(x)$가 실수 전체의 집합에서 연속이다. $f(5)$의 값은?

① 15 ② 17 ③ 19
④ 21 ⑤ 23

3 최대 · 최소 정리와 사잇값의 정리

최대 · 최소 정리를 이용하여 주어진 구간에서 최댓값, 최솟값을 구하는 문제가 출제된다. 또한, 연속함수와 사잇값의 정리를 이용하여 방정식의 해가 존재하는 구간을 묻는 문제도 출제된다.

대표 문제

함수 $f(x)=x^5+2x^2+k-3$에 대하여 방정식 $f(x)=0$이 구간 $(1,\ 2)$에서 적어도 하나의 실근을 갖도록 하는 정수 k의 개수는?

① 35 ② 36 ③ 37
④ 38 ⑤ 39

공략 포인트 사잇값의 정리의 활용을 이용한다.

▸ 함수 $f(x)$가 닫힌구간 $[a, b]$에서 연속이고 $f(a)f(b)<0$이면 방정식 $f(x)=0$은 열린구간 (a, b)에서 적어도 하나의 실근을 갖는다.

단계별 공략

❶ 함수 $f(x)$가 구간 $[1,\ 2]$에서 연속임을 확인한다.
❷ $f(1)$, $f(2)$의 값을 k에 대한 식으로 나타낸다.
❸ $f(1)f(2)<0$을 만족시키는 k의 값의 범위를 구한다.
❹ 정수 k의 개수를 구한다.

3-1 상중하

방정식 $x^3-2x^2-x-1=0$이 오직 하나의 실근을 가질 때, 다음 중 이 방정식의 실근이 존재하는 구간은?

① $(-1,\ 0)$ ② $(0,\ 1)$ ③ $(1,\ 2)$
④ $(2,\ 3)$ ⑤ $(3,\ 4)$

3-2 상중하

두 직선 $y=kx-3$과 $y=3$이 구간 $(2,\ 3)$에서 교점을 갖도록 하는 실수 k의 값의 범위가 $\alpha<k<\beta$일 때, $\alpha+\beta$의 값을 구하시오.

3-3 상중하

연속함수 $f(x)$에 대하여

$f(-2)=5,\ f(-1)=0,\ f(0)=1,$
$f(1)=-1,\ f(2)=-6$

일 때, 방정식 $f(x)+2x=0$은 구간 $(-2,\ 2)$에서 적어도 n개의 실근을 갖는다. 이때 n의 값은?

① 1 ② 2 ③ 3
④ 4 ⑤ 5

3-4 상중하

함수 $y=f(x)$의 그래프의 일부가 오른쪽 그림과 같고, 함수 $f(x)$가 구간 $[-1,\ 1]$에서 연속일 때, **보기**에서 옳은 것만을 있는 대로 고른 것은?

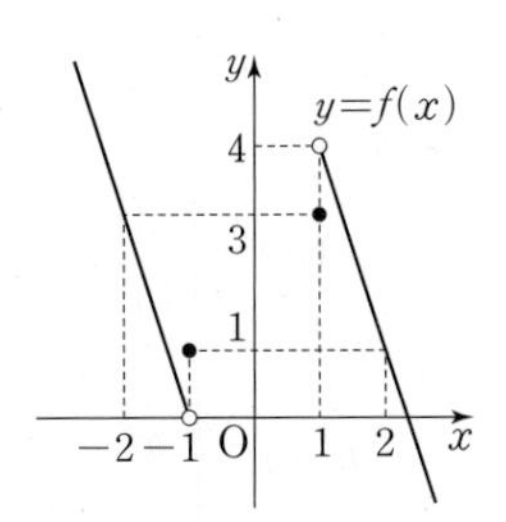

보기

ㄱ. 함수 $f(x)$가 구간 $[-2,\ 2]$에서 불연속인 점은 2개이다.
ㄴ. 함수 $f(x)$는 구간 $[-2,\ 2]$에서 최댓값과 최솟값을 갖는다.
ㄷ. 방정식 $f(x)-2=0$은 구간 $(-2,\ 2)$에서 적어도 3개의 실근을 갖는다.

① ㄱ ② ㄱ, ㄴ ③ ㄱ, ㄷ
④ ㄴ, ㄷ ⑤ ㄱ, ㄴ, ㄷ

실전 문제로 마무리

1 STEP 실전 감각 UP!

01

함수 $y=f(x)$의 그래프가 오른쪽 그림과 같다. 구간 $(0, 6)$에서 함수 $f(x)$의 극한값이 존재하지 않는 x의 값의 개수를 a, $f(x)$가 불연속이 되는 x의 값의 개수를 b라 할 때, ab의 값은?

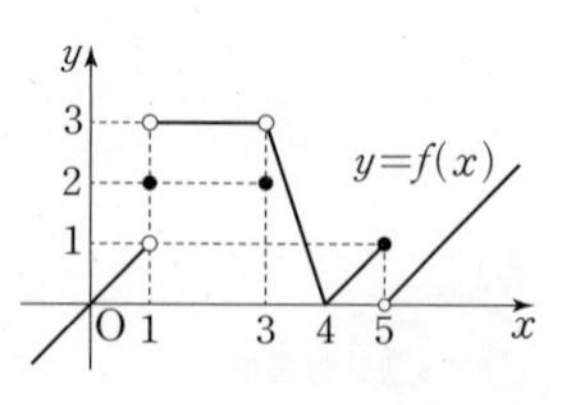

① 4　② 6　③ 8　④ 9　⑤ 16

02

보기에서 모든 실수 x에서 연속인 함수인 것만을 있는 대로 고른 것은?

보기

ㄱ. $f(x)=\begin{cases} 2x-3 & (x\ge 2) \\ (x-1)^2 & (x<2) \end{cases}$

ㄴ. $g(x)=\begin{cases} \dfrac{x-1}{x^2-2x-3} & (x\ne 1) \\ 2 & (x=1) \end{cases}$

ㄷ. $h(x)=\begin{cases} \dfrac{\sqrt{3x+1}-\sqrt{x+1}}{x} & (x\ne 0) \\ 2 & (x=0) \end{cases}$

① ㄱ　② ㄴ　③ ㄱ, ㄴ　④ ㄱ, ㄷ　⑤ ㄱ, ㄴ, ㄷ

03

함수 $f(x)=\begin{cases} a & (x=1) \\ \dfrac{\sqrt{x^2+1}+bx}{x-1} & (x\ne 1) \end{cases}$가 모든 실수 x에서 연속일 때, ab의 값을 구하시오. (단, a, b는 상수이다.)

04

모든 실수 x에서 연속인 함수 $f(x)$가 구간 $[0, 2]$에서

$$f(x)=\begin{cases} 2x+2 & (0\le x<1) \\ x^2+ax+b & (1\le x\le 2) \end{cases}$$

로 정의된다. 모든 실수 x에 대하여 $f(x)=f(x+2)$일 때, $f(a)$의 값을 구하시오. (단, a, b는 상수이다.)

중요

05

함수 $y=f(x)$의 그래프가 오른쪽 그림과 같을 때, **보기**에서 옳은 것만을 있는 대로 고른 것은?

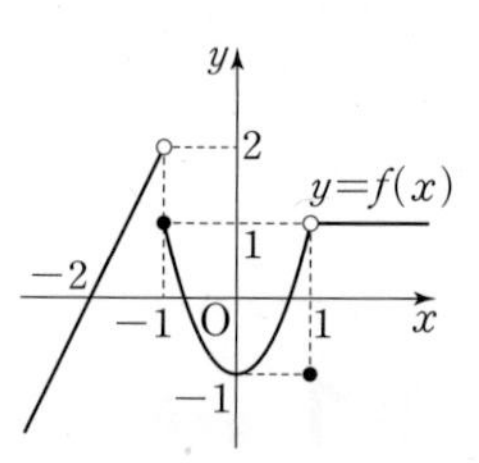

보기

ㄱ. 함수 $(x-1)f(x)$는 $x=1$에서 연속이다.

ㄴ. $\lim_{x\to -1} f(f(x))=1$

ㄷ. 함수 $f(f(x))$는 $x=-1$에서 연속이다.

① ㄱ　② ㄴ　③ ㄱ, ㄴ　④ ㄱ, ㄷ　⑤ ㄴ, ㄷ

06

두 함수 $f(x)=x^2-4x+1$, $g(x)=x-3$에 대하여 구간 $(-2,\ 2)$에서 적어도 하나의 실근을 갖는 방정식만을 **보기**에서 있는 대로 고른 것은?

보기

ㄱ. $f(x)+g(x)=0$
ㄴ. $f(x)-g(x)=0$
ㄷ. $f(x)g(x)=0$

① ㄱ ② ㄷ ③ ㄱ, ㄴ
④ ㄴ, ㄷ ⑤ ㄱ, ㄴ, ㄷ

07

다항함수 $f(x)$에 대하여

$$\lim_{x\to 2}\frac{f(x)}{x-2}=3,\ \lim_{x\to 5}\frac{f(x)}{x-5}=2$$

일 때, 방정식 $f(x)=0$이 구간 $[2,\ 5]$에서 적어도 n개의 실근을 갖는다. n의 값을 구하시오.

2 STEP 기출로 마무리

08

수능 기출

두 함수 $f(x)=\begin{cases} x^2-4x+6 & (x<2) \\ 1 & (x\geq 2)\end{cases}$, $g(x)=ax+1$에 대하여

함수 $\frac{g(x)}{f(x)}$가 실수 전체의 집합에서 연속일 때, 상수 a의 값은?

① $-\frac{5}{4}$ ② -1 ③ $-\frac{3}{4}$
④ $-\frac{1}{2}$ ⑤ $-\frac{1}{4}$

09

평가원 기출

함수 $f(x)$가

$$f(x)=\begin{cases} a & (x\leq 1) \\ -x+2 & (x>1)\end{cases}$$

일 때, 옳은 것만을 **보기**에서 있는 대로 고른 것은?
(단, a는 상수이다.)

보기

ㄱ. $\lim_{x\to 1+} f(x)=1$
ㄴ. $a=0$이면 함수 $f(x)$는 $x=1$에서 연속이다.
ㄷ. 함수 $y=(x-1)f(x)$는 실수 전체의 집합에서 연속이다.

① ㄱ ② ㄴ ③ ㄱ, ㄷ
④ ㄴ, ㄷ ⑤ ㄱ, ㄴ, ㄷ

10

평가원 기출

두 함수 $f(x)$, $g(x)$에 대하여 **보기**에서 옳은 것을 모두 고른 것은?

보기

ㄱ. $\lim_{x\to 0} f(x)$와 $\lim_{x\to 0} g(x)$가 모두 존재하지 않으면 $\lim_{x\to 0}\{f(x)+g(x)\}$도 존재하지 않는다.
ㄴ. $y=f(x)$가 $x=0$에서 연속이면 $y=|f(x)|$도 $x=0$에서 연속이다.
ㄷ. $y=|f(x)|$가 $x=0$에서 연속이면 $y=f(x)$도 $x=0$에서 연속이다.

① ㄴ ② ㄷ ③ ㄱ, ㄴ
④ ㄱ, ㄷ ⑤ ㄴ, ㄷ

03강 미분계수

| 해답 13쪽 |

교과서 핵심개념

핵심 1 평균변화율

(1) **평균변화율**: 함수 $y=f(x)$에서 x의 값이 a에서 b까지 변할 때의 **평균변화율**은

$$\frac{\Delta y}{\Delta x}=\frac{f(b)-f(a)}{b-a}=\frac{f(a+\Delta x)-f(a)}{\Delta x}$$

참고 x의 값의 변화량 $b-a$를 x의 증분 Δx, 이에 대한 y의 값의 변화량 $f(b)-f(a)$를 y의 증분 Δy라 한다.

(2) **평균변화율의 기하적 의미**

함수 $y=f(x)$의 평균변화율은 그래프 위의 두 점 $\mathrm{A}(a,\ f(a))$, $\mathrm{B}(b,\ f(b))$를 지나는 직선의 기울기와 같다.

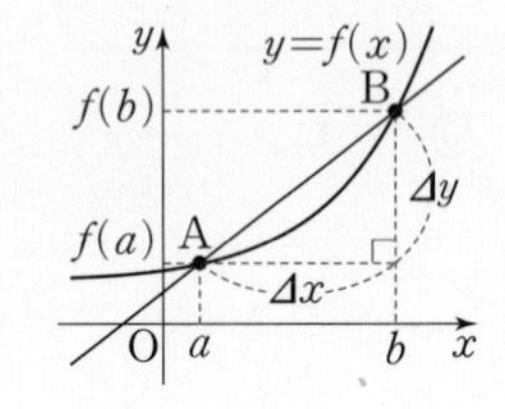

핵심 2 미분계수

(1) **미분계수(순간변화율)**: 함수 $y=f(x)$의 $x=a$에서의 **순간변화율** 또는 **미분계수**는

$$f'(a)=\lim_{\Delta x\to 0}\frac{f(a+\Delta x)-f(a)}{\Delta x}=\lim_{x\to a}\frac{f(x)-f(a)}{x-a}$$ → 평균변화율의 극한값

참고 〈미분계수를 이용한 극한값의 계산〉

① $\displaystyle\lim_{h\to 0}\frac{f(a+ph)-f(a)}{h}=pf'(a)$

② $\displaystyle\lim_{h\to 0}\frac{f(a+ph)-f(a-qh)}{h}=(p+q)f'(a)$

③ $\displaystyle\lim_{x\to a}\frac{af(x)-xf(a)}{x-a}=af'(a)-f(a)$

(2) **미분계수의 기하적 의미**

함수 $y=f(x)$의 $x=a$에서의 미분계수 $f'(a)$는 곡선 $y=f(x)$ 위의 점 $(a,\ f(a))$에서의 접선의 기울기와 같다.

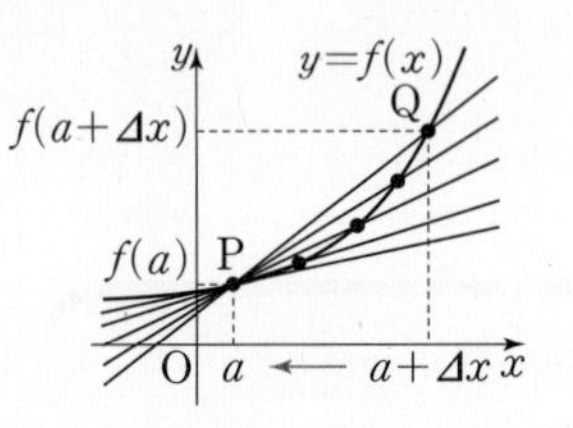

핵심 3 미분가능성과 연속성

(1) 함수 $f(x)$의 $x=a$에서의 미분계수 $f'(a)$가 존재할 때, 함수 $f(x)$는 $x=a$에서 **미분가능**하다고 한다.

중요
(2) 함수 $f(x)$가 $x=a$에서 미분가능하면 $f(x)$는 $x=a$에서 연속이다.

주의 (2)의 역은 성립하지 않는다. 즉, $x=a$에서 연속인 함수 $f(x)$가 $x=a$에서 반드시 미분가능한 것은 아니다.

예 함수 $f(x)=|x|$는

(i) $\displaystyle\lim_{x\to 0}f(x)=\lim_{x\to 0}|x|=0=f(0)$이므로 $x=0$에서 연속이지만

(ii) $\displaystyle\lim_{h\to 0+}\frac{f(0+h)-f(0)}{h}\neq\lim_{h\to 0-}\frac{f(0+h)-f(0)}{h}$이므로
(└ 우미분계수, └ 좌미분계수)

$x=0$에서 미분가능하지 않다.

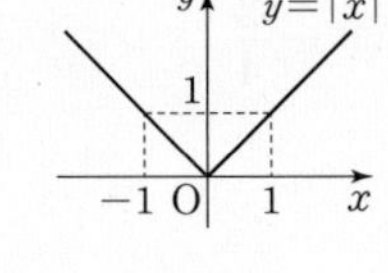

참고 〈함수 $f(x)$가 $x=a$에서 미분가능하지 않은 경우〉

① $x=a$에서 불연속인 경우 ② $x=a$에서 그래프가 꺾인 경우

확인 1

함수 $f(x)=x^2+3x$에서 x의 값이 2에서 4까지 변할 때의 평균변화율을 구하시오.

확인 2

함수 $f(x)=x^2+2$의 $x=1$에서의 미분계수를 구하시오.

확인 3

함수 $f(x)=|x-1|$에 대하여 다음을 조사하시오.

(1) $x=1$에서 연속성

(2) $x=1$에서 미분가능성

핵심 유형 익히기

1 평균변화율과 미분계수

평균변화율과 미분계수의 정의를 이용하는 문제나 평균변화율 또는 미분계수가 주어질 때, 미지수의 값을 구하는 문제가 출제된다.

대표 문제

함수 $f(x)=x^2-6x+2$에서 x의 값이 0에서 2까지 변할 때의 평균변화율과 $x=a$에서의 미분계수가 같을 때, 상수 a의 값은?

① 1　② $\frac{3}{2}$　③ 2　④ $\frac{5}{2}$　⑤ 3

공략 포인트 평균변화율과 미분계수의 정의를 이용하여 식을 세운다.

▸ (평균변화율)$=\frac{\Delta y}{\Delta x}$, ($x=a$에서의 미분계수)$=\lim_{x\to a}\frac{f(x)-f(a)}{x-a}$

단계별 공략

❶ x의 값이 0에서 2까지 변할 때의 평균변화율을 구한다.

❷ $x=a$에서의 미분계수 $f'(a)$를 구한다.

❸ 평균변화율과 미분계수가 같도록 하는 상수 a의 값을 구한다.

1-1 상중하

함수 $f(x)=x^3+ax^2-ax+2$에 대하여 x의 값이 -2에서 2까지 변할 때의 평균변화율이 10이 되도록 하는 상수 a의 값은?

① -10　② -8　③ -6　④ -4　⑤ -2

1-2 상중하

함수 $f(x)=x^3-10x+1$에서 x의 값이 -3에서 a $(-3<a<3)$까지 변할 때의 평균변화율과 곡선 $y=f(x)$ 위의 두 점 $(-3,\ 4)$, $(3,\ -2)$를 지나는 직선의 기울기가 같을 때, 상수 a의 값은?

① -2　② -1　③ 0　④ 1　⑤ 2

1-3 상중하

함수 $f(x)=x^2+4x+5$에 대하여 x의 값이 a에서 b까지 변할 때의 평균변화율과 $x=3$에서의 미분계수가 같을 때, 상수 a, b에 대하여 $a+b$의 값을 구하시오.

중요 1-4 상중하

오른쪽 그림은 $x\ge0$에서 정의된 함수 $y=f(x)$의 그래프와 직선 $y=x$이다. 함수 $f(x)$는 $x>0$에서 미분가능하고 $0<a<b$일 때, **보기**에서 옳은 것만을 있는 대로 고른 것은?

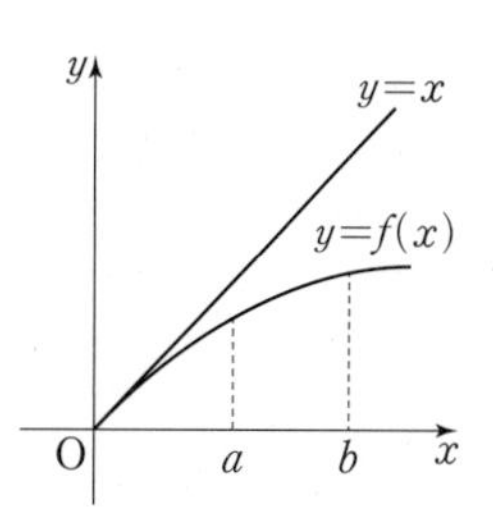

보기

ㄱ. $\frac{f(a)}{a}>\frac{f(b)}{b}$　ㄴ. $\frac{f(b)-f(a)}{b-a}>1$

ㄷ. $f'(a)>f'(b)$　ㄹ. $f'(a)>1$

① ㄱ, ㄴ　② ㄱ, ㄷ　③ ㄱ, ㄹ　④ ㄴ, ㄷ　⑤ ㄴ, ㄹ

2 미분계수의 정의를 이용한 극한값의 계산

미분계수의 정의를 이용하여 극한값을 구하는 문제가 자주 출제된다. 또, 극한값이 주어질 때 함숫값 또는 미분계수를 구하는 문제도 출제된다.

평가원 기출

다항함수 $f(x)$에 대하여 $\lim_{x \to 1} \frac{f(x)-2}{x^2-1}=3$일 때, $\frac{f'(1)}{f(1)}$의 값은?

① 3　② $\frac{7}{2}$　③ 4　④ $\frac{9}{2}$　⑤ 5

공략 포인트 미분계수의 정의를 이용하여 주어진 식의 의미를 파악한다.

▸ $f'(a)=\lim_{x \to a} \frac{f(x)-f(a)}{x-a}$

단계별 공략

❶ $x \to 1$일 때 (분모) $\to 0$이고 극한값이 존재하므로 (분자) $\to 0$임을 이용하여 $f(1)$의 값을 구한다.

❷ $f'(1)=\lim_{x \to 1} \frac{f(x)-f(1)}{x-1}$임을 이용하여 $f'(1)$의 값을 구한다.

❸ $\frac{f'(1)}{f(1)}$의 값을 구한다.

2-1 상중하

다항함수 $f(x)$에 대하여 $f'(3)=2$이고 $\lim_{h \to 0} \frac{f(3+kh)-f(3)}{h}=6$일 때, 상수 k의 값을 구하시오.

2-2 상중하

함수 $y=f(x)$의 그래프 위의 점 (3, 2)에서의 접선의 기울기가 2일 때, $\lim_{h \to 0} \frac{f(3-2h)-2}{h}$의 값은?

① -4　② -2　③ 0　④ 2　⑤ 4

2-3 상중하

다항함수 $f(x)$에 대하여 $f(-2)=3$, $f'(-2)=-4$일 때, $\lim_{x \to -2} \frac{x^2-4}{\{f(x)\}^2-9}$의 값은?

① $-\frac{1}{3}$　② $-\frac{1}{6}$　③ $\frac{1}{6}$　④ $\frac{1}{3}$　⑤ $\frac{1}{2}$

2-4 상중하

다항함수 $f(x)$에 대하여 $\lim_{x \to 1} \frac{f(x+2)-5}{x-1}=1$일 때, $\lim_{h \to 0} \frac{f(3+h)-f(3-2h)}{h}$의 값은?

① $\frac{3}{2}$　② 3　③ $\frac{9}{2}$　④ 6　⑤ $\frac{15}{2}$

3 미분가능성과 연속성

함수의 미분가능성을 따지거나 미분가능할 조건을 이용하여 미지수의 값 또는 미분계수를 구하는 문제가 출제된다.

다음 중 $x=0$에서 미분가능한 함수는?

① $f(x)=|x|$　② $f(x)=x-|x|$
③ $f(x)=\dfrac{|x|}{x}$　④ $f(x)=\dfrac{1}{x}$
⑤ $f(x)=|x^2|$

공략 포인트 함수 $f(x)$가 $x=0$에서 미분가능하려면 $x=0$에서의 미분계수 $f'(0)$이 존재해야 함을 이용한다.
▸ $\lim_{h\to0+}\dfrac{f(0+h)-f(0)}{h}=\lim_{h\to0-}\dfrac{f(0+h)-f(0)}{h}$

3-1 상중하

함수 $f(x)=\begin{cases}\dfrac{x^2+5x-24}{x-3} & (x\neq3)\\ a-1 & (x=3)\end{cases}$이 미분가능할 때, 상수 a의 값을 구하시오.

3-2 상중하

함수 $f(x)=|x-2|(x+k)$가 $x=2$에서 미분가능할 때, $f'(1)$의 값을 구하시오. (단, k는 상수이다.)

4 관계식이 주어질 때 미분계수 구하기

$f(x+y)=f(x)+f(y)+axy+b$ (a, b는 상수) 꼴의 관계식이 주어질 때, 미분계수의 정의를 이용하여 특정한 값에서의 미분계수를 구하는 문제가 출제된다.

미분가능한 함수 $f(x)$가 모든 실수 x, y에 대하여

$$f(x+y)=f(x)+f(y)+xy$$

를 만족시키고 $f'(0)=1$일 때, $f'(1)f'(2)$의 값은?

① 2　② 4　③ 6
④ 8　⑤ 10

공략 포인트 미분계수의 정의 $f'(a)=\lim_{h\to0}\dfrac{f(a+h)-f(a)}{h}$에서 $f(a+h)$를 주어진 관계식을 이용하여 변형한 후 $f'(a)$의 값을 구한다.

4-1 상중하

미분가능한 함수 $f(x)$가 모든 실수 x, y에 대하여

$$f(x+y)=f(x)+f(y)+3xy+2$$

를 만족시키고 $f'(0)=3$, $f'(a)=12$일 때, 상수 a의 값을 구하시오.

4-2 상중하

미분가능한 두 함수 $f(x)$, $g(x)$가 모든 실수 x, y에 대하여

$$f(x+y)=f(x)+g(5y)$$

를 만족시키고 $g'(0)=2$일 때, $f'(4)$의 값을 구하시오.

실전 문제로 마무리

1 STEP 실전 감각 UP!

01

함수 $f(x)=2x^2-1$에 대하여 x의 값이 1에서 a까지 변할 때의 평균변화율이 $a+7$일 때, a의 값은? (단, $a>1$)

① 2 ② 3 ③ 4 ④ 5 ⑤ 6

02

오른쪽 그림은 삼차함수 $y=f(x)$의 그래프를 나타낸 것이다. 다음 중 그 값이 가장 큰 것은?

① $f'(a)$

② $f'(b)$

③ $f'(c)$

④ 함수 $f(x)$의 구간 $[a, c]$에서의 평균변화율

⑤ 함수 $f(x)$의 구간 $[b, c]$에서의 평균변화율

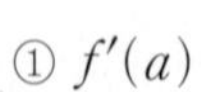

03

다항함수 $f(x)$에 대하여 $f'(4)=6$이고

$$\lim_{h\to 0}\frac{f(4+ah)-f(4+bh)}{h}=24$$

일 때, 상수 a, b에 대하여 $a-b$의 값을 구하시오.

04

다항함수 $f(x)$에 대하여 $f(1)=1$, $f'(1)=5$일 때,

$\displaystyle\lim_{x\to 1}\frac{x^2f(1)-f(x^2)}{x-1}$의 값은?

① -10 ② -8 ③ -6 ④ -4 ⑤ -2

05

다항함수 $f(x)$가 다음 조건을 모두 만족시킬 때, $f(2)+f'(2)$의 값은?

(가) 모든 실수 x에 대하여 $f(-x)=f(x)$

(나) $\displaystyle\lim_{x\to -2}\frac{f(x)-4}{x+2}=3$

① -2 ② -1 ③ 0 ④ 1 ⑤ 2

06

$|x|<3$에서 정의된 함수 $y=f(x)$의 그래프가 오른쪽 그림과 같다. 함수 $f(x)$가 불연속인 점의 개수는 a이고, 미분가능하지 않은 점의 개수는 b일 때, $a+b$의 값은?

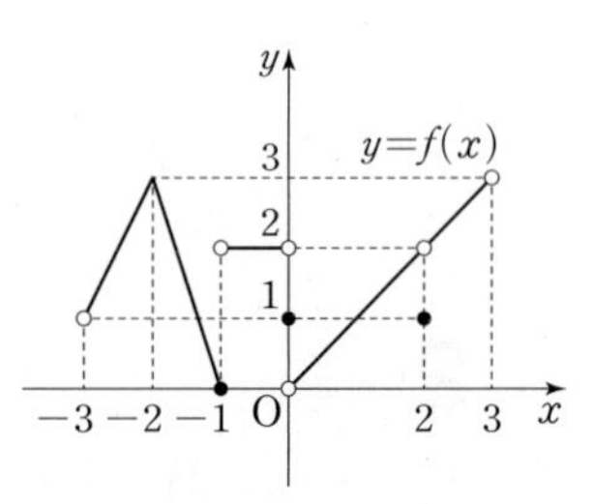

① 3 ② 4 ③ 5 ④ 6 ⑤ 7

07

보기에서 $x=-1$에서 연속이지만 미분가능하지 않은 함수인 것만을 있는 대로 고른 것은?

보기

ㄱ. $f(x)=\sqrt{(x+1)^2}$　　ㄴ. $g(x)=|x+1|^2$

ㄷ. $h(x)=(x+1)|x+1|$

① ㄱ　② ㄴ　③ ㄱ, ㄴ　④ ㄴ, ㄷ　⑤ ㄱ, ㄴ, ㄷ

08

미분가능한 함수 $f(x)$가 모든 실수 x, y에 대하여 $f(x)>0$이고, $f(x+y)=f(x)f(y)$를 만족시킨다. $f'(0)=2$일 때, $\dfrac{f'(3)}{f(3)}$의 값을 구하시오.

2 STEP 기출로 마무리

09

교육청 기출

함수 $f(x)=x(x+1)(x-2)$에서 x의 값이 -2에서 0까지 변할 때의 평균변화율과 x의 값이 0에서 a까지 변할 때의 평균변화율이 서로 같을 때, 양수 a의 값은?

① 1　② 2　③ 3　④ 4　⑤ 5

10

평가원 기출

함수 $y=f(x)$의 그래프는 y축에 대하여 대칭이고, $f'(2)=-3$, $f'(4)=6$일 때, $\lim\limits_{x \to -2}\dfrac{f(x^2)-f(4)}{f(x)-f(-2)}$의 값은?

① -8　② -4　③ 4　④ 8　⑤ 12

11

평가원 기출

양의 실수 전체의 집합에서 증가하는 함수 $f(x)$가 $x=1$에서 미분가능하다. 1보다 큰 모든 실수 a에 대하여 점 $(1, f(1))$과 점 $(a, f(a))$ 사이의 거리가 a^2-1일 때, $f'(1)$의 값은?

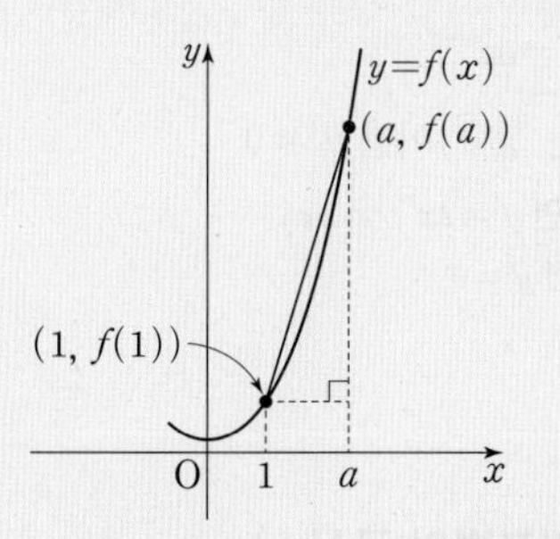

① 1　② $\dfrac{\sqrt{5}}{2}$　③ $\dfrac{\sqrt{6}}{2}$　④ $\sqrt{2}$　⑤ $\sqrt{3}$

04 강 도함수

| 해답 18쪽 |

교과서 핵심개념

핵심 1 도함수

(1) **도함수**

미분가능한 함수 $y=f(x)$의 미분가능한 모든 x에 미분계수 $f'(x)$를 대응시켜 만든 함수 $f' : x \longrightarrow f'(x)$를 $y=f(x)$의 도함수라 한다. 즉,

$$f'(x)=\lim_{\Delta x \to 0}\frac{f(x+\Delta x)-f(x)}{\Delta x}$$

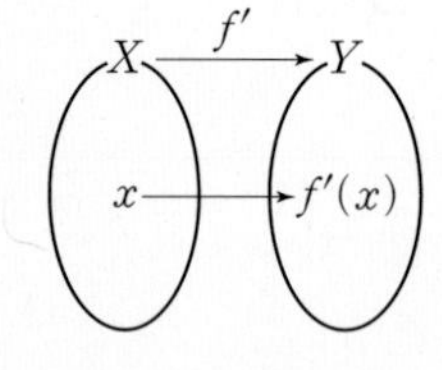

기호 $f'(x)$, y', $\dfrac{dy}{dx}$, $\dfrac{d}{dx}f(x)$

└ y를 x에 대하여 미분한다는 뜻이다.

참고 도함수의 정의에서 Δx 대신 h를 사용하여 $f'(x)=\lim_{h \to 0}\dfrac{f(x+h)-f(x)}{h}$로 나타낼 수도 있다.

(2) **미분법**

함수 $f(x)$에서 도함수 $f'(x)$를 구하는 것을 '$f(x)$를 x에 대하여 미분한다'고 하고, 이 계산법을 미분법이라 한다.

확인 1

도함수의 정의를 이용하여 함수 $f(x)=x^2-3x$의 도함수를 구하시오.

핵심 2 함수 $y=x^n$ (n은 양의 정수)과 상수함수의 도함수

(1) $y=x$이면 $y'=1$

(2) $y=x^n$ $(n\geq 2)$이면 $y'=nx^{n-1}$

참고 $(x^n)'=nx^{n-1}$

(3) $y=c$ (c는 상수)이면 $y'=0$

예 ① $y=x^2$이면 $y'=2x^{2-1}=2x$

② $y=3$이면 $y'=0$

확인 2

다음 함수에 대하여 도함수를 구하시오.

(1) $y=2x^3$

(2) $y=-5$

중요

핵심 3 미분법의 공식

(1) **함수의 실수배, 합, 차의 미분법**

두 함수 $f(x)$, $g(x)$가 미분가능할 때

① $\{cf(x)\}'=cf'(x)$ (단, c는 상수)

② $\{f(x)+g(x)\}'=f'(x)+g'(x)$

③ $\{f(x)-g(x)\}'=f'(x)-g'(x)$

참고 함수의 합, 차의 미분법은 세 개 이상의 함수에 대해서도 성립한다.

(2) **함수의 곱의 미분법**

세 함수 $f(x)$, $g(x)$, $h(x)$가 미분가능할 때

① $\{f(x)g(x)\}'=f'(x)g(x)+f(x)g'(x)$

② $\{f(x)g(x)h(x)\}'=f'(x)g(x)h(x)+f(x)g'(x)h(x)+f(x)g(x)h'(x)$

참고 함수 $f(x)$가 미분가능할 때,

$y=\{f(x)\}^n$ (n은 양의 정수)이면 $y'=n\{f(x)\}^{n-1}f'(x)$

확인 3

다음 함수에 대하여 $f'(2)$의 값을 구하시오.

(1) $f(x)=\dfrac{1}{3}x^3+2x^2-6x+5$

(2) $f(x)=(x^2+1)(x^2+x-2)$

핵심 유형 익히기

1 미분법

다항함수의 미분계수를 구하는 문제가 출제된다. 또한, 미분가능한 두 함수 $f(x)$, $g(x)$에 대하여 함수 $f(x)g(x)$의 미분계수를 구하는 문제가 자주 출제된다.

대표문제 교육청 기출

함수 $f(x)=(x-1)(x-2)(x-3)\cdots(x-10)$에 대하여 $\dfrac{f'(1)}{f'(4)}$의 값은?

① -80 ② -84 ③ -88
④ -92 ⑤ -96

공략 포인트 여러 식의 곱으로 이루어진 함수를 곱의 미분법을 이용하여 앞에서부터 차례로 미분한다.

단계별 공략
1. 곱의 미분법을 이용하여 도함수 $f'(x)$를 구한다.
2. $f'(x)$에 $x=1$, $x=4$를 각각 대입하여 $f'(1)$, $f'(4)$의 값을 구한다.
3. $\dfrac{f'(1)}{f'(4)}$의 값을 구한다.

1-1 상중하

두 함수 $f(x)=x^3-2x^2+4$, $g(x)=x^2-2x$에 대하여 $f'(2)+g'(2)$의 값은?

① 2 ② 3 ③ 4
④ 5 ⑤ 6

1-2 상중하

다항함수 $y=f(x)$의 그래프 위의 점 $(3, 5)$에서의 접선의 기울기가 -4이고, 함수 $g(x)=x^2f(x)+ax$에 대하여 $g'(3)=-5$일 때, 상수 a의 값은?

① -2 ② -1 ③ 1
④ 2 ⑤ 3

1-3 상중하

두 다항함수 $f(x)$, $g(x)$가 모든 실수 x에 대하여 등식

$$(x^2-2x+3)f(x)=(x+1)g(x)$$

를 만족시킨다. $f(1)=f'(1)=3$일 때, $g(1)+g'(1)$의 값은?

① 3 ② $\dfrac{7}{2}$ ③ 4
④ $\dfrac{9}{2}$ ⑤ 5

1-4 상중하 평가원 기출

함수 $f(x)=ax^2+b$가 모든 실수 x에 대하여

$$4f(x)=\{f'(x)\}^2+x^2+4$$

를 만족시킨다. $f(2)$의 값은? (단, a, b는 상수이다.)

① 3 ② 4 ③ 5
④ 6 ⑤ 7

2 미분계수의 정의를 이용한 극한값의 계산

미분계수의 정의로부터 주어진 극한값의 의미를 파악하여 미분계수를 구하는 문제가 출제된다.

대표 문제 평가원 기출

다항함수 $f(x)$가 $\lim_{x\to 1}\frac{f(x)-5}{x-1}=9$를 만족시킨다. $g(x)=xf(x)$라 할 때, $g'(1)$의 값을 구하시오.

공략 포인트 주어진 식에서 극한값이 존재함을 이용하여 $f(1)$의 값을 구하고 미분계수의 정의를 이용하여 $f'(1)$의 값을 구한다.

단계별 공략

❶ 미분계수의 정의를 이용하여 $f(1)$, $f'(1)$의 값을 구한다.

❷ 곱의 미분법을 이용하여 $g'(x)$를 구한다.

❸ $g'(1)$의 값을 구한다.

2-1 상중하

함수 $f(x)=2x^2+4x$에 대하여 $\lim_{h\to 0}\frac{f(1+2h)-f(1)}{h}$의 값은?

① 4 ② 8 ③ 12 ④ 16 ⑤ 20

2-2 상중하

함수 $f(x)=(2x-1)^3$에 대하여

$$\lim_{h\to 0}\frac{f(a+h)-f(a-h)}{h}=48$$

을 만족시키는 양수 a의 값은?

① $\frac{1}{2}$ ② 1 ③ $\frac{3}{2}$ ④ 2 ⑤ 3

2-3 상중하 평가원 기출

함수 $f(x)=2x^4-3x+1$에 대하여

$\lim_{n\to\infty} n\left\{f\left(1+\frac{3}{n}\right)-f\left(1-\frac{2}{n}\right)\right\}$의 값을 구하시오.

2-4 상중하

최고차항의 계수가 1인 삼차함수 $f(x)$에 대하여

$$\lim_{x\to 0}\frac{f(x)}{x}=12,\ \lim_{x\to 3}\frac{f(x)}{x-3}=-3$$

일 때, 방정식 $f(x)=0$의 모든 근의 합을 구하시오.

3 미분가능할 조건과 미분계수

미분법의 공식을 이용하여 도함수를 구하고, x의 값에 따라 다르게 정의된 함수가 미분가능하도록 하는 미정계수의 값을 구하는 문제가 주로 출제된다.

대표 문제 평가원 기출

함수

$$f(x)=\begin{cases} x^2+ax+b & (x\le -2) \\ 2x & (x>-2) \end{cases}$$

가 실수 전체의 집합에서 미분가능할 때, $a+b$의 값은?

(단, a와 b는 상수이다.)

① 6 ② 7 ③ 8
④ 9 ⑤ 10

공략 포인트 실수 전체의 집합에서 미분가능하므로 구간의 경계인 $x=-2$에서 연속이고, 미분가능함을 이용한다.

단계별 공략
❶ $x=-2$에서 연속임을 이용하여 a, b에 대한 식을 세운다.
❷ $x=-2$에서 미분가능함을 이용하여 a, b에 대한 식을 세운다.
❸ ❶, ❷의 식을 연립하여 a, b의 값을 구하고, $a+b$의 값을 계산한다.

3-1 상중하

이차함수 $f(x)$에 대하여 함수

$$g(x)=\begin{cases} f(x) & (x<1) \\ 3x+2 & (x\ge 1) \end{cases}$$

가 $x=1$에서 미분가능할 때, $f(1)+f'(1)$의 값은?

(단, a, b는 상수이다.)

① 2 ② 4 ③ 6
④ 8 ⑤ 10

3-2 상중하

함수 $f(x)=\begin{cases} -x^2+5x+b & (x\le a) \\ x^3 & (x>a) \end{cases}$이 $x=a$에서 미분가능할 때, 상수 a, b에 대하여 ab의 값은? (단, $a>0$)

① -3 ② -1 ③ 0
④ 1 ⑤ 3

3-3 상중하

함수

$$f(x)=\begin{cases} -3x+a & (x<0) \\ 4x^3-ax-b & (x\ge 0) \end{cases}$$

가 실수 전체의 집합에서 미분가능할 때, $f(1)$의 값은?

(단, a, b는 상수이다.)

① 1 ② 2 ③ 3
④ 4 ⑤ 5

3-4 상중하 교육청 기출

삼차함수 $f(x)=x^3-x^2-9x+1$에 대하여 함수 $g(x)$를

$$g(x)=\begin{cases} f(x) & (x\ge k) \\ f(2k-x) & (x<k) \end{cases}$$

라 하자. 함수 $g(x)$가 실수 전체의 집합에서 미분가능하도록 하는 모든 실수 k의 값의 합을 $\frac{q}{p}$라 할 때, p^2+q^2의 값을 구하시오.

(단, p와 q는 서로소인 자연수이다.)

실전 문제로 마무리

1 STEP 실전 감각 UP!

01

함수 $f(x)=3x^3-ax+4$에 대하여 $f'(2)=30$을 만족시키는 상수 a의 값은?

① 2　② 4　③ 6
④ 8　⑤ 10

02

함수 $f(x)=(x^2-4x+7)(x^3+x^2+6)$에 대하여 $f'(1)$의 값은?

① 1　② 2　③ 3
④ 4　⑤ 5

03

미분가능한 두 함수 $f(x)$, $g(x)$가 다음 조건을 모두 만족시킬 때, $g'(a)$의 값은?

> (가) 곡선 $y=f(x)$ 위의 점 $(a, 3)$에서 접하는 직선의 방정식은 $y=2x-7$이다.
> (나) $g(x)=(x^2+2x)f(x)$

① 102　② 103　③ 104
④ 105　⑤ 106

04

두 함수 $f(x)=x+\frac{1}{2}x^2$, $g(x)=\frac{1}{4}x^4$에 대하여 $\lim_{h\to 0}\frac{f(2+h)-g(2-h)}{h}$의 값을 구하시오.

05

$\lim_{x\to -1}\frac{x^{10}+x^9+x^8+\cdots+x}{x+1}$의 값은?

① -10　② -5　③ 0
④ 5　⑤ 10

중요

06

다항함수 $f(x)$가 다음 조건을 만족시킬 때, $f'(3)$의 값을 구하시오.

> (가) $\lim_{x\to\infty}\frac{f(x)}{2x^3+x-2}=1$　(나) $\lim_{x\to 0}\frac{f'(x)}{x}=2$

중요

07

다항식 $x^{10}+ax^5+b$가 $(x-1)^2$으로 나누어떨어질 때, 상수 a, b에 대하여 a^2+b^2의 값은?

① 1　② 4　③ 5
④ 9　⑤ 10

08

함수 $f(x)=\begin{cases} x^2 & (x\le 4) \\ -(x-a)^2+b & (x>4) \end{cases}$가 실수 전체의 집합에서 미분가능할 때, 상수 a, b에 대하여 $a+b$의 값은?

① 40　② 42　③ 44
④ 46　⑤ 48

2 STEP 기출로 마무리

09

교육청 기출

최고차항의 계수가 1인 삼차함수 $f(x)$가 있다. 양수 t에 대하여 곡선 $y=f(x)$와 x축이 만나는 서로 다른 세 점의 x좌표가 $-2t$, 0, t일 때, $f'(4)$의 최댓값을 구하시오.

10

수능 기출

최고차항의 계수가 1이고 $f(1)=0$인 삼차함수 $f(x)$가

$$\lim_{x\to 2}\frac{f(x)}{(x-2)\{f'(x)\}^2}=\frac{1}{4}$$

을 만족시킬 때, $f(3)$의 값은?

① 4　② 6　③ 8
④ 10　⑤ 12

11

교육청 기출

함수 $f(x)$가 다음과 같다.

$$f(x)=\begin{cases} \frac{1}{2}(x^3-3x) & (x\le -1 \text{ 또는 } x\ge 0) \\ \frac{1}{2}(x^3-3x)-1 & (-1<x<0) \end{cases}$$

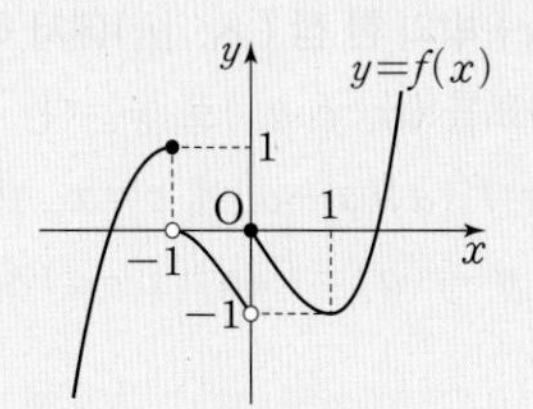

옳은 것만을 **보기**에서 있는 대로 고른 것은?

보기

ㄱ. 함수 $f(x)$는 $x=0$에서 미분가능하다.

ㄴ. $\lim_{x\to 0} f'(x)=-\frac{3}{2}$

ㄷ. $\lim_{x\to -1+} f(f'(x))=0$

① ㄱ　② ㄴ　③ ㄷ
④ ㄱ, ㄷ　⑤ ㄴ, ㄷ

05강 도함수의 활용(1)

| 해답 22쪽 |

교과서 핵심개념

핵심 1 접선의 방정식

함수 $f(x)$가 $x=a$에서 미분가능할 때, 곡선 $y=f(x)$ 위의 점 $\mathrm{P}(a,\ f(a))$에서의 접선의 방정식은

$$y-f(a)=f'(a)(x-a)$$

($f'(a)$: 접선의 기울기)

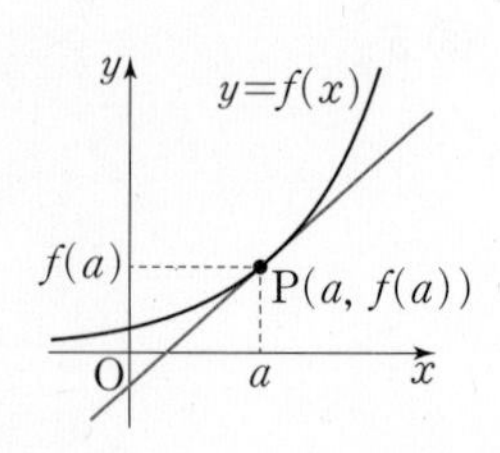

참고 곡선 $y=f(x)$ 위의 점 $(a,\ f(a))$를 지나고, 이 점에서의 접선에 수직인 직선의 방정식은

$$y-f(a)=-\frac{1}{f'(a)}(x-a)$$

확인 1

곡선 $y=-2x^3+3x$ 위의 점 $(1,\ 1)$에서의 접선의 기울기를 구하시오.

핵심 2 접선의 방정식을 구하는 방법

(1) **곡선 $y=f(x)$ 위의 점 $(a,\ f(a))$에서의 접선의 방정식**

① 접선의 기울기 $f'(a)$를 구한다.

② $y-f(a)=f'(a)(x-a)$를 이용하여 접선의 방정식을 구한다.

(2) **곡선 $y=f(x)$에 접하고 기울기가 m인 접선의 방정식**

① 접점의 좌표를 $(a,\ f(a))$로 놓는다.

② $f'(a)=m$임을 이용하여 a의 값을 구한다.

③ a의 값을 $y-f(a)=m(x-a)$에 대입하여 접선의 방정식을 구한다.

(3) **곡선 $y=f(x)$ 밖의 한 점 $(x_1,\ y_1)$에서 곡선에 그은 접선의 방정식**

① 접점의 좌표를 $(a,\ f(a))$로 놓는다.

② $y-f(a)=f'(a)(x-a)$에 $x=x_1$, $y=y_1$을 대입하여 a의 값을 구한다.

③ a의 값을 $y-f(a)=f'(a)(x-a)$에 대입하여 접선의 방정식을 구한다.

확인 2

곡선 $y=-x^3+4x$ 위의 점 $(1,\ 3)$에서의 접선의 방정식이 $y=ax+b$일 때, $10a+b$의 값을 구하시오. (단, a, b는 상수이다.)

핵심 3 롤의 정리

함수 $f(x)$가 닫힌구간 $[a,\ b]$에서 연속이고 열린구간 $(a,\ b)$에서 미분가능할 때, $f(a)=f(b)$이면

$$f'(c)=0$$

인 c가 열린구간 $(a,\ b)$에 적어도 하나 존재한다.

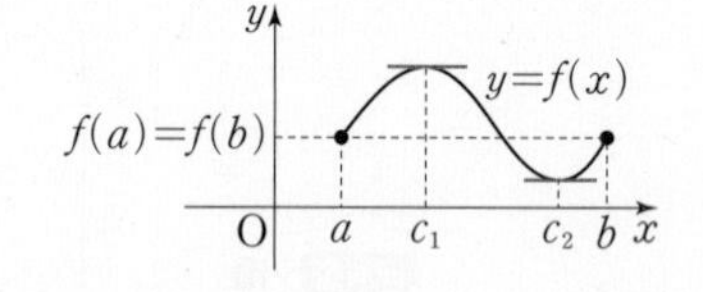

확인 3

함수 $f(x)=x^2+2x-3$에 대하여 닫힌구간 $[-3,\ 1]$에서 롤의 정리를 만족시키는 실수 c의 값을 구하시오.

핵심 4 평균값 정리

함수 $f(x)$가 닫힌구간 $[a,\ b]$에서 연속이고 열린구간 $(a,\ b)$에서 미분가능하면

$$\frac{f(b)-f(a)}{b-a}=f'(c)$$

인 c가 열린구간 $(a,\ b)$에 적어도 하나 존재한다.

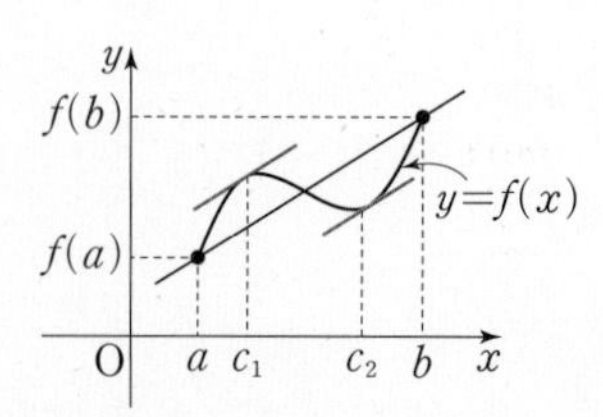

참고 평균값 정리는 곡선 $y=f(x)$ 위의 두 점 $(a,\ f(a))$, $(b,\ f(b))$를 잇는 직선과 평행한 접선을 갖는 점이 열린구간 $(a,\ b)$에 적어도 하나 존재함을 의미한다.

확인 4

함수 $f(x)=-x^2+5x$에 대하여 닫힌구간 $[0,\ 2]$에서 평균값 정리를 만족시키는 실수 c의 값을 구하시오.

핵심 유형 익히기

1 접선의 방정식 (1) – 곡선 위의 한 점, 기울기

곡선 위의 한 점에서의 접선 또는 기울기가 주어진 접선의 방정식을 구하여 해결하는 문제가 자주 출제된다.

대표 문제 평가원 기출

함수 $f(x)$가 $f(x)=(x-3)^2$이다. 함수 $g(x)$의 도함수가 $f(x)$이고 곡선 $y=g(x)$ 위의 점 $(2, g(2))$에서의 접선의 y절편이 -5일 때, 이 접선의 x절편은?

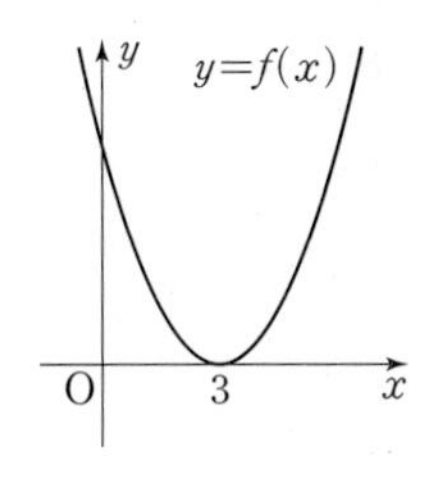

① 1　② 2　③ 3　④ 4　⑤ 5

공략 포인트 곡선 $y=g(x)$ 위의 $x=a$인 점에서의 접선의 기울기가 $g'(a)$임을 이용하여 곡선 $y=g(x)$ 위의 점 $(2, g(2))$에서의 접선의 방정식을 구한다.

단계별 공략

❶ 점 $(2, g(2))$에서의 접선의 기울기 $g'(2)$의 값을 구한다.

❷ ❶에서 구한 기울기와 y절편을 이용하여 접선의 방정식을 구한다.

❸ 접선의 x절편을 구한다.

1-1 상중하

곡선 $y=x^3-2x$ 위의 점 P(2, 4)를 지나고 이 점에서의 접선과 수직인 직선의 방정식을 $y=ax+b$라 할 때, 상수 a, b에 대하여 $a+b$의 값은?

① $\frac{11}{10}$　② $\frac{21}{10}$　③ $\frac{31}{10}$　④ $\frac{41}{10}$　⑤ $\frac{51}{10}$

1-2 상중하 평가원 기출

곡선 $y=x^3-3x^2+x+1$ 위의 서로 다른 두 점 A, B에서의 접선이 서로 평행하다. 점 A의 x좌표가 3일 때, 점 B에서의 접선의 y절편의 값은?

① 5　② 6　③ 7　④ 8　⑤ 9

중요 1-3 상중하

기울기가 18인 서로 다른 두 직선 l, m이 곡선 $y=x^3-9x$에 접한다. 두 직선 l, m의 y절편을 각각 a, b라 할 때, $a+b$의 값은?

① -54　② -27　③ 0　④ 27　⑤ 54

1-4 상중하

두 점 $(-1, -8)$, $(2, 4)$를 지나는 직선이 함수 $f(x)=x^2+2x-3$의 그래프에 접할 때, 접점의 좌표는 (a, b)이다. 곡선 $y=xf(x)+1$ 위의 $x=ab$인 점에서의 접선의 x절편은?

① $\frac{1}{3}$　② $\frac{2}{3}$　③ 1　④ $\frac{4}{3}$　⑤ $\frac{5}{3}$

핵심 유형 익히기

2 접선의 방정식 (2) – 곡선 밖의 한 점

곡선 밖의 한 점에서 곡선에 그은 접선의 방정식을 구하여 해결하는 문제가 출제된다. 이때 접선의 방정식은 곡선 위의 한 점 또는 기울기가 주어질 때의 방법을 이용하여 구한다.

대표 문제 평가원 기출

점 $(0,\ -4)$에서 곡선 $y=x^3-2$에 그은 접선이 x축과 만나는 점의 좌표를 $(a,\ 0)$이라 할 때, a의 값은?

① $\frac{7}{6}$ ② $\frac{4}{3}$ ③ $\frac{3}{2}$
④ $\frac{5}{3}$ ⑤ $\frac{11}{6}$

공략 포인트 곡선 $y=f(x)$ 밖의 한 점 A가 주어진 경우, 접점의 좌표를 $(t,\ f(t))$로 놓고 이 점에서의 접선이 점 A를 지남을 이용한다.

단계별 공략
❶ 접점의 좌표를 $(t,\ t^3-2)$로 놓고 접선의 방정식을 세운다.
❷ 접선이 점 $(0,\ -4)$를 지남을 이용하여 t의 값을 구한다.
❸ 접선의 방정식을 구한 후 a의 값을 구한다.

2-1 상중하

점 $(0,\ a)$에서 곡선 $y=x^3-3x^2$에 그은 접선의 기울기가 -3일 때, 상수 a의 값은?

① -2 ② -1 ③ 0
④ 1 ⑤ 2

2-2 상중하

점 $\mathrm{A}(0,\ -8)$에서 곡선 $y=2x^2-3x$에 그은 두 접선의 접점을 각각 B, C라 하고, 삼각형 ABC의 무게중심을 G라 할 때, $\overline{\mathrm{OG}}$의 길이는? (단, O는 원점이다.)

① $\frac{5}{3}$ ② 2 ③ $\frac{7}{3}$
④ $\frac{8}{3}$ ⑤ 3

2-3 상중하

점 $(2,\ 0)$을 지나고 곡선 $y=x^3-2x^2+x$에 접하는 직선은 3개 있다. 이때 세 접점의 x좌표의 합은?

① 1 ② 2 ③ 3
④ 4 ⑤ 5

2-4 상중하

오른쪽 그림과 같이 점 $\mathrm{P}(1,\ t)$에서 곡선 $y=x^2-2x$에 그은 두 접선이 이루는 각의 크기가 $90°$일 때, 상수 t의 값은? (단, $t<-1$)

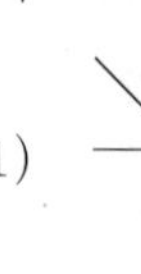

① $-\frac{5}{4}$ ② $-\frac{3}{2}$
③ $-\frac{7}{4}$ ④ -2 ⑤ $-\frac{9}{4}$

3 롤의 정리와 평균값 정리

함수에 대하여 닫힌구간에서 롤의 정리 또는 평균값 정리를 만족시키는 실수의 값을 구하거나 그때의 함숫값을 구하는 문제가 출제된다.

함수 $f(x)=x^3-4x^2$에 대하여 닫힌구간 $[0, 4]$에서 롤의 정리를 만족시키는 실수 c의 값은?

① $\frac{7}{3}$ ② $\frac{8}{3}$ ③ 3

④ $\frac{10}{3}$ ⑤ $\frac{11}{3}$

공략 포인트 열린구간 $(0, 4)$에서 $f'(c)=0$인 c를 찾는다.

▸ 함수 $f(x)$가 닫힌구간 $[a, b]$에서 연속이고 열린구간 (a, b)에서 미분가능할 때, $f(a)=f(b)$이면 $f'(c)=0$인 c가 열린구간 (a, b)에 적어도 하나 존재한다.

단계별 공략

❶ 함수 $f(x)$가 닫힌구간 $[0, 4]$에서 연속이고, 열린구간 $(0, 4)$에서 미분가능함을 확인한다.

❷ 함수 $f(x)$의 도함수를 구한다.

❸ 롤의 정리를 만족시키는 실수 c의 값을 구한다.

3-1 상중하

함수 $f(x)=x^2-2x+3$에 대하여 닫힌구간 $[0, 5]$에서 평균값 정리를 만족시키는 실수 c의 값은?

① $\frac{1}{2}$ ② 1 ③ $\frac{3}{2}$

④ 2 ⑤ $\frac{5}{2}$

3-2 상중하

다항함수 $y=f(x)$의 그래프가 오른쪽 그림과 같을 때, 닫힌구간 $[-2, 3]$에서 평균값 정리를 만족시키는 실수 c의 개수를 구하시오.

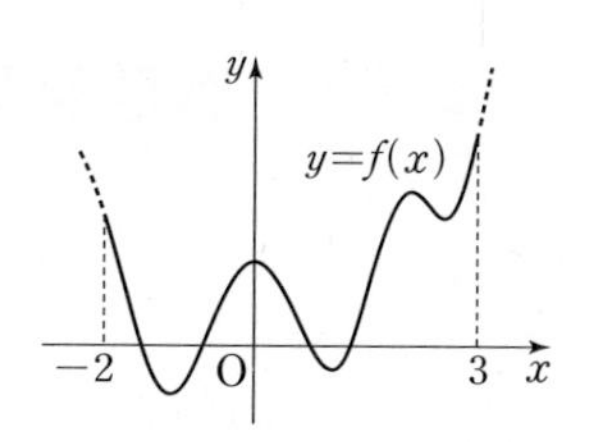

3-3 상중하

함수 $f(x)=x^2-2ax+a^2$에 대하여 닫힌구간 $[a-1, a+1]$에서 롤의 정리를 만족시키는 실수 c의 값이 3일 때, 상수 a의 값은?

① 1 ② 2 ③ 3

④ 4 ⑤ 5

3-4 상중하

다항함수 $f(x)$가 다음 조건을 만족시킨다.

> (가) $f(1)=f(0)+3$
> (나) $f(3)=f(1)$

보기에서 옳은 것만을 있는 대로 고른 것은?

보기

ㄱ. $f'(c_1)=3$인 c_1이 구간 $(0, 1)$에 존재한다.

ㄴ. $f'(c_2)=0$인 c_2가 구간 $(1, 3)$에 존재한다.

ㄷ. $f'(c_3)=1$인 c_3이 구간 $(0, 3)$에 존재한다.

① ㄱ ② ㄴ ③ ㄱ, ㄴ

④ ㄱ, ㄷ ⑤ ㄱ, ㄴ, ㄷ

실전 문제로 마무리

1 STEP 실전 감각 UP!

01

곡선 $y=x^3+ax^2+b$ 위의 점 $(-1,\ 1)$에서의 접선의 방정식이 $y=-5x-4$일 때, 상수 a, b에 대하여 ab의 값은?

① -4　② -6　③ -8
④ -10　⑤ -12

중요 02

곡선 $y=x^3-4x+1$ 위의 점 $\mathrm{A}(1,\ -2)$에서의 접선을 l이라 하고, 점 A를 지나고 직선 l에 수직인 직선을 m이라 하자. 두 직선 l, m 및 x축으로 둘러싸인 부분의 넓이는?

① 2　② 4　③ 6
④ 8　⑤ 10

03

직선 $y=x+2$를 평행이동하면 곡선 $y=2x^4+1$과 접할 때, 접점의 좌표를 $(m,\ n)$이라 하자. 이때 $m+n$의 값은?

① $\frac{13}{8}$　② $\frac{15}{8}$　③ $\frac{17}{8}$
④ $\frac{19}{8}$　⑤ $\frac{21}{8}$

04

곡선 $y=x^3+3x^2-2x+3$의 접선 중에서 기울기가 최소인 접선의 방정식을 $y=mx+n$이라 하고, 그때의 접점을 $\mathrm{A}(a,\ b)$라 할 때, $\frac{m-n}{ab}$의 값을 구하시오. (단, m, n은 상수이다.)

중요 05

점 $(0,\ -1)$을 지나고 기울기가 양수인 직선이 두 곡선 $y=x^2-3x+3$, $y=\frac{1}{3}x^3+k$에 모두 접할 때, 모든 실수 k의 값의 합은?

① 4　② 2　③ 0
④ -2　⑤ -4

06

삼차함수 $f(x)=x^3-3x^2+3x$의 그래프가 오른쪽 그림과 같다. 원점을 지나고 곡선 $y=f(x)$에 접하는 두 접선을 l, m이라 하고, 두 직선 l, m과 직선 $x=n$이 만나는 점을 각각 A_n, B_n이라 하자. 선분 $\mathrm{A}_n\mathrm{B}_n$의 길이를 $g(n)$이라 할 때, $\sum_{n=1}^{8} g(n)$의 값은?

(단, n은 자연수이다.)

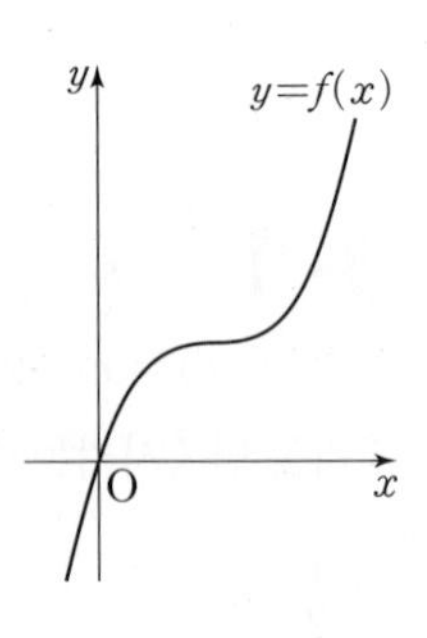

① 81　② 83　③ 85
④ 87　⑤ 89

07

함수 $f(x)=x^3-6x+1$에 대하여 닫힌구간 $[-a, a]$에서 롤의 정리를 만족시키는 실수 c가 존재할 때, ac의 값은?

(단, $a>0$, $c>0$)

① $2\sqrt{2}$　② $2\sqrt{3}$　③ 4
④ $2\sqrt{5}$　⑤ $2\sqrt{6}$

08

미분가능한 함수 $f(x)$가 $\lim_{x\to\infty} f'(x)=2$를 만족시킬 때, 평균값 정리를 이용하여

$$\lim_{x\to\infty}\{f(x+3)-f(x-3)\}$$

의 값을 구하시오.

2 STEP 기출로 마무리

09

수능 기출

삼차함수 $f(x)=x^3+ax^2+9x+3$의 그래프 위의 점 $(1, f(1))$에서의 접선의 방정식이 $y=2x+b$이다. $a+b$의 값은? (단, a, b는 상수이다.)

① 1　② 2　③ 3
④ 4　⑤ 5

10

평가원 기출

곡선 $y=x^3-5x$ 위의 점 $A(1, -4)$에서의 접선이 점 A가 아닌 점 B에서 곡선과 만난다. 선분 AB의 길이는?

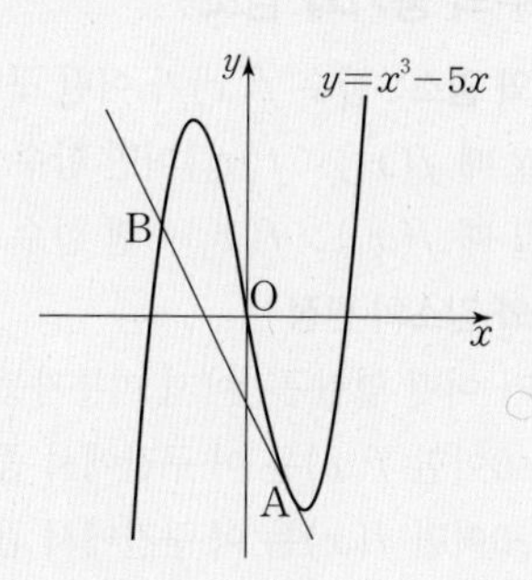

① $\sqrt{30}$　② $\sqrt{35}$　③ $2\sqrt{10}$
④ $3\sqrt{5}$　⑤ $5\sqrt{2}$

11

평가원 기출

닫힌구간 $[0, 2]$에서 정의된 함수

$$f(x)=ax(x-2)^2\ \left(a>\frac{1}{2}\right)$$

에 대하여 곡선 $y=f(x)$와 직선 $y=x$의 교점 중 원점 O가 아닌 점을 A라 하자. 점 P가 원점으로부터 점 A까지 곡선 $y=f(x)$ 위를 움직일 때, 삼각형 OAP의 넓이가 최대가 되는 점 P의 x좌표가 $\frac{1}{2}$이다. 상수 a의 값은?

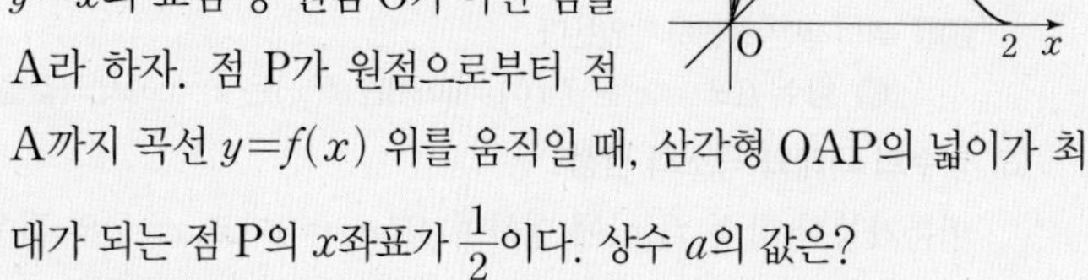

① $\frac{5}{4}$　② $\frac{4}{3}$　③ $\frac{17}{12}$
④ $\frac{3}{2}$　⑤ $\frac{19}{12}$

06강 도함수의 활용(2)

| 해답 26쪽 |

교과서 핵심개념

핵심 1 함수의 증가와 감소

(1) **함수의 증가와 감소:** 함수 $f(x)$가 어떤 구간에 속하는 임의의 두 실수 x_1, x_2에 대하여

① $x_1<x_2$일 때 $f(x_1)<f(x_2)$이면 함수 $f(x)$는 이 구간에서 **증가**한다고 한다.

② $x_1<x_2$일 때 $f(x_1)>f(x_2)$이면 함수 $f(x)$는 이 구간에서 **감소**한다고 한다.

(2) **함수의 증가와 감소의 판정**

함수 $f(x)$가 어떤 열린구간에서 미분가능하고 이 구간의 모든 x에 대하여

① $f'(x)>0$이면 $f(x)$는 이 구간에서 증가한다.

② $f'(x)<0$이면 $f(x)$는 이 구간에서 감소한다.

참고 (1) 위의 ①, ②의 역은 성립하지 않는다.

예 함수 $f(x)=x^3$은 구간 $(-\infty, \infty)$에서 증가하지만 $f'(x)=3x^2$에서 $f'(0)=0$이다.

(2) 함수 $f(x)$가 어떤 구간에서 미분가능하고 이 구간에서

① $f(x)$가 증가하면 이 구간에서 $f'(x)\geq 0$이다.

② $f(x)$가 감소하면 이 구간에서 $f'(x)\leq 0$이다.

확인 1

함수 $f(x)=x^3-3x+4$의 증가와 감소를 나타낸 다음 표를 완성하고, 함수 $f(x)$의 증가와 감소를 조사하시오.

x	$\cdots$		$\cdots$		$\cdots$
$f'(x)$					
$f(x)$					

핵심 2 함수의 극대와 극소

(1) **함수의 극대와 극소:** 함수 $f(x)$에서 $x=a$를 포함하는 어떤 열린구간에 속하는 모든 x에 대하여

① $f(x)\leq f(a)$이면 함수 $f(x)$는 $x=a$에서 **극대**라 하고, $f(a)$를 **극댓값**이라 한다.

② $f(x)\geq f(a)$이면 함수 $f(x)$는 $x=a$에서 **극소**라 하고, $f(a)$를 **극솟값**이라 한다.

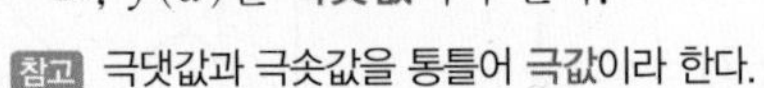

참고 극댓값과 극솟값을 통틀어 극값이라 한다.

(2) **극값과 미분계수:** 함수 $f(x)$가 $x=a$에서 미분가능하고 $x=a$에서 극값을 가지면

$f'(a)=0$

참고 위의 역은 성립하지 않는다.

예 함수 $f(x)=x^3$은 $f'(0)=0$이지만 $f(x)$는 $x=0$에서 극값을 갖지 않는다.

(3) **함수의 극대와 극소의 판정**

미분가능한 함수 $f(x)$에 대하여 $f'(a)=0$이고 $x=a$의 좌우에서 $f'(x)$의 부호가

① 양(+)에서 음(−)으로 바뀌면 $f(x)$는 $x=a$에서 극대이고, 극댓값은 $f(a)$이다.

② 음(−)에서 양(+)으로 바뀌면 $f(x)$는 $x=a$에서 극소이고, 극솟값은 $f(a)$이다.

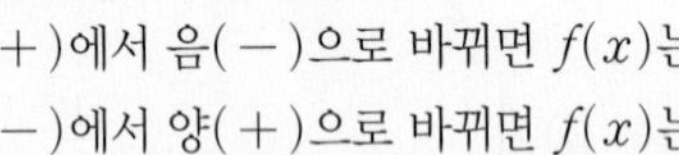

확인 2

함수 $f(x)=x^3-12x$가 $x=a$에서 극댓값 b를 가질 때, $a+b$의 값을 구하시오.

핵심 3 함수의 최대와 최소

함수 $f(x)$가 닫힌구간 $[a, b]$에서 연속일 때, 최댓값과 최솟값은 다음 순서로 구한다.

(i) 주어진 구간에서 $f(x)$의 극댓값과 극솟값을 구한다.

(ii) 주어진 구간의 양 끝 점의 함숫값 $f(a)$, $f(b)$를 구한다.

(iii) (i), (ii)에서 구한 극댓값, 극솟값, $f(a)$, $f(b)$ 중 가장 큰 값이 최댓값이고, 가장 작은 값이 최솟값이다.

└ 극댓값, $f(a)$, $f(b)$ 중 최대인 것

└ 극솟값, $f(a)$, $f(b)$ 중 최소인 것

확인 3

구간 $[-1, 2]$에서 함수 $f(x)=x^3-6x^2+9x+4$의 최댓값을 M, 최솟값을 m이라 할 때, $M-m$의 값을 구하시오.

핵심 유형 익히기

1 함수의 증가와 감소

함수가 증가 또는 감소할 조건을 구하거나 이를 이용하여 미정계수를 결정하는 문제가 출제된다.

대표문제 평가원 기출

함수 $f(x)=\frac{1}{3}x^3-9x+3$이 열린구간 $(-a, a)$에서 감소할 때, 양수 a의 최댓값을 구하시오.

공략 포인트 함수 $f(x)$의 증가와 감소를 표로 나타내어 $f'(x)\le 0$인 구간을 찾는다.

▶ 삼차함수 $f(x)$가 어떤 구간에서 감소하면 그 구간에서 $f'(x)\le 0$이다.

단계별 공략

❶ 함수 $f(x)$의 도함수 $f'(x)$를 구한다.

❷ $f'(x)$의 부호를 조사하여 함수 $f(x)$의 증가와 감소를 표로 나타낸다.

❸ 함수 $f(x)$가 감소하는 구간을 찾은 후, 양수 a의 최댓값을 구한다.

1-1 상중하

함수 $y=f(x)$의 도함수 $y=f'(x)$의 그래프가 오른쪽 그림과 같다. 다음 중 함수 $f(x)$가 증가하는 구간은?

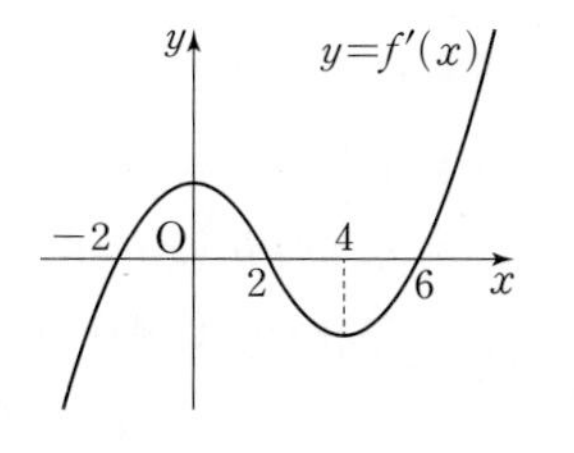

① $(-\infty, -1]$ ② $[-1, 1]$
③ $[0, 4]$ ④ $[2, 6]$
⑤ $[4, \infty)$

1-2 상중하

함수 $f(x)=-x^3-ax^2+ax+2$가 실수 전체의 집합에서 감소하도록 하는 실수 a의 최솟값은?

① -1 ② -3 ③ -5
④ -7 ⑤ -9

1-3 상중하

함수 $f(x)=x^3-9x^2+ax+a$가 구간 $[-2, 2]$에서 증가하도록 하는 실수 a의 최솟값은?

① 12 ② 16 ③ 20
④ 24 ⑤ 28

1-4 상중하 평가원 기출

함수 $f(x)=\frac{1}{3}x^3-ax^2+3ax$의 역함수가 존재하도록 하는 상수 a의 최댓값은?

① 3 ② 4 ③ 5
④ 6 ⑤ 7

2 함수의 극대와 극소

삼차함수나 사차함수의 극댓값, 극솟값을 구하거나 극대, 극소를 이용하여 미정계수를 결정하는 문제, 도함수의 그래프를 이용하여 극댓값 또는 극솟값을 구하는 문제가 출제된다.

평가원 기출

함수 $f(x)$의 도함수 $f'(x)$가 $f'(x)=x^2-1$이다. 함수 $g(x)=f(x)-kx$가 $x=-3$에서 극값을 가질 때, 상수 k의 값은?

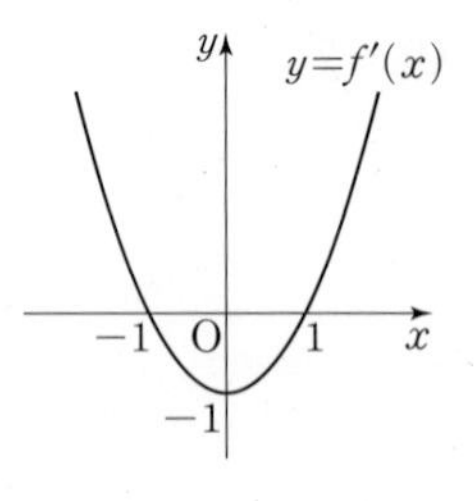

① 4　② 5　③ 6　④ 7　⑤ 8

공략 포인트 함수 $g(x)$가 $x=a$에서 극값을 가지면 $g'(a)=0$임을 이용한다.

단계별 공략

❶ 주어진 도함수 $f'(x)$를 이용하여 함수 $g(x)$의 도함수 $g'(x)$를 구한다.

❷ 함수 $g(x)$가 $x=-3$에서 극값을 가지므로 $g'(-3)=0$임을 이용하여 상수 k의 값을 구한다.

2-1 상중하

구간 $(-2,\ 2)$에서 정의된 함수 $y=f(x)$의 도함수 $y=f'(x)$의 그래프가 오른쪽 그림과 같다. 함수 $f(x)$가 극소가 되는 점의 개수를 a, 극대가 되는 점의 개수를 b라 할 때, $2a+b$의 값은?

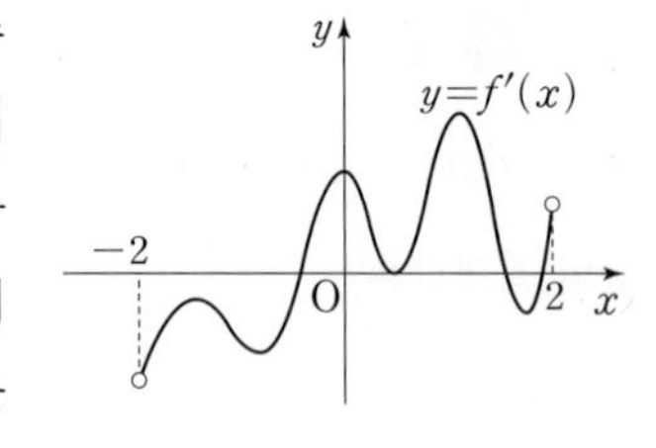

① 2　② 3　③ 4　④ 5　⑤ 6

2-2 상중하

함수 $f(x)=x^3-3kx^2-24k^2x+12$의 극댓값과 극솟값의 차가 216일 때, 함수 $f(x)$의 극댓값은? (단, $k>0$)

① 60　② 62　③ 64　④ 66　⑤ 68

2-3 상중하

함수 $f(x)=x^3-ax^2+2ax+1$이 극값을 갖도록 하는 자연수 a의 최솟값을 구하시오.

2-4 상중하

삼차함수 $f(x)$와 이차함수 $g(x)$에 대하여 두 함수의 도함수 $y=f'(x)$, $y=g'(x)$의 그래프는 오른쪽 그림과 같다. 함수 $h(x)=f(x)-g(x)$라 할 때, **보기**에서 옳은 것만을 있는 대로 고른 것은?

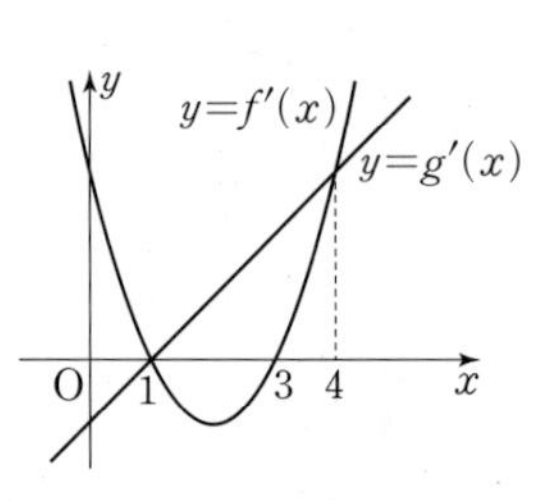

보기

ㄱ. 방정식 $h'(x)=0$의 모든 실근의 합은 5이다.

ㄴ. 구간 $(2,\ 3)$에서 함수 $h(x)$는 증가한다.

ㄷ. 함수 $h(x)$는 $x=4$에서 극소이다.

① ㄱ　② ㄴ　③ ㄱ, ㄷ　④ ㄴ, ㄷ　⑤ ㄱ, ㄴ, ㄷ

3 함수의 최대와 최소

닫힌구간에서 연속인 함수의 극대, 극소를 이용하여 최댓값, 최솟값을 구하는 문제가 출제된다. 또, 최대, 최소의 활용 문제도 자주 출제된다.

대표 문제 평가원 기출

닫힌구간 $[1, 4]$에서 함수 $f(x)=x^3-3x^2+a$의 최댓값을 M, 최솟값을 m이라 하자. $M+m=20$일 때, 상수 a의 값은?

① 1 ② 2 ③ 3
④ 4 ⑤ 5

공략 포인트 주어진 구간에서 함수의 최댓값과 최솟값은 구간 내의 극댓값, 극솟값과 양 끝 점에서의 함숫값을 비교해서 구한다.

단계별 공략

❶ 구간 $[1, 4]$에서의 $f'(x)$의 부호를 조사하여 함수 $f(x)$의 증가와 감소를 표로 나타낸다.

❷ 구간 $[1, 4]$에서의 극댓값, 극솟값, 양 끝 점에서의 함숫값을 모두 구하여 최댓값과 최솟값을 구한다.

❸ $M+m=20$을 이용하여 상수 a의 값을 구한다.

3-1 상중하

구간 $[-3, 1]$에서 함수 $f(x)=x^3-3x$의 최댓값을 M, 최솟값을 m이라 할 때, Mm의 값은?

① -40 ② -38 ③ -36
④ -34 ⑤ -32

3-2 상중하

구간 $[-2, 2]$에서 함수 $f(x)=2x^3+3x^2-12x+k$의 최댓값이 28일 때, 최솟값을 구하시오. (단, k는 상수이다.)

3-3 상중하

오른쪽 그림과 같이 가로의 길이가 24, 세로의 길이가 15인 직사각형 모양의 종이가 있다. 네 귀퉁이에서 같은 크기의 정사각형을 잘라 내고 남은 부분으로 뚜껑이 없는 직육면체 모양의 상자를 만들려고 한다. 이때 만들 수 있는 상자의 부피의 최댓값을 구하시오.

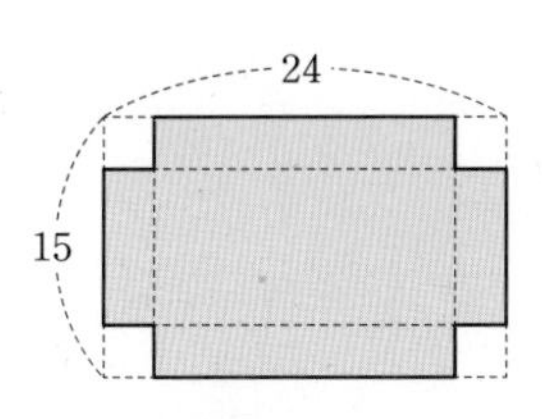

3-4 상중하

최고차항의 계수가 1인 삼차함수 $f(x)$가 다음 조건을 모두 만족시킨다. 구간 $[-3, 2]$에서 함수 $f(x)$의 최댓값을 M, 최솟값을 m이라 할 때, $M-m$의 값을 구하시오.

(가) 곡선 $y=f(x)$는 점 $(1, f(1))$에서 x축에 접한다.
(나) $f(3)=20$

실전 문제로 마무리

1 STEP 실전 감각 UP!

01

함수 $f(x)=-x^3+ax^2+ax+a$가 구간 $[0, 1]$에서 증가하고, 구간 $[2, \infty)$에서 감소하도록 하는 실수 a의 값의 범위가 $\alpha \le a \le \beta$일 때, $\alpha+5\beta$의 값은?

① 11　② 12　③ 13　④ 14　⑤ 15

02

함수 $f(x)=x^3+kx^2+4x+1$이 감소하는 구간이 반드시 존재하도록 하는 자연수 k의 최솟값을 구하시오.

03

함수 $f(x)=x^3+3x^2+9|x-a|+2$가 실수 전체의 집합에서 증가하도록 하는 실수 a의 최댓값은?

① -3　② -2　③ -1　④ 0　⑤ 1

04

다항함수 $f(x)$는 $x=3$에서 극댓값 5를 갖는다. 함수 $g(x)=(x^2-3x+1)f(x)$에 대하여 곡선 $y=g(x)$ 위의 점 $(3, g(3))$에서의 접선의 방정식을 $y=mx+n$이라 할 때, 상수 m, n에 대하여 $m-n$의 값을 구하시오.

05

함수 $f(x)=x^4-(a+8)x^2+4ax$가 극댓값을 갖지 않도록 하는 실수 a의 최댓값은?

① -8　② -2　③ 4　④ 10　⑤ 16

06

함수 $f(x)=ax^3+bx^2+cx+d$의 그래프가 오른쪽 그림과 같을 때, 다음 중 옳은 것은?

(단, a, b, c, d는 상수이다.)

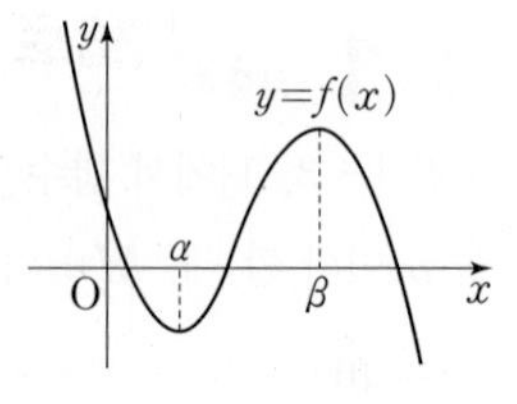

① $ab>0$　② $ac<0$　③ $ad>0$　④ $bc<0$　⑤ $cd>0$

07

오른쪽 그림과 같이 곡선 $y=-x^2+4$와 x축의 두 교점을 각각 A, B라 할 때, x축과 이 곡선으로 둘러싸인 부분에 내접하는 사다리꼴 ABCD의 넓이의 최댓값을 M이라 하자. 이때 $27M$의 값을 구하시오.

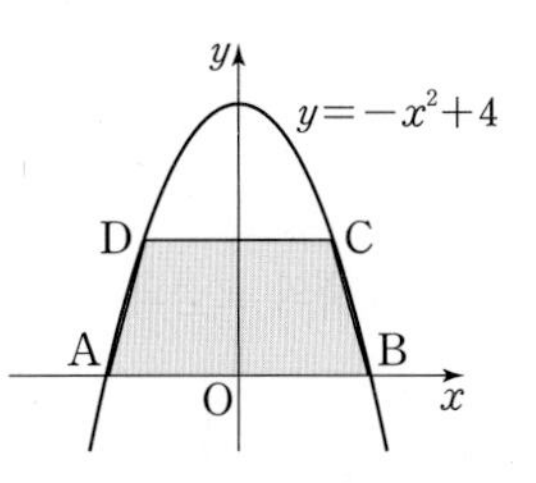

08

두 함수 $f(x)$, $g(x)$가

$$f(x)=x^3-3x^2+10,\ g(x)=x^2+2x-1$$

일 때, 합성함수 $(f\circ g)(x)$의 최솟값은?

① -15 ② -10 ③ -5
④ 5 ⑤ 10

2 STEP 기출로 마무리

09

평가원 기출

양수 a에 대하여 함수 $f(x)=x^3+ax^2-a^2x+2$가 닫힌구간 $[-a, a]$에서 최댓값 M, 최솟값 $\frac{14}{27}$를 갖는다. $a+M$의 값을 구하시오.

10

교육청 기출

다항함수 $f(x)$는 다음 조건을 만족시킨다.

> (가) $\lim_{x\to\infty}\frac{f(x)}{x^3}=1$
> (나) $x=-1$과 $x=2$에서 극값을 갖는다.

$\lim_{h\to 0}\frac{f(3+h)-f(3-h)}{h}$의 값은?

① 8 ② 12 ③ 16
④ 20 ⑤ 24

11

평가원 기출

그림과 같이 한 변의 길이가 1인 정사각형 ABCD의 두 대각선의 교점의 좌표는 $(0, 1)$이고, 한 변의 길이가 1인 정사각형 EFGH의 두 대각선의 교점은 곡선 $y=x^2$ 위에 있다. 두 정사각형의 내부의 공통부분의 넓이의 최댓값은? (단, 정사각형의 모든 변은 x축 또는 y축에 평행하다.)

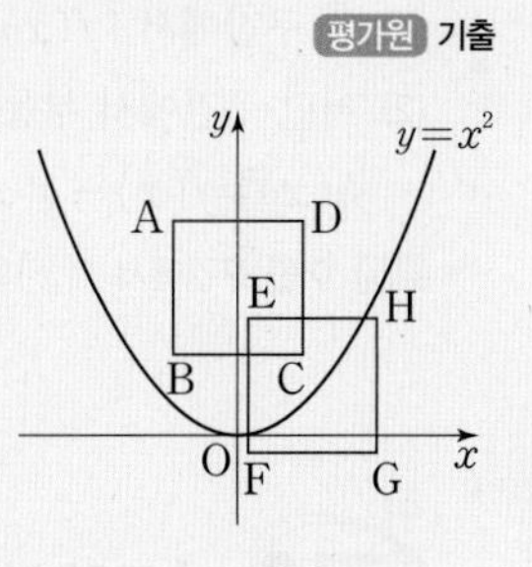

① $\frac{4}{27}$ ② $\frac{1}{6}$ ③ $\frac{5}{27}$
④ $\frac{11}{54}$ ⑤ $\frac{2}{9}$

07강 도함수의 활용(3)

| 해답 31쪽 |

교과서 핵심개념

핵심 1 방정식에의 활용

(1) 방정식 $f(x)=0$의 서로 다른 실근의 개수는 함수 $y=f(x)$의 그래프와 x축의 교점의 개수와 같다.

(2) 방정식 $f(x)=g(x)$의 서로 다른 실근의 개수는 두 함수 $y=f(x)$, $y=g(x)$의 그래프의 교점의 개수와 같다.
└ 방정식 $f(x)-g(x)=0$의 서로 다른 실근의 개수와 같다.

참고 삼차함수 $f(x)=ax^3+bx^2+cx+d$ $(a>0)$가 극값을 가질 때, 삼차방정식 $ax^3+bx^2+cx+d=0$의 근은 다음과 같다.

① (극댓값)×(극솟값)<0 ⟺ 서로 다른 세 실근

② (극댓값)×(극솟값)$=0$ ⟺ 한 실근과 중근 (서로 다른 두 실근)

③ (극댓값)×(극솟값)>0 ⟺ 한 실근과 두 허근

①
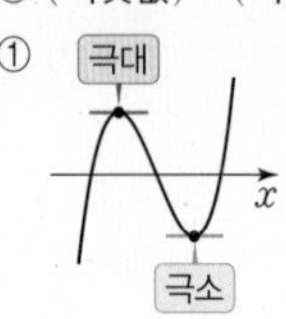

②
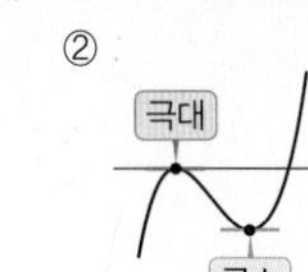

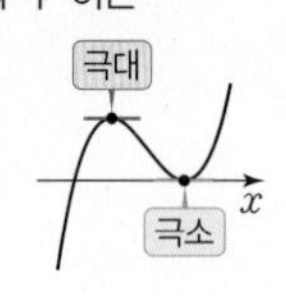

③
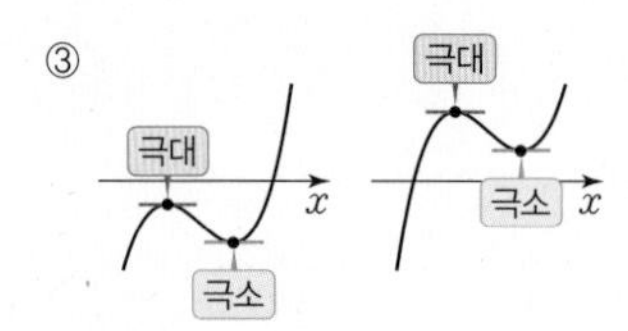

확인 1

방정식 $x^3-3x-1=0$의 서로 다른 실근의 개수를 구하시오.

핵심 2 부등식에의 활용

(1) 어떤 구간에서 부등식 $f(x)\geq 0$이 성립함을 보일 때는
그 구간에서 ($f(x)$의 최솟값)≥ 0임을 보인다.

(2) 어떤 구간에서 부등식 $f(x)\geq g(x)$가 성립함을 보일 때는
$h(x)=f(x)-g(x)$로 놓고, 그 구간에서 ($h(x)$의 최솟값)≥ 0임을 보인다.

참고 어떤 구간에서 $f(x)$의 최솟값이 a이면 그 구간에서 $f(x)\geq a$

확인 2

$x>0$일 때, 부등식 $2x^3-3x^2+a>0$이 항상 성립하도록 하는 실수 a의 값의 범위를 구하시오.

핵심 3 속도와 가속도

수직선 위를 움직이는 점 P의 시각 t에서의 위치를 $x=f(t)$라 할 때, 시각 t에서의 점 P의 속도 v와 가속도 a는

(1) $v=\dfrac{dx}{dt}=f'(t)$

(2) $a=\dfrac{dv}{dt}=v'(t)$

위치
↓ 미분
속도
↓ 미분
가속도

참고 (1) 속도 $v=f'(t)$의 부호는 운동 방향을 나타낸다. 즉, $v>0$이면 양의 방향, $v<0$이면 음의 방향으로 움직임을 의미한다. 따라서 $v=0$이면 운동 방향이 바뀌거나 정지하는 것을 나타낸다.

(2) 어떤 물체의 시각 t에서의 길이가 l, 넓이가 S, 부피가 V일 때, 시간이 Δt만큼 경과한 후 길이, 넓이, 부피가 각각 Δl, ΔS, ΔV만큼 변했다고 하면 시각 t에서의

① 길이의 변화율: $\displaystyle\lim_{\Delta t\to 0}\frac{\Delta l}{\Delta t}=\frac{dl}{dt}$

② 넓이의 변화율: $\displaystyle\lim_{\Delta t\to 0}\frac{\Delta S}{\Delta t}=\frac{dS}{dt}$

③ 부피의 변화율: $\displaystyle\lim_{\Delta t\to 0}\frac{\Delta V}{\Delta t}=\frac{dV}{dt}$

확인 3

원점을 출발하여 수직선 위를 움직이는 점 P의 시각 t에서의 위치 x가 $x=t^3-3t^2$일 때, 다음을 구하시오.

(1) $t=3$일 때의 점 P의 속도

(2) $t=3$일 때의 점 P의 가속도

(3) 점 P가 운동 방향을 바꿀 때의 시각

핵심 유형 익히기

1 방정식에의 활용

함수 $y=f(x)$의 그래프를 이용하거나 극댓값과 극솟값을 이용하여 방정식의 실근의 개수를 구하는 문제가 출제된다. 또, 주어진 근의 조건을 만족시키는 상수의 값을 구하는 문제가 출제된다.

대표 문제 평가원 기출

방정식 $x^3-3x^2-9x-k=0$의 서로 다른 실근의 개수가 3이 되도록 하는 정수 k의 최댓값은?

① 2 ② 4 ③ 6
④ 8 ⑤ 10

공략 포인트 $f(x)=k$ 꼴로 정리한 후 함수 $y=f(x)$의 그래프를 그려 본다.
▶ 방정식 $f(x)=k$의 실근의 개수는 함수 $y=f(x)$의 그래프와 직선 $y=k$의 교점의 개수와 같다.

단계별 공략
❶ $f(x)=x^3-3x^2-9x$로 놓고 함수 $y=f(x)$의 그래프를 그린다.
❷ 함수 $y=f(x)$의 그래프와 직선 $y=k$의 교점의 개수를 이용하여 주어진 조건을 만족시키는 정수 k의 최댓값을 구한다.

1-1 상중하

사차방정식 $x^4-2x^2=\frac{1}{3}a$가 서로 다른 네 실근을 갖도록 하는 모든 정수 a의 값의 곱은?

① -4 ② -2 ③ -1
④ 1 ⑤ 2

1-2 상중하

곡선 $y=x^3-4x$와 직선 $y=8x+k$가 접하도록 하는 모든 실수 k의 값의 곱은?

① -256 ② -128 ③ -64
④ -32 ⑤ -16

1-3 상중하

두 함수 $f(x)=x^4+6x+a$, $g(x)=-x^2+4-a$의 그래프가 오직 한 점에서 만날 때, 상수 a의 값을 구하시오.

1-4 상중하 평가원 기출

두 함수 $f(x)=3x^3-x^2-3x$, $g(x)=x^3-4x^2+9x+a$에 대하여 방정식 $f(x)=g(x)$가 서로 다른 두 개의 양의 실근과 한 개의 음의 실근을 갖도록 하는 모든 정수 a의 개수는?

① 6 ② 7 ③ 8
④ 9 ⑤ 10

2 부등식에의 활용

주어진 범위에서 부등식이 항상 성립하기 위한 조건을 구하거나 두 함수의 그래프의 위치 관계의 조건을 이용하여 미정계수 또는 상수의 값을 구하는 문제가 출제된다.

대표문제 교육청 기출

모든 실수 x에 대하여 부등식 $x^4-4x-a^2+a+9\geq0$이 항상 성립하도록 하는 정수 a의 개수는?

① 6 ② 7 ③ 8
④ 9 ⑤ 10

공략 포인트 모든 실수 x에 대하여 부등식 $f(x)\geq0$이 성립하려면 $(f(x)$의 최솟값$)\geq0$이면 된다.

단계별 공략

❶ $f(x)=x^4-4x-a^2+a+9$로 놓고 함수 $f(x)$의 최솟값을 구한다.
❷ 주어진 조건을 만족시키도록 a에 대한 부등식을 세운다.
❸ a의 값의 범위를 구한 후 정수 a의 개수를 구한다.

2-1 상중하

두 함수 $f(x)=3x^4+6x^2+12$, $g(x)=4x^3+12x+k$가 있다. 모든 실수 x에 대하여 부등식 $f(x)>g(x)$가 성립하도록 하는 모든 자연수 k의 값의 합은?

① 2 ② 4 ③ 6
④ 8 ⑤ 10

2-2 상중하

$x\geq0$일 때, 함수 $f(x)=x^3-6x^2+a$의 그래프가 항상 직선 $y=5$보다 위쪽에 있도록 하는 정수 a의 최솟값은?

① 36 ② 37 ③ 38
④ 39 ⑤ 40

2-3 상중하

$x>a$일 때, 부등식 $x^3-6x^2+9x-4>0$이 항상 성립하도록 하는 실수 a의 최솟값은?

① 3 ② 4 ③ 5
④ 6 ⑤ 7

2-4 상중하

삼차함수 $f(x)$와 이차함수 $g(x)$가 다음 조건을 만족시킨다.

> (가) $f'(0)=g'(0)$, $f'(a)=g'(a)$
> (나) $f(a)=6a-7$, $g(a)=a^2+1$

$x>0$에서 부등식 $f(x)\geq g(x)$가 항상 성립하도록 하는 자연수 a의 개수는? (단, 두 함수 $f(x)$, $g(x)$의 최고차항의 계수는 양수이고, $f(0)>g(0)$이다.)

① 1 ② 3 ③ 5
④ 7 ⑤ 9

3 속도와 가속도

수직선 위를 움직이는 점의 시각 t에서의 위치, 속도, 가속도를 구하는 문제가 출제된다. 또, 운동 방향에 대한 조건이나 속도의 그래프를 이용하는 문제도 출제된다.

대표 문제 평가원 기출

수직선 위를 움직이는 두 점 P, Q의 시각 t일 때의 위치는 각각 $f(t)=2t^2-2t$, $g(t)=t^2-8t$이다. 두 점 P와 Q가 서로 반대 방향으로 움직이는 시각 t의 범위는?

① $\frac{1}{2}<t<4$ ② $1<t<5$ ③ $2<t<5$

④ $\frac{3}{2}<t<6$ ⑤ $2<t<8$

공략 포인트 점의 위치를 나타내는 함수를 미분하면 속도를 나타내는 함수를 구할 수 있음을 이용한다.

▸ 수직선 위를 움직이는 두 점 P, Q가 서로 반대 방향으로 움직이면 (두 점의 속도의 곱)<0

단계별 공략

❶ $f(t)$, $g(t)$를 이용하여 두 점 P, Q의 시각 t에서의 속도를 구한다.

❷ 두 점 P, Q가 서로 반대 방향으로 움직이면 속도의 부호가 서로 달라야 함을 이용하여 t에 대한 부등식을 세운다.

❸ 부등식의 해를 구하여 시각 t의 범위를 구한다.

3-1 상중하

원점을 출발하여 수직선 위를 움직이는 점 P의 시각 t에서의 위치가 $x(t)=t^3-5t^2+4t$일 때, 점 P가 출발한 후 마지막으로 원점을 지나는 순간의 속도를 구하시오.

3-2 상중하

수직선 위를 움직이는 점 P의 시각 t에서의 위치가 $x(t)=2t^3-6t^2+9$이다. 점 P가 출발한 후 운동 방향이 바뀌었을 때의 위치를 구하시오.

3-3 상중하 수능 기출

수직선 위를 움직이는 점 P의 시각 t $(t\geq 0)$에서의 위치 x가

$$x=-\frac{1}{3}t^3+3t^2+k \ (k\text{는 상수})$$

이다. 점 P의 가속도가 0일 때 점 P의 위치는 40이다. k의 값을 구하시오.

3-4 상중하

수직선 위를 움직이는 두 점 P, Q의 시각 t에서의 위치가 각각

$$f(t)=t^4+kt^2, \ g(t)=4t^2$$

이다. $t>0$에서 두 점 P, Q의 가속도가 같게 되는 순간이 존재하도록 하는 모든 자연수 k의 값의 합을 구하시오.

3-5 상중하

원점을 출발하여 수직선 위를 움직이는 점 P의 시각 t에서의 속도 $v(t)$의 그래프가 오른쪽 그림과 같을 때, **보기**에서 옳은 것만을 있는 대로 고른 것은?

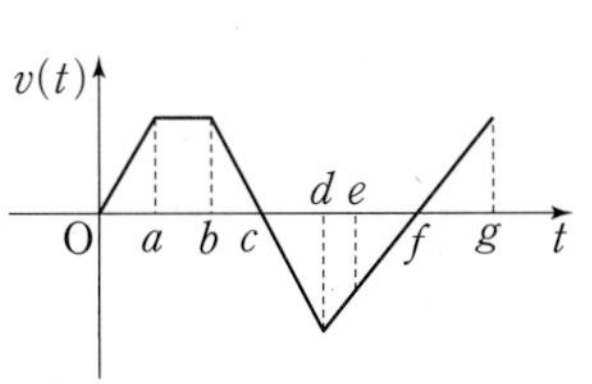

보기

ㄱ. $0<t<a$에서 속도가 증가한다.

ㄴ. $b<t<d$에서 가속도가 감소한다.

ㄷ. $t=e$에서의 가속도는 음의 값이다.

ㄹ. $0<t<g$에서 점 P는 운동 방향을 두 번 바꾼다.

① ㄱ, ㄴ ② ㄱ, ㄹ ③ ㄴ, ㄷ

④ ㄴ, ㄹ ⑤ ㄷ, ㄹ

실전 문제로 마무리

1 STEP 실전 감각 UP!

01

곡선 $y=-x^4+2x^2+3$과 직선 $y=2k$가 서로 다른 두 점에서 만나도록 하는 모든 자연수 k의 값의 합은?

① 3 ② 5 ③ 7
④ 9 ⑤ 11

02

$1<x<2$일 때, 부등식 $2x^3-6x^2+k>0$이 항상 성립하도록 하는 실수 k의 최솟값은?

① 5 ② 6 ③ 7
④ 8 ⑤ 9

03

두 함수 $f(x)=x^3+3x^2-x-4$, $g(x)=3x^2+2x-5$에 대하여 구간 $[a, a+1]$에서 부등식 $f(x)>g(x)$가 항상 성립하도록 하는 정수 a의 최솟값은?

① -2 ② -1 ③ 0
④ 1 ⑤ 2

04

함수 $f(x)=x^4-2x^2-3$에 대하여 구간 $[-2, 2]$에서 부등식 $-k-1<f(x)<k+1$이 항상 성립하도록 하는 자연수 k의 최솟값은?

① 1 ② 2 ③ 3
④ 4 ⑤ 5

05

수직선 위를 움직이는 점 P의 시각 t에서의 위치가

$$x(t)=t^3-15t^2+30t$$

일 때, $1\le t\le 6$에서 점 P의 속력의 최댓값을 구하시오.

06

수직선 위를 움직이는 점 P의 시각 t에서의 위치가

$$x(t)=\frac{1}{4}t^4-3t^3+12t^2+6t-1$$

일 때, 점 P의 속도가 감소하는 t의 값의 범위는 $\alpha<t<\beta$이다. $\alpha+\beta$의 값은?

① 2 ② 4 ③ 6
④ 8 ⑤ 10

중요
07

함수 $f(x)=2x^3-3x^2-12x$에 대하여 함수 $y=|f(x)|$의 그래프와 직선 $y=n$의 교점의 개수를 $g(n)$이라 할 때, $\sum_{n=1}^{20} g(n)$의 값을 구하시오. (단, n은 자연수이다.)

중요
08

오른쪽 그림과 같이 밑면의 반지름의 길이가 10 cm, 높이가 15 cm인 원뿔 모양의 빈 그릇에 수면의 높이가 매초 2 cm의 속도로 상승하도록 물을 붓는다고 한다. 수면의 높이가 6 cm가 되었을 때의 물의 부피의 변화율은? (단, 단위는 cm^3/s이다.)

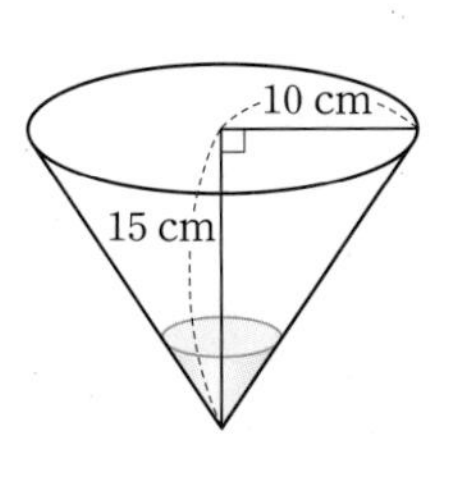

① 20π ② 24π ③ 28π
④ 32π ⑤ 36π

2 STEP 기출로 마무리

09

평가원 기출

함수 $f(x)=2x^3-3x^2-12x-10$의 그래프를 y축의 방향으로 a만큼 평행이동시켰더니 함수 $y=g(x)$의 그래프가 되었다. 방정식 $g(x)=0$이 서로 다른 두 실근만을 갖도록 하는 모든 a의 값의 합을 구하시오.

10

수능 기출

수직선 위를 움직이는 두 점 P, Q의 시각 t $(t\geq 0)$에서의 위치 x_1, x_2가

$$x_1=t^3-2t^2+3t,\ x_2=t^2+12t$$

이다. 두 점 P, Q의 속도가 같아지는 순간 두 점 P, Q 사이의 거리를 구하시오.

11

평가원 기출

삼차함수 $f(x)$의 도함수의 그래프와 이차함수 $g(x)$의 도함수의 그래프가 그림과 같다. 함수 $h(x)$를 $h(x)=f(x)-g(x)$라 하자.
$f(0)=g(0)$일 때, 옳은 것만을 **보기**에서 있는 대로 고른 것은?

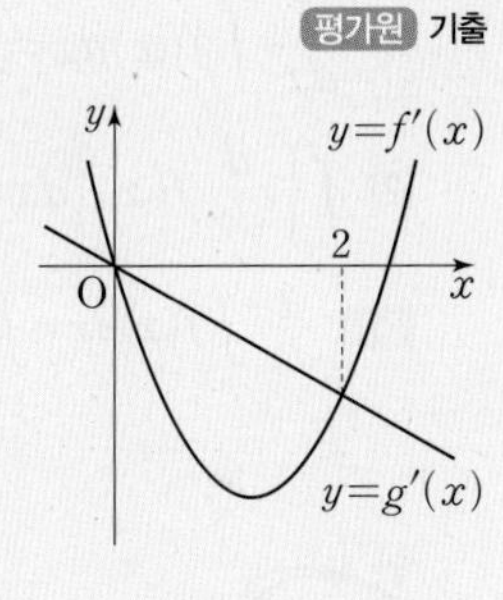

보기

ㄱ. $0<x<2$에서 $h(x)$는 감소한다.
ㄴ. $h(x)$는 $x=2$에서 극솟값을 갖는다.
ㄷ. 방정식 $h(x)=0$은 서로 다른 세 실근을 갖는다.

① ㄱ ② ㄴ ③ ㄱ, ㄴ
④ ㄱ, ㄷ ⑤ ㄱ, ㄴ, ㄷ

| 해답 36쪽 |

교과서 핵심개념

08강 부정적분

핵심 1 부정적분의 정의

(1) **부정적분**: 함수 $F(x)$의 도함수가 $f(x)$일 때, 즉 $F'(x)=f(x)$일 때, 함수 $F(x)$를 $f(x)$의 **부정적분**이라 하고, 기호로 $\int f(x)dx$와 같이 나타낸다.

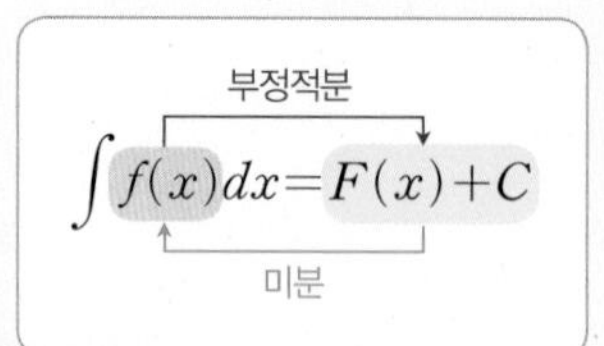

참고 함수 x^2, x^2-1, x^2+1, …은 모두 $2x$의 부정적분이다. 즉, 한 함수의 부정적분은 무수히 많다.

(2) 함수 $f(x)$의 부정적분 중 하나를 $F(x)$라 하면

$$\int f(x)dx=F(x)+C \text{ (단, }C\text{는 적분상수)}$$

예 $(x^3)'=3x^2$이므로 $\int 3x^2dx=x^3+C$

확인 1

다음 등식을 만족시키는 함수 $f(x)$를 구하시오. (단, C는 적분상수)

(1) $\int f(x)dx=x^2-3x+C$

(2) $\int f(x)dx=x^3+2x^2-5+C$

핵심 2 부정적분과 미분의 관계

(1) $\frac{d}{dx}\int f(x)dx=f(x)$

(2) $\int\left\{\frac{d}{dx}f(x)\right\}dx=f(x)+C$ (단, C는 적분상수)

주의 $\frac{d}{dx}\int f(x)dx\neq\int\left\{\frac{d}{dx}f(x)\right\}dx$

확인 2

다음을 구하시오.

(1) $\frac{d}{dx}\int x^2\,dx$

(2) $\int\left(\frac{d}{dx}x^2\right)dx$

핵심 3 부정적분의 계산

(1) **함수 $y=x^n$의 부정적분**

n이 음이 아닌 정수일 때,

$$\int x^n\,dx=\frac{1}{n+1}x^{n+1}+C \text{ (단, }C\text{는 적분상수)}$$

예 ① $\int x^2dx=\frac{1}{2+1}x^{2+1}+C=\frac{1}{3}x^3+C$

② $\int 1\,dx=\int x^0dx=\frac{1}{0+1}x^{0+1}+C=x+C$

참고 $\int 1\,dx$는 간단히 $\int dx$로도 나타낸다.

(2) **부정적분의 성질**

두 함수 $f(x)$, $g(x)$에 대하여

① $\int kf(x)dx=k\int f(x)dx$ (단, k는 상수)

② $\int\{f(x)+g(x)\}dx=\int f(x)dx+\int g(x)dx$

③ $\int\{f(x)-g(x)\}dx=\int f(x)dx-\int g(x)dx$

→ ②, ③은 셋 이상의 함수에 대해서도 성립한다.

참고 적분상수가 여러 개일 때는 이들을 묶어서 하나의 적분상수 C로 나타낸다.

확인 3

다음 부정적분을 구하시오.

(1) $\int(6x^3-3x^2)dx$

(2) $\int(-x^2+4x+1)dx$

(3) $\int(x-3)^2\,dx$

핵심 유형 익히기

1 부정적분과 미분의 관계

부정적분과 미분의 관계를 이용하여 함수 $f(x)$를 구하거나 그 함숫값 또는 함수식에 포함된 미정계수의 값을 구하는 문제가 출제된다.

대표 문제

등식 $\int xf(x)dx=x^4+x^3-ax^2$을 만족시키는 다항함수 $f(x)$에 대하여 $f(2)=10$일 때, 상수 a의 값은?

① 2 ② 4 ③ 6
④ 8 ⑤ 10

공략 포인트 주어진 등식의 양변을 x에 대하여 미분한 후 식을 간단히 정리한다.

▸ $\frac{d}{dx}\int f(x)dx=f(x)$

단계별 공략

❶ 주어진 등식의 양변을 x에 대하여 미분한다.

▸ $xf(x)=(x^4+x^3-ax^2)'$

❷ 양변을 x로 나누어 $f(x)$를 구한다.

❸ $f(x)$에 $x=2$를 대입하여 a의 값을 구한다.

1-1 상중하

함수 $f(x)$에 대하여

$$\frac{d}{dx}\int x^2f(x)dx=-f(x)+x$$

가 성립할 때, $f(3)$의 값은?

① $\frac{1}{10}$ ② $\frac{3}{10}$ ③ $\frac{1}{2}$
④ $\frac{7}{10}$ ⑤ $\frac{9}{10}$

1-2 상중하

교육청 기출

함수 $f(x)=\int\left\{\frac{d}{dx}(x^2-6x)\right\}dx$에 대하여 $f(x)$의 최솟값이 8일 때, $f(1)$의 값을 구하시오.

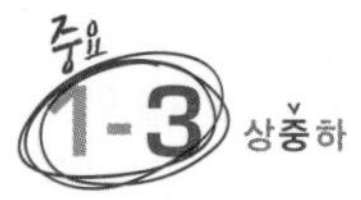

1-3 상중하

등식 $\int f(x)dx=xf(x)-4x^3+3x^2+2$를 만족시키는 다항함수 $f(x)$가 $x=a$에서 극솟값을 가질 때, 상수 a의 값은?

① $\frac{1}{2}$ ② $\frac{3}{4}$ ③ 1
④ $\frac{5}{4}$ ⑤ $\frac{3}{2}$

1-4 상중하

등식 $\int\{1-f(x)\}dx=ax^3+bx^2+1$을 만족시키는 함수 $f(x)$에 대하여 $f(1)=-6$, $\lim_{h\to 0}\frac{f(1+3h)-f(1)}{h}=-12$이다. 상수 a, b에 대하여 $a+b$의 값을 구하시오.

2 다항함수의 부정적분

부정적분의 성질과 함수 $y=x^n$의 부정적분을 이용하여 다항함수 $f(x)$와 그 함숫값을 구하는 문제가 출제된다.

평가원 기출

함수 $f(x)$가

$$f(x)=\int\left(\frac{1}{2}x^3+2x+1\right)dx-\int\left(\frac{1}{2}x^3+x\right)dx$$

이고 $f(0)=1$일 때, $f(4)$의 값은?

① $\frac{23}{2}$ ② 12 ③ $\frac{25}{2}$
④ 13 ⑤ $\frac{27}{2}$

공략 포인트 $\int g(x)dx-\int h(x)dx=\int\{g(x)-h(x)\}dx$임을 이용한다.

단계별 공략

❶ 부정적분의 성질을 이용하여 $f(x)$를 구한다.

▸ $f(x)=\int\left\{\left(\frac{1}{2}x^3+2x+1\right)-\left(\frac{1}{2}x^3+x\right)\right\}dx$

❷ $f(0)=1$임을 이용하여 적분상수 C의 값을 구한다.

❸ $f(x)$에 $x=4$를 대입하여 $f(4)$의 값을 구한다.

2-1 상중하

함수 $f(x)$에 대하여 $f'(x)=ax^2+x+2$이고 $f(0)=1$, $f(-2)=-9$일 때, $f(2)$의 값은? (단, a는 상수이다.)

① 11 ② 12 ③ 13
④ 14 ⑤ 15

2-2 상중하

다항함수 $f(x)$에 대하여

$$f(x)=\int(x+\sqrt{x})^2dx+\int(x-\sqrt{x})^2dx$$

이고 $f(1)=3$일 때, $f(-1)$의 값은?

① $\frac{2}{3}$ ② $\frac{5}{3}$ ③ $\frac{8}{3}$
④ $\frac{11}{3}$ ⑤ $\frac{14}{3}$

중요

2-3 상중하

다항함수 $f(x)$에 대하여

$$\lim_{h\to 0}\frac{f(x-h)-f(x)}{h}=3x^2-6x+2$$

이고 $f(2)=5$일 때, $f(3)$의 값은?

① -1 ② -2 ③ -3
④ -4 ⑤ -5

2-4 상중하

다항함수 $f(x)$의 도함수 $f'(x)$에 대하여

$$\int\frac{f'(x)}{x}dx=6x^2+4x+6$$

이고 $f(1)=10$일 때, $f(2)$의 값은?

① 40 ② 42 ③ 44
④ 46 ⑤ 48

3 부정적분의 활용

함수 $f(x)$의 도함수가 접선의 기울기, 그래프 등으로 주어질 때, $f(x)$의 식 또는 함숫값을 구하는 문제가 출제된다.

대표 문제

원점을 지나는 곡선 $y=f(x)$ 위의 임의의 점 $(x,\ f(x))$에서의 접선의 기울기가 $3x^2-2x+2$일 때, $f(3)$의 값은?

① 16 ② 18 ③ 20
④ 22 ⑤ 24

공략 포인트 곡선 $y=f(x)$ 위의 임의의 점 $(x,\ f(x))$에서의 접선의 기울기는 도함수 $f'(x)$임을 이용하여 $f(x)$를 구한다.

단계별 공략

❶ $f'(x)=3x^2-2x+2$임을 이용하여 $f(x)$를 구한다.

❷ 곡선 $y=f(x)$가 원점을 지남을 이용하여 적분상수 C의 값을 구한다.
▸ $f(0)=0$

❸ $f(x)$에 $x=3$을 대입하여 $f(3)$의 값을 구한다.

3-1 상중하

곡선 $y=f(x)$ 위의 임의의 점 $(x,\ f(x))$에서의 접선의 기울기는 ax^3이다. 곡선 $y=f(x)$가 두 점 $(0,\ -2)$, $(1,\ -1)$을 지날 때, $f(2)$의 값은? (단, a는 상수이다.)

① 11 ② 12 ③ 13
④ 14 ⑤ 15

3-2 상중하

다항함수 $f(x)$의 도함수 $y=f'(x)$의 그래프가 오른쪽 그림과 같다.
$f'(0)=f'(2)=0$이고 함수 $y=f(x)$의 그래프가 점 $(0,\ 6)$을 지날 때, $f(1)$의 값은?

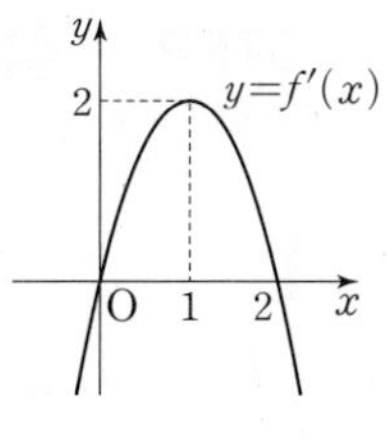

① $\frac{20}{3}$ ② 7
③ $\frac{22}{3}$ ④ $\frac{23}{3}$ ⑤ 8

3-3 상중하

함수 $f(x)$에 대하여 $f'(x)=-2x+2$이고 곡선 $y=f(x)$ 밖의 점에서 곡선 $y=f(x)$에 그은 한 접선의 방정식이 $y=2x+3$이다. $f(1)$의 값은?

① 1 ② 2 ③ 3
④ 4 ⑤ 5

3-4 상중하

교육청 기출

삼차함수 $y=f(x)$의 도함수 $y=f'(x)$의 그래프가 그림과 같다.
$f'(-1)=f'(1)=0$이고 함수 $f(x)$의 극댓값이 4, 극솟값이 0일 때, $f(3)$의 값은?

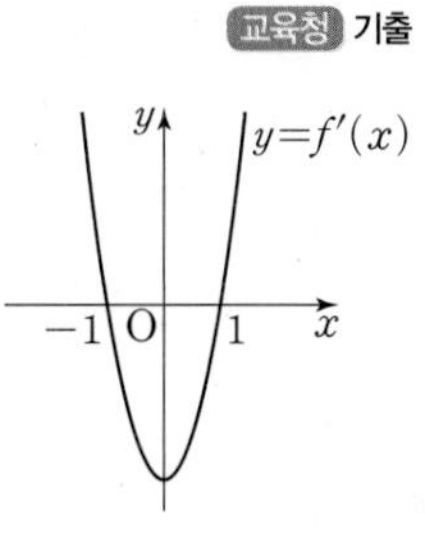

① 14 ② 16 ③ 18
④ 20 ⑤ 22

1 STEP 실전 감각 UP!

01

등식 $\int \{1-2f(x)\}dx=-2x^3+x^2+5x+3$을 만족시키는 다항함수 $f(x)$에 대하여 $f(-1)$의 값은?

① 1 ② 2 ③ 3
④ 4 ⑤ 5

02

등식 $\log_x\left(\frac{d}{dx}\int x^7 dx\right)=x^2-2x-8$을 만족시키는 x의 값은?

① 2 ② 4 ③ 5
④ 7 ⑤ 9

03

함수 $f(x)=\int \frac{x^6}{x^3-1}dx-\int \frac{1}{x^3-1}dx$에 대하여 $f(-1)=\frac{1}{4}$일 때, $f(4)$의 값을 구하시오.

04

다항함수 $f(x)$에 대하여 $F'(x)=f(x)$이고

$$F(x)=xf(x)-3x^4+6x^3+x^2$$

이 성립한다. $f(1)=2$일 때, $f(2)$의 값을 구하시오.

05

두 다항함수 $f(x)$, $g(x)$가 다음 조건을 모두 만족시킬 때, $f(-3)+g(3)$의 값을 구하시오.

> (가) $\frac{d}{dx}\{f(x)-g(x)\}=2x-1$
> (나) $\frac{d}{dx}\{f(x)g(x)\}=3x^2+6x-2$
> (다) $f(0)=-2$, $g(0)=3$

06

곡선 $y=f(x)$는 점 $(2, -1)$을 지나고 이 곡선 위의 임의의 점 $(x, f(x))$에서의 접선의 기울기는 $3x+2$이다. 곡선 $y=f(x)$가 x축과 두 점 $(a, 0)$, $(b, 0)$에서 만날 때, $a+b$의 값은?

① $-\frac{4}{3}$ ② $-\frac{7}{6}$ ③ -1
④ $-\frac{5}{6}$ ⑤ $-\frac{2}{3}$

07

함수 $f(x)=\int 4(x-1)(x^2+x+1)dx$가 모든 실수 x에 대하여 $f(x)\geq 0$이 성립할 때, $f(0)$의 최솟값을 구하시오.

중요

08

삼차함수 $y=f(x)$의 도함수 $y=f'(x)$의 그래프가 오른쪽 그림과 같다.
$f'(0)=f'(3)=0$이고 함수 $f(x)$의 극댓값이 4이다. 함수 $y=f(x)$의 그래프가 점 $(2, -6)$을 지날 때, 함수 $f(x)$의 극솟값은?

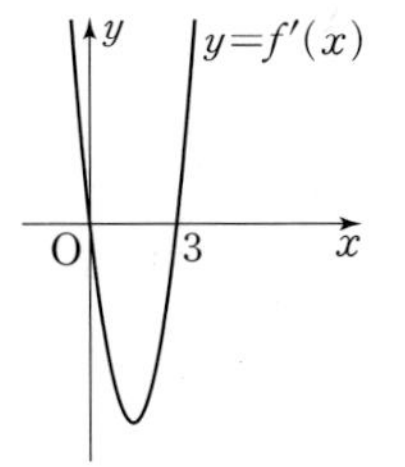

① -8 ② $-\frac{17}{2}$
③ -9 ④ $-\frac{19}{2}$ ⑤ -10

09

미분가능한 함수 $f(x)$가 임의의 실수 x, y에 대하여

$$f(x+y)=f(x)+f(y)-2xy$$

를 만족시키고 $f'(0)=2$일 때, $f(3)$의 값은?

① -3 ② -5 ③ -7
④ -9 ⑤ -11

2 STEP 기출로 마무리

10

교육청 기출

다항함수 $f(x)$가

$$\frac{d}{dx}\int\{f(x)-x^2+4\}dx=\int\frac{d}{dx}\{2f(x)-3x+1\}dx$$

를 만족시킨다. $f(1)=3$일 때, $f(0)$의 값은?

① -2 ② -1 ③ 0
④ 1 ⑤ 2

11

평가원 기출

이차함수 $f(x)$에 대하여 함수 $g(x)$가

$$g(x)=\int\{x^2+f(x)\}dx,\ f(x)g(x)=-2x^4+8x^3$$

을 만족시킬 때, $g(1)$의 값은?

① 1 ② 2 ③ 3
④ 4 ⑤ 5

12

교육청 기출

최고차항의 계수가 1인 삼차함수 $f(x)$가 $f(0)=0$, $f(\alpha)=0$, $f'(\alpha)=0$이고 함수 $g(x)$가 다음 두 조건을 만족시킬 때, $g\left(\frac{\alpha}{3}\right)$의 값은? (단, α는 양수이다.)

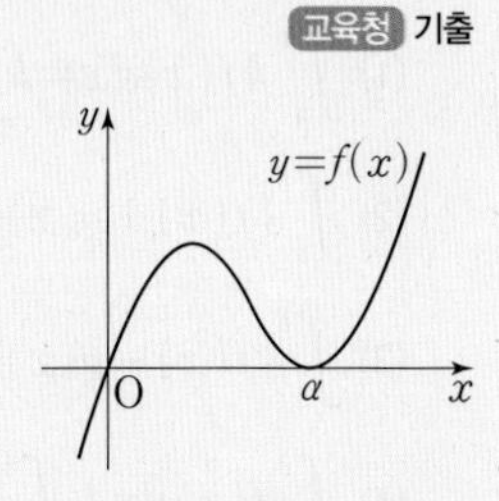

(가) $g'(x)=f(x)+xf'(x)$
(나) $g(x)$의 극댓값이 81이고 극솟값이 0이다.

① 56 ② 58 ③ 60
④ 62 ⑤ 64

09 강 정적분(1)

| 해답 40쪽 |

교과서 핵심개념

중요

핵심 1 정적분의 정의

(1) 닫힌구간 $[a, b]$에서 연속인 함수 $f(x)$의 한 부정적분을 $F(x)$라 할 때, $F(b)-F(a)$를 $f(x)$의 a에서 b까지의 **정적분**이라 하고 기호로 $\int_a^b \boldsymbol{f(x)dx}$와 같이 나타낸다. 이때 $F(b)-F(a)$를 기호 $\Big[\boldsymbol{F(x)}\Big]_a^b$로 나타내면

$$\int_a^b f(x)dx=\Big[F(x)\Big]_a^b=F(b)-F(a)$$ → a를 아래끝, b를 위끝이라 한다.

(2) $a \geq b$일 때, 정적분 $\int_a^b f(x)dx$는 다음과 같이 정의한다.

① $a=b$일 때, $\int_a^a f(x)dx=0$　　② $a>b$일 때, $\int_a^b f(x)dx=-\int_b^a f(x)dx$

참고 정적분에서 x 대신 다른 문자를 사용해도 값은 변하지 않는다.

$$\int_a^b f(x)dx=\int_a^b f(y)dy=\int_a^b f(t)dt$$

확인 1

정적분 $\int_{-1}^2 (4x^3-6x)dx$의 값을 구하시오.

핵심 2 정적분의 성질

두 함수 $f(x)$, $g(x)$가 세 실수 a, b, c를 포함하는 닫힌구간에서 연속일 때

(1) $\int_a^b kf(x)dx=k\int_a^b f(x)dx$ (단, k는 상수)

(2) $\int_a^b \{f(x)+g(x)\}dx=\int_a^b f(x)dx+\int_a^b g(x)dx$

(3) $\int_a^b \{f(x)-g(x)\}dx=\int_a^b f(x)dx-\int_a^b g(x)dx$

(4) $\int_a^c f(x)dx+\int_c^b f(x)dx=\int_a^b f(x)dx$ ← a, b, c의 대소에 관계없이 성립한다.

확인 2

다음 정적분의 값을 구하시오.

(1) $\int_{-1}^2 (4x^2+2)dx-\int_{-1}^2 (3x^2+2)dx$

(2) $\int_{-2}^1 (2x+1)dx+\int_1^3 (2x+1)dx$

핵심 3 여러 가지 함수의 정적분

(1) **절댓값 기호를 포함한 함수의 정적분**

절댓값 기호 안의 식의 값이 0이 되게 하는 x의 값을 경계로 구간을 나누어 적분한다.

(2) **y축 또는 원점에 대하여 대칭인 함수의 정적분**

n이 자연수일 때, 정적분 $\int_{-a}^a x^n\,dx$에 대하여 다음이 성립한다.

① n이 짝수일 때, $\int_{-a}^a x^n\,dx=2\int_0^a x^n\,dx$ ← $y=x^n$의 그래프는 y축에 대하여 대칭

② n이 홀수일 때, $\int_{-a}^a x^n\,dx=0$ ← $y=x^n$의 그래프는 원점에 대하여 대칭

참고 함수 $f(x)$가 닫힌구간 $[-a, a]$에서 연속이고, 함수 $y=f(x)$의 그래프가

① y축에 대하여 대칭, 즉 $f(-x)=f(x)$이면 $\int_{-a}^a f(x)dx=2\int_0^a f(x)dx$

② 원점에 대하여 대칭, 즉 $f(-x)=-f(x)$이면 $\int_{-a}^a f(x)dx=0$

확인 3

다음 정적분의 값을 구하시오.

(1) $\int_{-2}^2 |x|dx$

(2) $\int_{-1}^1 (x^5+5x^4-x+1)dx$

핵심 유형 익히기

1 정적분의 정의

정적분의 정의를 이용하여 정적분의 값을 구하거나 미지수의 값을 구하는 문제가 출제된다.

함수 $f(x)=3x^2-ax+1$에 대하여 $\int_0^2 f(x)dx=f(1)$이 성립할 때, 상수 a의 값은?

① 2 ② 4 ③ 6
④ 8 ⑤ 10

공략 포인트 정적분의 정의를 이용하여 정적분의 값을 구한다.

▸ $\int_a^b f(x)dx=F(b)-F(a)$ (단, $F'(x)=f(x)$)

단계별 공략

❶ $\int_0^2 f(x)dx$의 값을 a에 대한 식으로 나타낸다.

❷ $f(1)$의 값을 a에 대한 식으로 나타낸다.

❸ ❶=❷임을 이용하여 a의 값을 구한다.

1-1 상중하

$\int_0^3 \frac{2t^3+2}{t+1}dt$의 값은?

① 13 ② 14 ③ 15
④ 16 ⑤ 17

1-2 상중하

미분가능한 함수 $f(x)$에 대하여 $f(2)=3$, $f(1)=2$일 때, $\int_1^2 \{2xf(x)+x^2f'(x)\}dx$의 값은?

① 6 ② 7 ③ 8
④ 9 ⑤ 10

1-3 상중하

1보다 큰 자연수 n에 대하여

$$\int_0^1 (1+4x+9x^2+\cdots+n^2x^{n-1})dx=210$$

일 때, n의 값은?

① 5 ② 10 ③ 15
④ 20 ⑤ 25

1-4 상중하

등식 $\int_1^2 (6x^2-2x+1)dx=\int_1^a (2x-1)dx$를 만족시키는 실수 a의 값은 2개 존재하고, 그 값을 각각 p, q라 할 때, $|p-q|$의 값은?

① 6 ② 7 ③ 8
④ 9 ⑤ 10

2 정적분의 성질

정적분의 성질을 이용하여 정적분의 합 또는 차로 나타내어진 식을 간단히 정리하여 정적분의 값을 구하는 문제가 출제된다.

$\int_{0}^{1}(x^2+2x)dx+\int_{1}^{3}(x^2+2x+3)dx$의 값은?

① 18 ② 20 ③ 22
④ 24 ⑤ 26

공략 포인트 정적분의 성질을 이용하여 식을 간단히 정리한 후 계산한다.

단계별 공략

❶ $\int_{a}^{c}f(x)dx+\int_{c}^{b}f(x)dx=\int_{a}^{b}f(x)dx$임을 이용하여 식을 간단히 한다.

❷ 정적분의 값을 구한다.

2-1 상중하

$\int_{-2}^{3}(2x^3+4x+1)dx-2\int_{-2}^{3}(x^3-4x-1)dx$의 값은?

① 35 ② 38 ③ 40
④ 43 ⑤ 45

2-2 상중하

연속함수 $f(x)$에 대하여

$$\int_{-2}^{3}f(x)dx=6,\ \int_{-1}^{4}f(x)dx=4,\ \int_{-1}^{3}f(x)dx=1$$

일 때, $\int_{-2}^{4}f(x)dx$의 값을 구하시오.

중요 2-3 상중하

함수 $f(x)$가 $f(x)=\begin{cases}2x+2 & (x<1)\\ x^2+3 & (x\geq 1)\end{cases}$일 때, $\int_{-1}^{2}f(x)dx$의 값은?

① 4 ② $\frac{16}{3}$ ③ $\frac{20}{3}$
④ 8 ⑤ $\frac{28}{3}$

2-4 상중하 교육청 기출

실수 전체에서 정의된 연속함수 $f(x)$가 $f(x)=f(x+4)$를 만족하고

$$f(x)=\begin{cases}-4x+2 & (0\leq x<2)\\ x^2-2x+a & (2\leq x\leq 4)\end{cases}$$

일 때, $\int_{9}^{11}f(x)dx$의 값은?

① -8 ② $-\frac{26}{3}$ ③ $-\frac{28}{3}$
④ -10 ⑤ $-\frac{32}{3}$

3 절댓값 기호를 포함한 함수의 정적분

절댓값 기호가 포함된 함수의 정적분의 값을 구하거나 정적분의 값이 주어질 때 미지수의 값을 구하는 문제가 출제된다.

$\int_{0}^{2}|x^2-3x+2|dx$의 값은?

① 1 ② $\frac{3}{2}$ ③ 2
④ $\frac{5}{2}$ ⑤ 3

공략 포인트 절댓값 기호 안의 식의 값이 0이 되게 하는 x의 값을 경계로 구간을 나누어 계산한다.

▶ $|a|=\begin{cases} -a & (a<0\text{일 때}) \\ a & (a\geq 0\text{일 때}) \end{cases}$

3-1 상중하

$\int_{-1}^{2}(|x|+x+1)dx$의 값은?

① 3 ② 4 ③ 5
④ 6 ⑤ 7

3-2 상중하

등식 $\int_{1}^{a}|x^2-2x|dx=2$를 만족시키는 상수 a의 값을 구하시오. (단, $a>2$)

4 y축 또는 원점에 대하여 대칭인 함수의 정적분

그래프의 대칭성을 이용하여 $\int_{-a}^{a}f(x)dx$ 꼴의 정적분의 값 또는 미지수의 값을 구하는 문제가 출제된다.

평가원 기출

$\int_{-2}^{2}x(3x+1)dx$의 값을 구하시오.

공략 포인트 적분 구간이 $[-a, a]$인 정적분의 값을 구할 때는 먼저 적분할 함수의 차수를 파악한다.

▶ ① n이 짝수일 때, $\int_{-a}^{a}x^n\,dx=2\int_{0}^{a}x^n\,dx$

② n이 홀수일 때, $\int_{-a}^{a}x^n\,dx=0$

4-1 상중하

함수 $f(x)$가 모든 실수 x에 대하여 $f(-x)=-f(x)$를 만족시키고

$$\int_{-3}^{1}f(x)dx+\int_{-2}^{3}f(x)dx-\int_{-3}^{3}f(x)dx=4$$

일 때, $\int_{1}^{2}f(-x)dx$의 값을 구하시오.

4-2 상중하

수능 기출

함수 $f(x)=x+1$에 대하여

$$\int_{-1}^{1}\{f(x)\}^2dx=k\left\{\int_{-1}^{1}f(x)\,dx\right\}^2$$

일 때, 상수 k의 값은?

① $\frac{1}{6}$ ② $\frac{1}{3}$ ③ $\frac{1}{2}$
④ $\frac{2}{3}$ ⑤ $\frac{5}{6}$

실전 문제로 마무리

1 STEP 실전 감각 UP!

01

등식 $\int_0^2 (4x+a)dx=a$를 만족시키는 상수 a의 값은?

① -10　② -8　③ -6　④ -4　⑤ -2

02

일차함수 $f(x)$에 대하여

$$\int_0^1 xf(x)dx=0,\ \int_0^1 x^2f(x)dx=\frac{1}{12}$$

일 때, $\int_0^1 x^3f(x)dx$의 값은?

① $\frac{1}{9}$　② $\frac{1}{10}$　③ $\frac{1}{11}$　④ $\frac{1}{12}$　⑤ $\frac{1}{13}$

03

$\int_{-2}^1 (3x^2+4x-1)dx-2\int_{-2}^1 (t^2+2t-2)dt$의 값은?

① 6　② 8　③ 10　④ 12　⑤ 14

04

$\sum_{n=1}^{10}\left(\int_n^{n+1} ax\,dx\right)=300$일 때, 상수 a의 값을 구하시오.

05

함수 $y=f(x)$의 그래프가 오른쪽 그림과 같을 때, $\int_{-1}^3 xf(x-2)dx$의 값은?

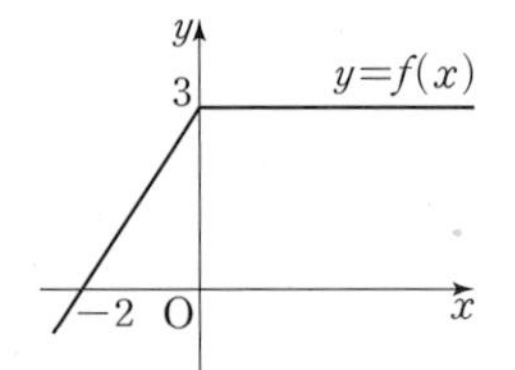

① 10　② 11　③ 12　④ 13　⑤ 14

06

x에 대한 방정식 $\int_0^x |t-2|dt=x$의 모든 실근의 합은?

① 2　② 4　③ 6　④ 8　⑤ 10

07

두 다항함수 $f(x)$, $g(x)$가 모든 실수 x에 대하여

$$f(x)=f(-x),\ g(x)=-g(-x)$$

를 만족시키고 $\int_0^3 f(x)dx=4$, $\int_0^3 g(x)dx=6$일 때, $\int_{-3}^3 \{f(x)-g(x)\}dx$의 값을 구하시오.

08

함수 $f(x)$는 모든 실수 x에 대하여 $f(x+6)=f(x)$를 만족시키고,

$$f(x)=\begin{cases} x & (0\le x<2) \\ 2 & (2\le x<4) \\ -x+6 & (4\le x<6) \end{cases}$$

이다. $\int_{-a}^a f(x)dx=48$일 때, 상수 a의 값을 구하시오.

2 STEP 기출로 마무리

09

교육청 기출

함수 $f(x)$를

$$f(x)=\begin{cases} 2x+2 & (x<0) \\ -x^2+2x+2 & (x\ge 0) \end{cases}$$

라 하자. 양의 실수 a에 대하여 $\int_{-a}^a f(x)dx$의 최댓값은?

① 5 ② $\frac{16}{3}$ ③ $\frac{17}{3}$
④ 6 ⑤ $\frac{19}{3}$

10

평가원 기출

모든 다항함수 $f(x)$에 대하여 옳은 것만을 **보기**에서 있는 대로 고른 것은?

보기

ㄱ. $\int_0^3 f(x)dx=3\int_0^1 f(x)dx$

ㄴ. $\int_0^1 f(x)dx=\int_0^2 f(x)dx+\int_2^1 f(x)dx$

ㄷ. $\int_0^1 \{f(x)\}^2dx=\left\{\int_0^1 f(x)dx\right\}^2$

① ㄴ ② ㄷ ③ ㄱ, ㄴ
④ ㄱ, ㄷ ⑤ ㄴ, ㄷ

11

수능 기출

그림과 같이 삼차함수 $y=f(x)$가 극댓값 $f(1)=1$과 극솟값 $f(3)=-3$을 가지며, $f(0)=-3$이다. 이때 $\int_0^3 |f'(x)|dx$의 값은?

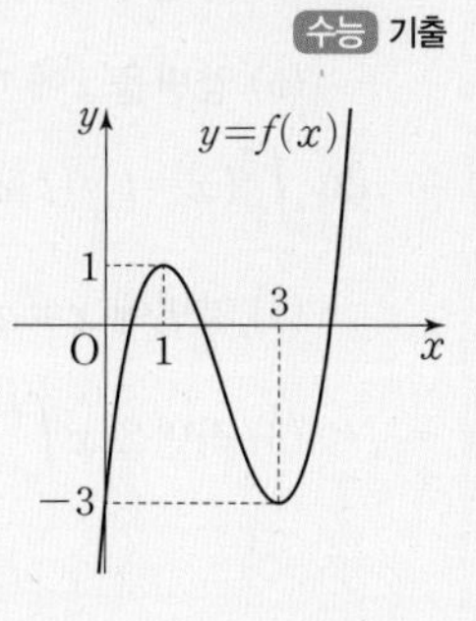

① 6 ② 7
③ 8 ④ 9
⑤ 10

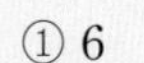

| 해답 44쪽 |

10강 정적분(2)

교과서 핵심개념

핵심 1 정적분으로 정의된 함수의 미분

(1) $\dfrac{d}{dx}\displaystyle\int_a^x f(t)dt=f(x)$ (단, a는 실수)

예 ① $\dfrac{d}{dx}\displaystyle\int_0^x (3t-1)dt=3x-1$

② $\dfrac{d}{dx}\displaystyle\int_{-2}^x (t^3+2)dt=x^3+2$

(2) $\dfrac{d}{dx}\displaystyle\int_x^{x+a} f(t)dt=f(x+a)-f(x)$ (단, a는 실수)

주의 $\displaystyle\int_a^x f(t)dt$는 t에 대한 함수가 아니라 x에 대한 함수이다.

확인 1

다음을 계산하시오.

(1) $\dfrac{d}{dx}\displaystyle\int_2^x (3t^2-2t+1)dt$

(2) $\dfrac{d}{dx}\displaystyle\int_x^{x+1} (4t+3)dt$

핵심 2 정적분을 포함한 등식

(1) $f(x)=g(x)+\displaystyle\int_a^b f(t)dt$ 꼴, 즉 적분 구간이 상수인 경우

(i) $\displaystyle\int_a^b f(t)dt=k$ (k는 상수)로 놓고 $f(x)=g(x)+k$임을 이용한다.

(ii) $\displaystyle\int_a^b f(t)dt$에 $f(t)=g(t)+k$를 대입하여 k의 값을 구한다.

(2) $\displaystyle\int_a^x f(t)dt=g(x)$ 꼴, 즉 적분 구간에 변수 x가 있는 경우

(i) 양변에 $x=a$를 대입하여 $\displaystyle\int_a^a f(t)dt=0$, 즉 $g(a)=0$임을 이용한다.

(ii) 양변을 x에 대하여 미분하여 $f(x)$를 구한다.

(3) $\displaystyle\int_a^x (x-t)f(t)dt=g(x)$ 꼴, 즉 적분 구간과 적분할 함수에 변수 x가 있는 경우

(i) 양변에 $x=a$를 대입하여 $\displaystyle\int_a^a (a-t)f(t)dt=0$, 즉 $g(a)=0$임을 이용한다.

(ii) 좌변을 $x\displaystyle\int_a^x f(t)dt-\int_a^x tf(t)dt$로 변형한 후 양변을 x에 대하여 미분한다.

확인 2

모든 실수 x에 대하여

$$\int_1^x f(t)dt=x^2-2x+1$$

일 때, $f(x)$를 구하시오.

핵심 3 정적분으로 정의된 함수의 극한

연속함수 $f(x)$와 상수 a에 대하여

(1) $\displaystyle\lim_{x\to 0}\frac{1}{x}\int_a^{x+a} f(t)dt=f(a)$

(2) $\displaystyle\lim_{x\to a}\frac{1}{x-a}\int_a^x f(t)dt=f(a)$

참고 $f(x)$의 부정적분을 $F(x)$라 하면 적분과 미분의 관계 및 미분계수의 정의에 의하여

(1) $\displaystyle\lim_{x\to 0}\frac{1}{x}\int_a^{x+a} f(t)dt=\lim_{x\to 0}\frac{F(x+a)-F(a)}{x}=F'(a)=f(a)$

(2) $\displaystyle\lim_{x\to a}\frac{1}{x-a}\int_a^x f(t)dt=\lim_{x\to a}\frac{F(x)-F(a)}{x-a}=F'(a)=f(a)$

확인 3

다음 극한값을 구하시오.

(1) $\displaystyle\lim_{h\to 0}\frac{1}{h}\int_0^h (x^2-2x+5)dx$

(2) $\displaystyle\lim_{x\to 3}\frac{1}{x-3}\int_3^x (t-1)(t+5)dt$

핵심 유형 익히기

1 정적분을 포함한 등식

적분 구간에 상수가 있는 정적분을 포함한 등식에서 정적분의 값을 구하는 문제나 적분 구간에 변수가 있는 정적분을 포함한 등식에서 정적분과 미분의 관계를 이용하여 함숫값 또는 미지수의 값을 구하는 문제가 출제된다.

다항함수 $f(x)$가 모든 실수 x에 대하여

$$\int_a^x f(t)dt=x^3+x^2-2x-8$$

을 만족시킬 때, $f(a)$의 값을 구하시오.

(단, a는 실수이다.)

공략 포인트 $\int_a^x f(t)dt$ 꼴이 포함된 등식은 다음 두 가지 성질을 이용하여 해결한다.

▸ (i) $\int_a^a f(t)dt=0$ (ii) $\frac{d}{dx}\int_a^x f(t)dt=f(x)$

단계별 공략

❶ $\int_a^a f(t)dt=0$임을 이용하여 a의 값을 구한다.

❷ 주어진 식의 양변을 x에 대하여 미분하여 $f(x)$를 구한다.

❸ $f(x)$에 $x=a$를 대입하여 $f(a)$의 값을 구한다.

1-1 상중하

다항함수 $f(x)$가 모든 실수 x에 대하여

$$\int_{-2}^x tf(t)dt=2x^3+ax^2+4$$

를 만족시킬 때, $f(5)$의 값은? (단, a는 상수이다.)

① 12 ② 20 ③ 28
④ 36 ⑤ 44

1-2 상중하

함수 $f(x)$가 모든 실수 x에 대하여

$$f(x)=2x^2-5x+2\int_1^x f'(t)dt$$

를 만족시킬 때, $f(2)$의 값은?

① -1 ② -2 ③ -3
④ -4 ⑤ -5

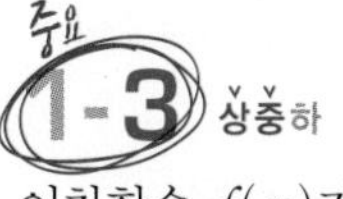

1-3 상중하 평가원 기출

이차함수 $f(x)$가

$$f(x)=\frac{12}{7}x^2-2x\int_1^2 f(t)dt+\left\{\int_1^2 f(t)dt\right\}^2$$

일 때, $10\int_1^2 f(x)dx$의 값을 구하시오.

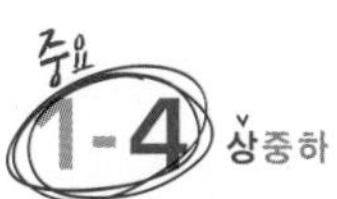

1-4 상중하

다항함수 $f(x)$가 모든 실수 x에 대하여

$$\int_1^x (x-t)f(t)dt=x^3-2x^2+ax$$

를 만족시킬 때, $f(a)$의 값은? (단, a는 상수이다.)

① 1 ② 2 ③ 3
④ 4 ⑤ 5

2 정적분으로 정의된 함수의 극대 · 극소, 최대 · 최소

적분 구간에 변수가 있는 정적분으로 정의된 함수의 극댓값, 극솟값 또는 최댓값, 최솟값을 구하는 문제가 출제된다. 극값 또는 최대 · 최소에 관한 조건이 주어질 때, 미지수의 값을 구하는 문제도 출제된다.

함수 $f(x)=\int_0^x (t-2)(t-3)dt$의 극댓값을 a, 극솟값을 b라 할 때, $3a+2b$의 값을 구하시오.

공략 포인트 $f(x)=\int_a^x g(t)dt$ 꼴의 함수의 극값을 구할 때는 먼저 양변을 x에 대하여 미분하여 도함수 $f'(x)$를 구한다.

▸ $f'(x)=\frac{d}{dx}\int_a^x g(t)dt=g(x)$

단계별 공략

❶ 주어진 식의 양변을 x에 대하여 미분하여 $f'(x)$를 구한다.

❷ $f'(x)$의 부호를 조사하여 함수 $f(x)$의 증가와 감소를 표로 나타낸다.

❸ 함수 $f(x)$의 극댓값과 극솟값을 구하여 a, b의 값을 구한다.

❹ $3a+2b$의 값을 계산한다.

2-1 상중하

$0\le x\le 4$에서 함수 $f(x)=\int_{-2}^x (2-|t|)dt$의 최댓값은?

① 1 ② 2 ③ 3 ④ 4 ⑤ 5

2-2 상중하

이차함수 $y=f(x)$의 그래프가 오른쪽 그림과 같을 때, 함수 $g(x)$를

$$g(x)=\int_x^{x+1} f(t)dt$$

라 하자. 함수 $g(x)$는 $x=a$에서 최솟값을 가질 때, a의 값은?

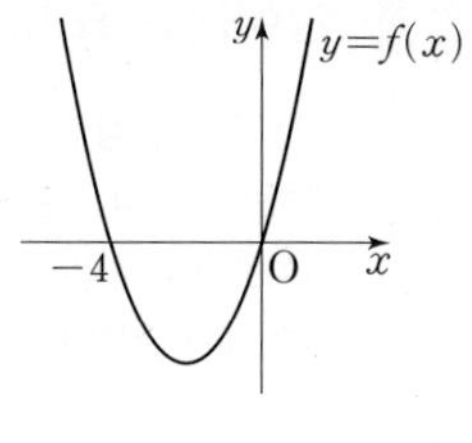

① -3 ② $-\frac{5}{2}$ ③ -2 ④ -1 ⑤ $-\frac{1}{2}$

2-3 상중하

함수 $f(x)=\int_0^x (6t^2+at+b)dt$가 $x=-1$에서 극댓값 5를 가질 때, 상수 a, b에 대하여 $a+b$의 값은?

① -10 ② -9 ③ -8 ④ -7 ⑤ -6

2-4 상중하 수능 기출

삼차함수 $f(x)=x^3-3x+a$에 대하여 함수 $F(x)=\int_0^x f(t)dt$가 오직 하나의 극값을 갖도록 하는 양수 a의 최솟값은?

① 1 ② 2 ③ 3 ④ 4 ⑤ 5

3 정적분으로 정의된 함수의 극한

미분계수의 정의를 이용하여 정적분으로 주어진 함수의 극한값을 구하는 문제가 출제된다.

함수 $f(x)=2x^3+3x^2-x+2$일 때,

$\lim_{x\to2}\frac{1}{x^2-4}\int_2^x f(t)dt$의 값을 구하시오.

공략 포인트 $\lim_{x\to a}\frac{1}{x-a}\int_a^x f(t)dt$ 꼴의 식의 값을 구할 때는 $f(x)$의 한 부정적분을 $F(x)$로 놓고 미분계수의 정의를 이용한다.

▸ $\lim_{x\to a}\frac{1}{x-a}\int_a^x f(t)dt=\lim_{x\to a}\frac{F(x)-F(a)}{x-a}=F'(a)=f(a)$

단계별 공략

❶ 함수 $f(x)$의 한 부정적분을 $F(x)$로 놓는다.

▸ $F'(x)=f(x)$

❷ 주어진 식을 정적분의 정의를 이용하여 $F(x)$에 대한 식으로 변형한다.

❸ ❷의 식을 정리하여 주어진 극한값을 구한다.

3-1 상중하

함수 $f(x)=x^3-2x-3$일 때, $\lim_{x\to3}\frac{1}{x-3}\int_3^x f(t)dt$의 값을 구하시오.

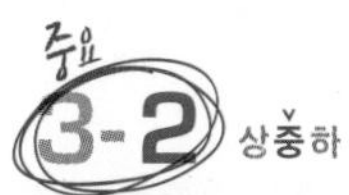

3-2 상중하

$\lim_{x\to1}\frac{1}{x-1}\int_1^{x^2}(t^3-4t^2+5)dt$의 값을 구하시오.

3-3 상중하

$\lim_{h\to0}\frac{1}{h}\int_3^{3+2h}(x^2+6x-a)dx=44$를 만족시키는 상수 a의 값은?

① 3　② 5　③ 7　④ 9　⑤ 11

3-4 상중하 교육청 기출

다항함수 $f(x)$가 $\lim_{x\to1}\frac{\int_1^x f(t)dt-f(x)}{x^2-1}=2$를 만족시킬 때, $f'(1)$의 값은?

① -4　② -3　③ -2　④ -1　⑤ 0

실전 문제로 마무리

1 STEP 실전 감각 UP!

01

함수 $f(x)=\int_{2}^{x}(3t^2+2t)dt$일 때, $f'(2)-f'(1)$의 값은?

① 11 ② 13 ③ 15 ④ 17 ⑤ 19

02

함수 $f(x)$가

$$f(x)=3x^2+4x+2\int_{0}^{1}f(t)dt$$

를 만족시킬 때, $f(2)$의 값을 구하시오.

03

함수 $f(x)=\int_{1}^{x}(3t^2-5t+2)dt$의 그래프 위의 점 $(2,\ f(2))$에서의 접선의 방정식이 $y=mx+n$일 때, m^2+4n^2의 값을 구하시오. (단, m, n은 상수이다.)

04

함수 $f(x)$가 모든 실수 x에 대하여

$$f(x)=\int_{x}^{x+1}t^3\,dt-\int_{0}^{x+1}tdt+\int_{0}^{x}tdt$$

일 때, 함수 $f(x)$의 극솟값은?

① $-\frac{9}{4}$ ② $-\frac{7}{4}$ ③ $-\frac{5}{4}$ ④ $-\frac{3}{4}$ ⑤ $-\frac{1}{4}$

05

다항함수 $f(x)$가 모든 실수 x에 대하여

$$\int_{1}^{x}(x-t)f'(t)dt=x^3+x^2-5x+3$$

을 만족시키고, $f(0)=2$일 때, 함수 $f(x)$의 최솟값은?

① $\frac{1}{3}$ ② $\frac{2}{3}$ ③ 1 ④ $\frac{4}{3}$ ⑤ $\frac{5}{3}$

06

$\lim_{x\to-1}\frac{1}{x^3+1}\int_{-1}^{x}(t^3+2t^2-3t+4)dt$의 값은?

① 2 ② $\frac{13}{6}$ ③ $\frac{7}{3}$ ④ $\frac{5}{2}$ ⑤ $\frac{8}{3}$

07

함수 $f(x)=2x^2-3x+a$에 대하여

$\lim_{h\to 0}\frac{1}{h}\int_{2-h}^{2+2h} f(x)dx=18$일 때, 상수 a의 값은?

① 2 ② 4 ③ 6
④ 8 ⑤ 10

08

다항함수 $f(x)$가 모든 실수 x에 대하여

$$(x+2)f(x)=2(x+2)^2+\int_0^x f(t)dt$$

를 만족시킬 때, $\lim_{x\to 0}\frac{1}{x}\int_5^{x+5} f(t)dt$의 값을 구하시오.

2 STEP 기출로 마무리

09

교육청 기출

다항함수 $f(x)$가 모든 실수 x에 대하여

$$\int_1^x f(t)dt=xf(x)-3x^4+2x^2$$

을 만족시킬 때, $f(0)$의 값은?

① 1 ② 2 ③ 3
④ 4 ⑤ 5

10

교육청 기출

함수 $f(x)=x(x+2)(x+4)$에 대하여 함수 $g(x)=\int_2^x f(t)dt$는 $x=\alpha$에서 극댓값을 갖는다. $g(\alpha)$의 값은?

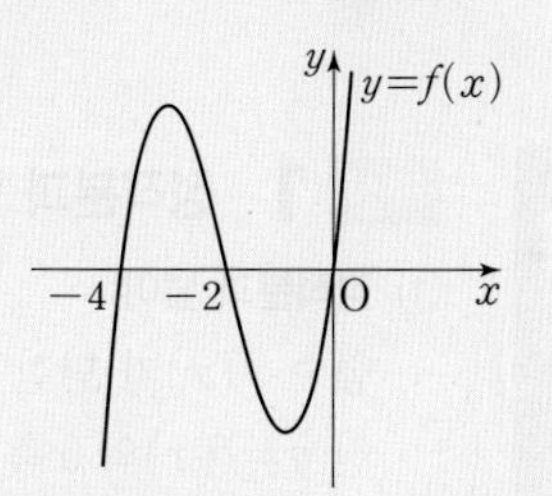

① −28 ② −29
③ −30 ④ −31
⑤ −32

11

평가원 기출

함수 $f(x)=\begin{cases} -1 & (x<1) \\ -x+2 & (x\geq 1)\end{cases}$에 대하여 함수 $g(x)$를

$$g(x)=\int_{-1}^x (t-1)f(t)dt$$

라 하자. **보기**에서 옳은 것만을 있는 대로 고른 것은?

보기

ㄱ. $g(x)$는 구간 $(1, 2)$에서 증가한다.
ㄴ. $g(x)$는 $x=1$에서 미분가능하다.
ㄷ. 방정식 $g(x)=k$가 서로 다른 세 실근을 갖도록 하는 실수 k가 존재한다.

① ㄴ ② ㄷ ③ ㄱ, ㄴ
④ ㄱ, ㄷ ⑤ ㄱ, ㄴ, ㄷ

11강 정적분의 활용

| 해답 48쪽 |

교과서 핵심개념

핵심 1 정적분과 넓이

(1) 정적분과 넓이

함수 $f(x)$가 닫힌구간 $[a, b]$에서 연속이고 $f(x) \geq 0$일 때, 곡선 $y=f(x)$와 x축 및 두 직선 $x=a$, $x=b$로 둘러싸인 도형의 넓이 S는 정적분 $\int_a^b f(x)dx$와 같다. 즉,

$$S=\int_a^b f(x)dx$$

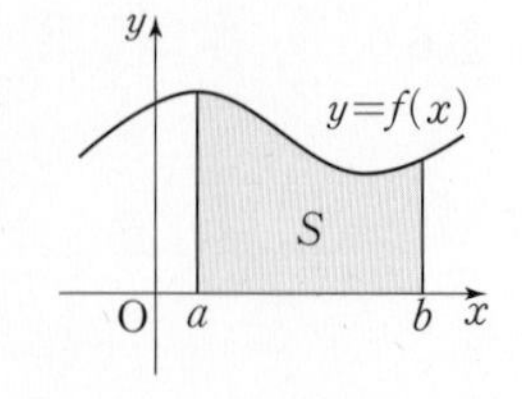

(2) 곡선과 x축 사이의 넓이

함수 $f(x)$가 닫힌구간 $[a, b]$에서 연속일 때, 곡선 $y=f(x)$와 x축 및 두 직선 $x=a$, $x=b$로 둘러싸인 도형의 넓이 S는

$$S=\int_a^b |f(x)|dx$$

참고 닫힌구간 $[a, b]$에서 함수 $f(x)$의 값이 양수인 구간과 음수인 구간으로 나누어 넓이를 구한다.

①

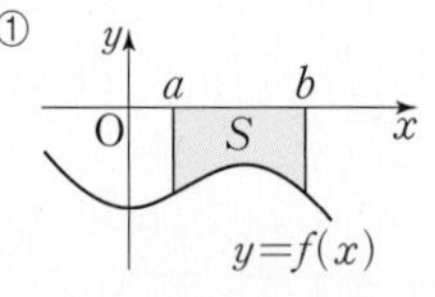

$S=\int_a^b |f(x)|dx=\int_a^b \{-f(x)\}dx$

②

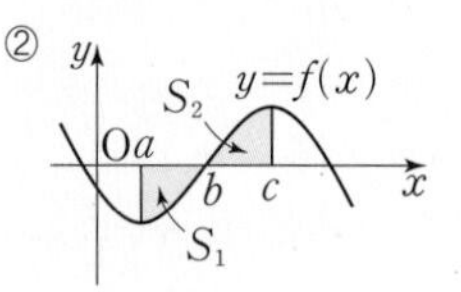

$S=S_1+S_2=\int_a^b \{-f(x)\}dx+\int_b^c f(x)dx$

주요 핵심 2 두 곡선 사이의 넓이

두 함수 $f(x)$, $g(x)$가 닫힌구간 $[a, b]$에서 연속일 때, 두 곡선 $y=f(x)$, $y=g(x)$ 및 두 직선 $x=a$, $x=b$로 둘러싸인 도형의 넓이 S는

$$S=\int_a^b |f(x)-g(x)|dx$$

└ (위쪽의 식)−(아래쪽의 식)

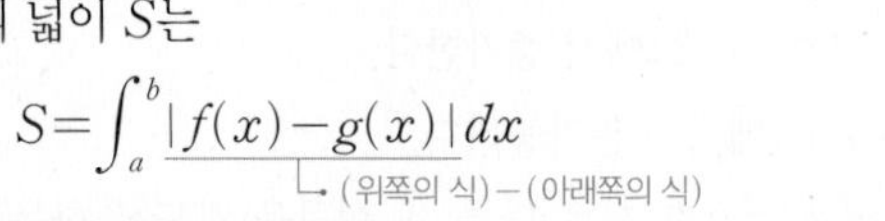

참고 닫힌구간 $[a, b]$에서 함수 $f(x)$와 $g(x)$의 대소 관계가 바뀔 때에는 $f(x)-g(x)$의 값이 양수인 구간과 음수인 구간으로 나누어 넓이를 구한다.

주요 핵심 3 속도와 거리

수직선 위를 움직이는 점 P의 시각 t에서의 속도가 $v(t)$, 시각 t_0에서의 위치가 x_0일 때

(1) 시각 t에서 점 P의 위치 x는 $x=x_0+\int_{t_0}^t v(t)dt$

출발 위치 ┘ └ 위치의 변화량

(2) 시각 $t=a$에서 $t=b$까지 점 P의 위치의 변화량은 $\int_a^b v(t)dt$

(3) 시각 $t=a$에서 $t=b$까지 점 P가 움직인 거리 s는 $s=\int_a^b |v(t)|dt$

주의 속도를 정적분하면 위치의 변화량이 되고, 절댓값을 취해 정적분하면 움직인 거리가 된다. 따라서 위치의 변화량은 음수일 수 있지만 움직인 거리는 항상 양수이다.

확인 1

곡선 $y=x^2-4$와 x축으로 둘러싸인 도형의 넓이를 구하시오.

확인 2

다음 그림과 같이 두 곡선 $y=x^2-2x+1$, $y=-x^2+4x+1$로 둘러싸인 도형의 넓이를 구하시오.

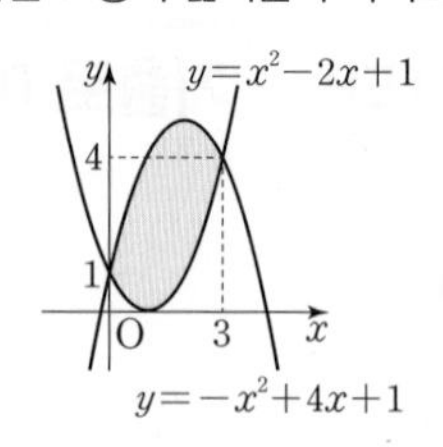

확인 3

원점을 출발하여 수직선 위를 움직이는 점 P의 시각 t에서의 속도가 $v(t)=3t^2-6t$일 때, 다음을 구하시오.

(1) 시각 $t=2$에서 점 P의 위치

(2) 시각 $t=1$에서 $t=3$까지 점 P가 움직인 거리

핵심 유형 익히기

1 곡선과 x축 사이의 넓이

곡선과 x축으로 둘러싸인 도형의 넓이를 구하는 문제 또는 주어진 넓이를 이용하여 미지수의 값을 구하는 문제가 출제된다.

대표 문제

곡선 $y=x^2-6x+5$와 x축 및 두 직선 $x=-1$, $x=3$으로 둘러싸인 도형의 넓이는?

① 12　② 14　③ 16
④ 18　⑤ 20

공략 포인트 곡선이 x축과 만나는 점의 x좌표를 구하여 그래프를 그린 후 $y\geq0$인 구간과 $y<0$인 구간으로 나누어 넓이를 구한다.

단계별 공략

❶ 곡선이 x축과 만나는 점의 x좌표를 찾는다.
▸ $x^2-6x+5=0$을 만족시키는 x의 값을 구한다.

❷ $y=x^2-6x+5$의 그래프를 그린 후 닫힌구간 $[-1, 3]$에서 $y\geq0$인 구간과 $y<0$인 구간으로 나누어 정적분의 값을 구한다.

1-1 상중하

곡선 $y=3x^2-4x+2$와 x축, y축 및 직선 $x=2$로 둘러싸인 도형의 넓이는?

① 4　② $\frac{9}{2}$　③ 5
④ $\frac{11}{2}$　⑤ 6

1-2 상중하

최고차항의 계수가 1인 삼차함수 $y=f(x)$의 그래프가 오른쪽 그림과 같이 $x=0$에서 x축에 접하고 점 $(2, 0)$을 지날 때, 이 곡선과 x축으로 둘러싸인 도형의 넓이는?

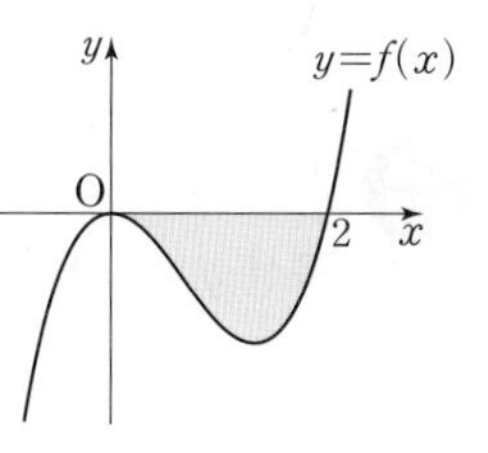

① 1　② $\frac{4}{3}$　③ $\frac{5}{3}$
④ 2　⑤ $\frac{7}{3}$

1-3 상중하

곡선 $y=x(x-2)(x-a)$와 x축으로 둘러싸인 두 도형의 넓이가 서로 같을 때, 상수 a의 값을 구하시오. (단, $a>2$)

1-4 상중하

평가원 기출

함수 $f(x)$의 도함수 $f'(x)$가 $f'(x)=x^2-1$이고 $f(0)=0$일 때, 곡선 $y=f(x)$와 x축으로 둘러싸인 부분의 넓이는?

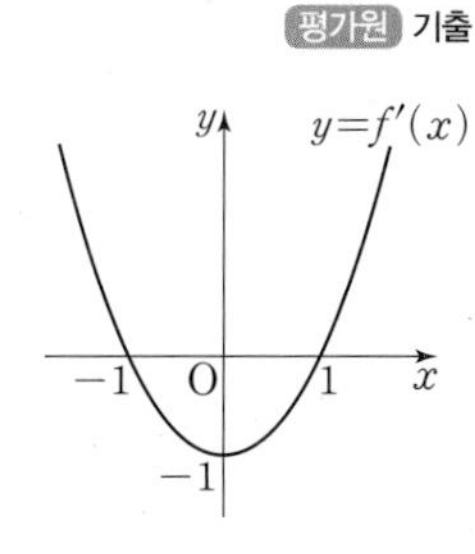

① $\frac{9}{8}$　② $\frac{5}{4}$
③ $\frac{11}{8}$　④ $\frac{3}{2}$　⑤ $\frac{13}{8}$

2 두 곡선 사이의 넓이

두 곡선으로 둘러싸인 도형의 넓이를 구하는 문제 또는 한 곡선과 직선으로 둘러싸인 도형의 넓이를 구하는 문제가 출제된다.

수능 기출

곡선 $y=-2x^2+3x$와 직선 $y=x$로 둘러싸인 부분의 넓이가 $\frac{q}{p}$일 때, $p+q$의 값을 구하시오.

(단, p와 q는 서로소인 자연수이다.)

공략 포인트 좌표평면에 곡선과 직선을 그려 적분 구간과 위치 관계를 파악한 후 위쪽 식에서 아래쪽 식을 빼서 정적분한다.

▸ 곡선과 직선의 교점의 x좌표를 구한 후 곡선과 직선 중 어느 것이 위쪽에 있는지 파악한다.

상중하

두 곡선 $y=x^3-4x^2$, $y=2x^2-8x$로 둘러싸인 도형의 넓이를 구하시오.

2-2 상중하

곡선 $y=x^2-4x$와 직선 $y=mx$로 둘러싸인 도형의 넓이를 x축이 이등분할 때, $(m+4)^3$의 값을 구하시오. (단, m은 상수이다.)

3 역함수와 정적분의 활용

함수 $y=f(x)$와 그 역함수 $y=g(x)$의 그래프의 성질을 이용하여 도형의 넓이를 구하는 문제가 출제된다.

함수 $f(x)=2x^3+1$ $(x\geq 0)$과 그 역함수 $g(x)$에 대하여 $\int_0^1 f(x)dx+\int_1^3 g(x)dx$의 값을 구하시오.

공략 포인트 정적분이 나타내는 넓이를 직접 구하기 어려운 경우에는 역함수의 성질을 이용하여 넓이가 같은 영역을 찾아 그 넓이를 구한다.

▸ 함수 $y=f(x)$의 그래프와 그 역함수 $y=g(x)$의 그래프는 직선 $y=x$에 대하여 대칭임을 이용한다.

3-1 상중하

함수 $f(x)=\frac{1}{2}x^2$ $(x\geq 0)$의 역함수를 $g(x)$라 할 때, 두 곡선 $y=f(x)$와 $y=g(x)$로 둘러싸인 도형의 넓이는?

① $\frac{4}{3}$　② $\frac{5}{3}$　③ 2　④ $\frac{7}{3}$　⑤ $\frac{8}{3}$

상중하

교육청 기출

함수 $f(x)=x^3+x-1$의 역함수를 $g(x)$라 할 때, $\int_1^9 g(x)dx$의 값은?

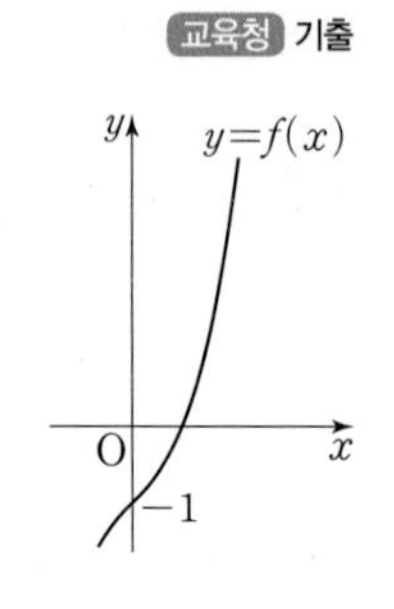

① 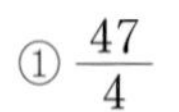 $\frac{47}{4}$　② $\frac{49}{4}$　③ 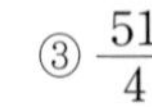 $\frac{51}{4}$　④ $\frac{53}{4}$　⑤ 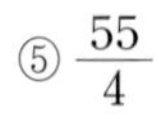 $\frac{55}{4}$

4 속도와 거리

속도에 대한 식이나 그래프가 주어질 때, 물체의 위치, 위치의 변화량 또는 움직인 거리를 구하는 문제가 출제된다.

수능 기출

수직선 위를 움직이는 점 P의 시각 t $(t\geq0)$에서의 속도 $v(t)$가

$$v(t)=-2t+4$$

이다. $t=0$부터 $t=4$까지 점 P가 움직인 거리는?

① 8 ② 9 ③ 10
④ 11 ⑤ 12

공략 포인트 속도의 절댓값을 정적분하여 움직인 거리를 구한다.

단계별 공략

❶ $v(t)\geq0$인 구간과 $v(t)<0$인 구간으로 나눈다.

❷ 속도의 절댓값을 정적분한 값을 구한다.

▶ 시각 $t=0$에서 $t=4$까지 점 P가 움직인 거리는 $\int_0^4|v(t)|dt$

4-1 상중하

좌표가 3인 점을 출발하여 수직선 위를 움직이는 점 P의 시각 t에서의 속도가 $v(t)=4t^3-3t^2-1$이다. 점 P의 속도가 0인 시각에서 점 P의 위치는?

① 1 ② 2 ③ 3
④ 4 ⑤ 5

4-2 상중하

원점을 출발하여 수직선 위를 움직이는 점 P의 시각 t에서의 속도가 $v(t)=4t-t^2$일 때, 점 P가 원점을 출발한 후 다시 원점으로 돌아오는 데 걸리는 시간은?

① 3초 ② 4초 ③ 5초
④ 6초 ⑤ 7초

중요 4-3 상중하

도로 위를 20 m/초의 속도로 달리고 있는 자동차가 있다. 이 자동차의 브레이크를 밟았을 때, t초 후의 속도 $v(t)$가 $v(t)=20-5t$ (m/초)라 한다. 이 자동차가 브레이크를 밟은 후 정지할 때까지 움직인 거리는?

① 30 m ② 35 m ③ 40 m
④ 45 m ⑤ 50 m

4-4 상중하

평가원 기출

원점을 출발하여 수직선 위를 움직이는 점 P의 시각 t $(0\leq t\leq6)$에서의 속도 $v(t)$의 그래프가 그림과 같다. 점 P가 시각 $t=0$에서 시각 $t=6$까지 움직인 거리는?

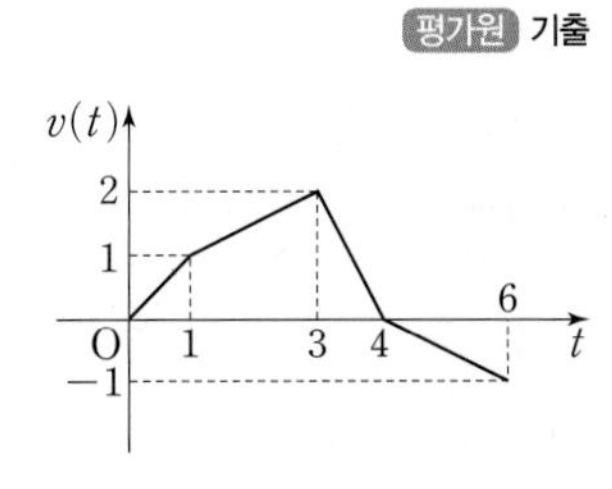

① $\frac{3}{2}$ ② $\frac{5}{2}$ ③ $\frac{7}{2}$
④ $\frac{9}{2}$ ⑤ $\frac{11}{2}$

실전 문제로 마무리

1 STEP 실전 감각 UP!

01

곡선 $y=3x^2-ax$와 x축으로 둘러싸인 도형의 넓이가 4일 때, 상수 a의 값은? (단, $a>0$)

① 2 ② 3 ③ 4
④ 5 ⑤ 6

중요

02

곡선 $y=x^2-2x$와 x축 및 직선 $x=k$로 둘러싸인 두 도형의 넓이가 서로 같을 때, 상수 k의 값은? (단, $k>2$)

① $\frac{5}{2}$ ② 3 ③ $\frac{7}{2}$
④ 4 ⑤ $\frac{9}{2}$

03

곡선 $y=-x^2+2$와 이 곡선 위의 점 $(1, 1)$에서의 접선 및 y축으로 둘러싸인 도형의 넓이는?

① $\frac{1}{3}$ ② $\frac{2}{3}$ ③ 1
④ $\frac{4}{3}$ ⑤ $\frac{5}{3}$

04

곡선 $y=|x^2-3x|$와 직선 $y=x$로 둘러싸인 도형의 넓이는?

① $\frac{7}{3}$ ② 3 ③ $\frac{11}{3}$
④ $\frac{13}{3}$ ⑤ 5

중요

05

함수 $f(x)=2x^2-1\ (x\geq 0)$의 역함수를 $g(x)$라 할 때, $\int_1^2 f(x)dx+\int_1^7 g(x)dx$의 값을 구하시오.

06

지상 20 m 높이에서 처음 속도 15 m/초로 똑바로 위로 던진 공의 t초 후의 속도가 $v(t)=15-10t$ (m/초)라 한다. 이 공이 지면에 떨어질 때, 공의 속도는?

① -25 m/초 ② -20 m/초 ③ -15 m/초
④ -10 m/초 ⑤ -5 m/초

07

원점을 출발하여 수직선 위를 움직이는 점 P의 시각 t에서의 속도 $v(t)$가

$$v(t)=\begin{cases} t^2+3t & (0\le t<1) \\ -2t+6 & (t\ge 1)\end{cases}$$

이라 한다. 점 P가 시각 $t=0$에서 $t=4$까지 움직인 거리는?

① $\frac{37}{6}$ ② $\frac{19}{3}$ ③ $\frac{13}{2}$
④ $\frac{20}{3}$ ⑤ $\frac{41}{6}$

08

원점을 출발하여 수직선 위를 움직이는 점 P의 시각 t에서의 위치 $f(t)$에 대하여 이차함수 $y=f'(t)$의 그래프는 오른쪽 그림과 같다. 점 P가 출발할 때의 운동 방향과 반대 방향으로 움직인 거리는?

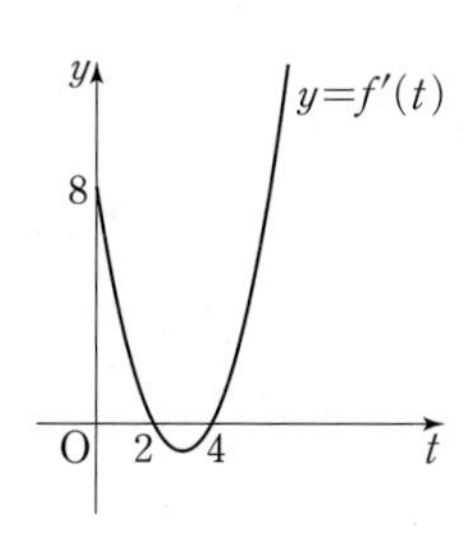

① $\frac{7}{6}$ ② $\frac{4}{3}$
③ $\frac{3}{2}$ ④ $\frac{5}{3}$ ⑤ $\frac{11}{6}$

2 STEP 기출로 마무리

09

평가원 기출

함수 $f(x)=x^2-2x$에 대하여 두 곡선 $y=f(x)$, $y=-f(x-1)-1$로 둘러싸인 부분의 넓이는?

① $\frac{1}{6}$ ② $\frac{1}{4}$ ③ $\frac{1}{3}$
④ $\frac{5}{12}$ ⑤ $\frac{1}{2}$

10

평가원 기출

두 곡선 $y=x^4-x^3$, $y=-x^4+x$로 둘러싸인 도형의 넓이가 곡선 $y=ax(1-x)$에 의하여 이등분될 때, 상수 a의 값은? (단, $0<a<1$)

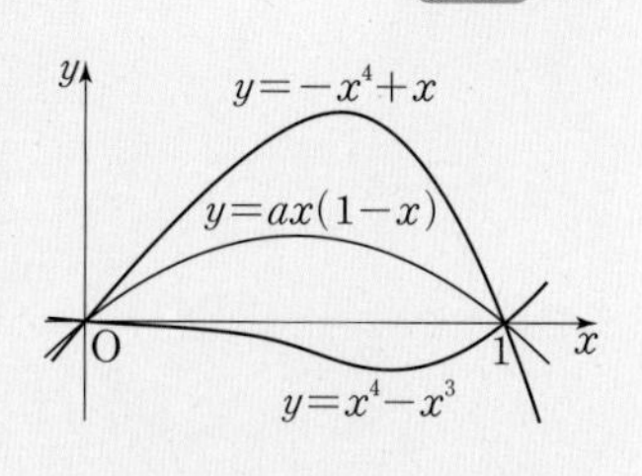

① $\frac{1}{4}$ ② $\frac{3}{8}$ ③ $\frac{5}{8}$
④ $\frac{3}{4}$ ⑤ $\frac{7}{8}$

11

교육청 기출

함수 $f(x)=\frac{1}{2}x^3$의 그래프 위의 점 $\mathrm{P}(a,\ b)$에 대하여 곡선 $y=f(x)$와 x축 및 직선 $x=1$로 둘러싸인 부분의 넓이를 S_1, 곡선 $y=f(x)$와 두 직선 $x=1$, $y=b$로 둘러싸인 부분의 넓이를 S_2라 하자. $S_1=S_2$일 때, $30a$의 값을 구하시오. (단, $a>1$)

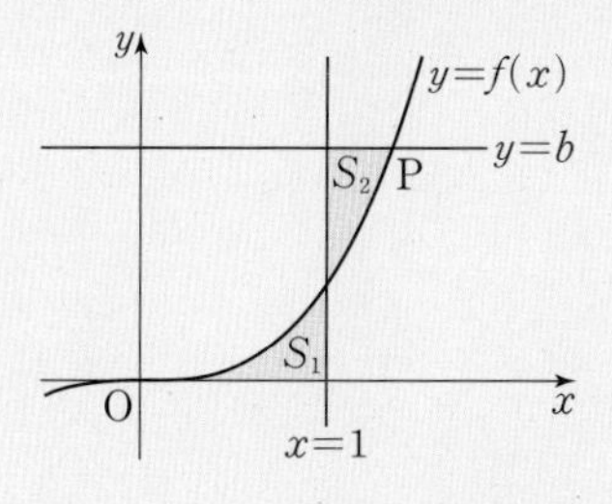

단기핵심공략서
SPEED CORE

스코어

스피드
SPEED

정답과 해설

수학 Ⅱ

단기핵심공략서
SPEED CORE

스코어

SPEED 스피드

정답과 해설

수학 Ⅱ

빠른 정답 찾기

01강 함수의 극한
본문 6쪽

확인 1 4
확인 2 (1) -3 (2) 3 (3) 2 (4) $\frac{1}{2}$
확인 3 -2

핵심 유형 익히기
본문 7~9쪽

대표문제 1 ③ 1-1 ④ 1-2 2 1-3 ② 1-4 ④
대표문제 2 ⑤ 2-1 ② 2-2 ④ 2-3 ③ 2-4 ⑤
대표문제 3 ① 3-1 ② 3-2 10 3-3 ① 3-4 18

실전 문제로 마무리
본문 10~11쪽

01 ⑤ 02 ③ 03 1 04 ① 05 65 06 ②
07 ④ 08 ⑤ 09 ② 10 ④ 11 ③

02강 함수의 연속
본문 12쪽

확인 1 불연속
확인 2 7
확인 3 ㄱ, ㄴ, ㄷ
확인 4 2

핵심 유형 익히기
본문 13~15쪽

대표문제 1 ④ 1-1 ⑤ 1-2 ⑤ 1-3 ③ 1-4 10
대표문제 2 2 2-1 ③ 2-2 2 2-3 ① 2-4 ①
대표문제 3 ② 3-1 ④ 3-2 5 3-3 ③ 3-4 ③

실전 문제로 마무리
본문 16~17쪽

01 ② 02 ① 03 1 04 4 05 ③ 06 ⑤
07 3 08 ④ 09 ③ 10 ①

03강 미분계수
본문 18쪽

확인 1 9
확인 2 2
확인 3 (1) 연속이다. (2) 미분가능하지 않다.

핵심 유형 익히기
본문 19~21쪽

대표문제 1 ① 1-1 ③ 1-2 ③ 1-3 6 1-4 ②
대표문제 2 ① 2-1 3 2-2 ① 2-3 ③ 2-4 ②
대표문제 3 ⑤ 3-1 12 3-2 2 대표문제 4 ③ 4-1 3 4-2 10

실전 문제로 마무리
본문 22~23쪽

01 ④ 02 ③ 03 4 04 ② 05 ④ 06 ⑤
07 ① 08 2 09 ③ 10 ① 11 ⑤

04강 도함수
본문 24쪽

확인 1 $f'(x)=2x-3$
확인 2 (1) $y'=6x^2$ (2) $y'=0$
확인 3 (1) 6 (2) 41

핵심 유형 익히기
본문 25~27쪽

대표문제 1 ② 1-1 ⑤ 1-2 ③ 1-3 ④ 1-4 ①
대표문제 2 14 2-1 ④ 2-2 ③ 2-3 25 2-4 7
대표문제 3 ⑤ 3-1 ④ 3-2 ① 3-3 ④ 3-4 13

실전 문제로 마무리
본문 28~29쪽

01 ③ 02 ④ 03 ⑤ 04 11 05 ② 06 60
07 ③ 08 ① 09 56 10 ④ 11 ②

05강 도함수의 활용 (1)
본문 30쪽

확인 1 -3
확인 2 12
확인 3 -1
확인 3 1

핵심 유형 익히기
본문 31~33쪽

대표문제 1 ⑤ 1-1 ④ 1-2 ② 1-3 ③ 1-4 ①
대표문제 2 ② 2-1 ④ 2-2 ④ 2-3 ④ 2-4 ①
대표문제 3 ② 3-1 ⑤ 3-2 5 3-3 ③ 3-4 ⑤

실전 문제로 마무리
본문 34~35쪽

01 ③ 02 ② 03 ① 04 1 05 ④ 06 ①
07 ② 08 12 09 ① 10 ④ 11 ②

06강 도함수의 활용 (2)
본문 36쪽

확인 1 풀이 참조
확인 2 14
확인 3 20

핵심 유형 익히기
본문 37~39쪽

대표문제 1 3 1-1 ② 1-2 ② 1-3 ④ 1-4 ①
대표문제 2 ⑤ 2-1 ④ 2-2 ⑤ 2-3 7 2-4 ③
대표문제 3 ④ 3-1 ③ 3-2 1 3-3 486 3-4 20

실전 문제로 마무리
본문 40~41쪽

01 ③ 02 4 03 ① 04 55 05 ⑤ 06 ④
07 256 08 ② 09 12 10 ⑤ 11 ①

07강 도함수의 활용 (3)

본문 42쪽

확인 1 3　확인 2 $a>1$　확인 3 (1) 9 (2) 12 (3) 2

핵심 유형 익히기

본문 43~45쪽

대표문제1 ② 1-1 ⑤ 1-2 ① 1-3 4 1-4 ①

대표문제2 ① 2-1 ⑤ 2-2 ③ 2-3 ② 2-4 ②

대표문제3 ① 3-1 12 3-2 1 3-3 22 3-4 6 3-5 ②

실전 문제로 마무리

본문 46~47쪽

01 ① 02 ④ 03 ② 04 ⑤ 05 45 06 ③

07 92 08 ④ 09 33 10 27 11 ③

08강 부정적분

본문 48쪽

확인 1 (1) $f(x)=2x-3$ (2) $f(x)=3x^2+4x$

확인 2 (1) x^2 (2) x^2+C

확인 3 (1) $\frac{3}{2}x^4-x^3+C$ (2) $-\frac{1}{3}x^3+2x^2+x+C$ (3) $\frac{1}{3}x^3-3x^2+9x+C$

핵심 유형 익히기

본문 49~51쪽

대표문제1 ③ 1-1 ② 1-2 12 1-3 ① 1-4 4

대표문제2 ④ 2-1 ⑤ 2-2 ② 2-3 ① 2-4 ③

대표문제3 ⑤ 3-1 ④ 3-2 ③ 3-3 ④ 3-4 ④

실전 문제로 마무리

본문 52~53쪽

01 ② 02 ③ 03 69 04 1 05 13 06 ①

07 3 08 ④ 09 ① 10 ④ 11 ② 12 ⑤

09강 정적분 (1)

본문 54쪽

확인 1 6　확인 2 (1) 3 (2) 10　확인 3 (1) 4 (2) 4

핵심 유형 익히기

본문 55~57쪽

대표문제1 ③ 1-1 ③ 1-2 ⑤ 1-3 ④ 1-4 ②

대표문제2 ④ 2-1 ⑤ 2-2 9 2-3 ⑤ 2-4 ②

대표문제3 ① 3-1 ⑤ 3-2 3 대표문제4 16 4-1 4 4-2 ④

실전 문제로 마무리

본문 58~59쪽

01 ② 02 ② 03 ④ 04 5 05 ③ 06 ③

07 8 08 18 09 ② 10 ① 11 ③

10강 정적분 (2)

본문 60쪽

확인 1 (1) $3x^2-2x+1$ (2) 4　확인 2 $f(x)=2x-2$

확인 3 (1) 5 (2) 16

핵심 유형 익히기

본문 61~63쪽

대표문제1 14 1-1 ④ 1-2 ④ 1-3 20 1-4 ②

대표문제2 23 2-1 ④ 2-2 ② 2-3 ① 2-4 ②

대표문제3 7 3-1 18 3-2 4 3-3 ② 3-4 ①

실전 문제로 마무리

본문 64~65쪽

01 ① 02 14 03 185 04 ⑤ 05 ⑤ 06 ⑤

07 ② 08 24 09 ① 10 ⑤ 11 ③

11강 정적분의 활용

본문 66쪽

확인 1 $\frac{32}{3}$　확인 2 9　확인 3 (1) -4 (2) 6

핵심 유형 익히기

본문 67~69쪽

대표문제1 ③ 1-1 ① 1-2 ② 1-3 4 1-4 ④

대표문제2 4 2-1 8 2-2 128 대표문제3 3 3-1 ① 3-2 ③

대표문제4 ① 4-1 ② 4-2 ④ 4-3 ③ 4-4 ⑤

실전 문제로 마무리

본문 70~71쪽

01 ⑤ 02 ② 03 ① 04 ④ 05 13 06 ①

07 ⑤ 08 ② 09 ③ 10 ④ 11 40

I 함수의 극한과 연속

01강 함수의 극한

| 본문 6쪽 |

확인 1 $\lim_{x\to0+}f(x)=-3$, $f(0)=2$, $\lim_{x\to0-}f(x)=5$이므로

$\lim_{x\to0+}f(x)+f(0)+\lim_{x\to0-}f(x)=4$ 답 4

확인 2 (1) $\lim_{x\to2}(x^3-3x^2+1)=8-12+1=-3$

(2) $\lim_{x\to1}\frac{x^2+x-2}{x-1}=\lim_{x\to1}\frac{(x+2)(x-1)}{x-1}=\lim_{x\to1}(x+2)$
$=1+2=3$

(3) $\lim_{x\to\infty}\frac{2x^2+x-1}{x^2-3x}=\lim_{x\to\infty}\frac{2+\frac{1}{x}-\frac{1}{x^2}}{1-\frac{3}{x}}=2$

(4) $\lim_{x\to\infty}(\sqrt{x^2+x}-x)=\lim_{x\to\infty}\frac{(\sqrt{x^2+x}-x)(\sqrt{x^2+x}+x)}{\sqrt{x^2+x}+x}$
$=\lim_{x\to\infty}\frac{x}{\sqrt{x^2+x}+x}$
$=\lim_{x\to\infty}\frac{1}{\sqrt{1+\frac{1}{x}}+1}=\frac{1}{2}$

답 (1) -3 (2) 3 (3) 2 (4) $\frac{1}{2}$

확인 3 $\lim_{x\to1}(-x^2+x-2)=-1+1-2=-2$

$\lim_{x\to1}(x^2-3x)=1-3=-2$이므로

$\lim_{x\to1}f(x)=-2$ 답 -2

핵심 유형 익히기

| 본문 7~9쪽 |

대표문제 1 ③	1-1 ④	1-2 2	1-3 ②	1-4 ④
대표문제 2 ⑤	2-1 ②	2-2 ④	2-3 ③	2-4 ⑤
대표문제 3 ①	3-1 ②	3-2 10	3-3 ①	3-4 18

대표문제 1 $\lim_{x\to0-}f(x)+\lim_{x\to1+}f(x)=0+3=3$ 답 ③

1-1 ㄱ. $\lim_{x\to-1-}f(x)=0$, $\lim_{x\to-1+}f(x)=0$이므로 $\lim_{x\to-1}f(x)=0$

ㄴ. $\lim_{x\to0-}f(x)=2$, $\lim_{x\to0+}f(x)=0$이므로 $\lim_{x\to0}f(x)$의 값은 존재하지 않는다.

ㄷ. $\lim_{x\to1-}f(x)=1$, $\lim_{x\to1+}f(x)=1$이므로 $\lim_{x\to1}f(x)=1$

따라서 극한값이 존재하는 것은 ㄱ, ㄷ이다. 답 ④

1-2 $\lim_{x\to0-}f(x)=1$

$\lim_{x\to4+}f(-x+2)$에서 $-x+2=t$로 놓으면 $x\to4+$일 때

$t\to-2-$이므로

$\lim_{x\to4+}f(-x+2)=\lim_{t\to-2-}f(t)=-1$

$\therefore \lim_{x\to0-}f(x)-\lim_{x\to4+}f(-x+2)=1-(-1)=2$ 답 2

1-3 $\lim_{x\to-1}f(x)$의 값이 존재하므로

$\lim_{x\to-1}f(x)=\lim_{x\to-1-}f(x)=\lim_{x\to-1+}f(x)=0$

$\lim_{x\to-1-}f(x)=\lim_{x\to-1-}(x^3+a)=-1+a=0$에서 $a=1$

$\lim_{x\to-1+}f(x)=\lim_{x\to-1+}(x^2+b)=1+b=0$에서 $b=-1$

따라서 $f(x)=\begin{cases}x^3+1 & (x\le-1)\\ x^2-1 & (-1<x<1)\\ x^3+1 & (x\ge1)\end{cases}$이므로

$\lim_{x\to a+}f(x)+\lim_{x\to-b-}f(x)=\lim_{x\to1+}f(x)+\lim_{x\to1-}f(x)$
$=\lim_{x\to1+}(x^3+1)+\lim_{x\to1-}(x^2-1)$
$=2+0=2$ 답 ②

1-4 함수 $y=|x^2-1|$의 그래프는 오른쪽 그림과 같으므로

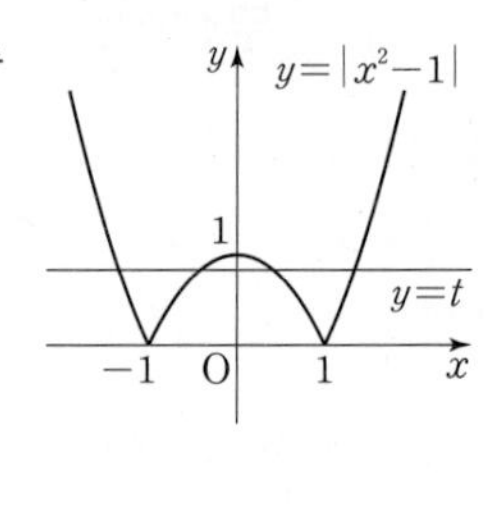

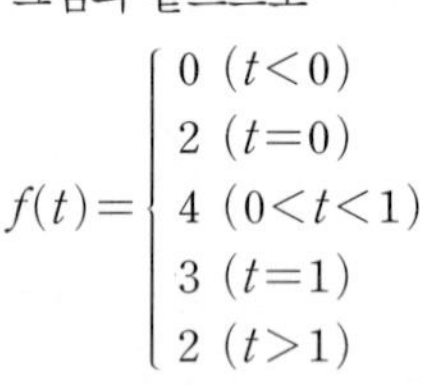

$f(t)=\begin{cases}0 & (t<0)\\ 2 & (t=0)\\ 4 & (0<t<1)\\ 3 & (t=1)\\ 2 & (t>1)\end{cases}$

따라서 함수 $y=f(t)$의 그래프는 오른쪽 그림과 같으므로

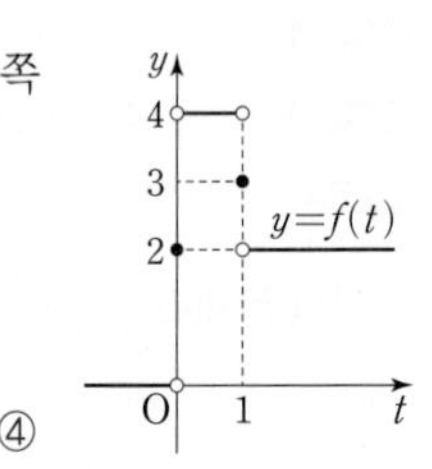

$\lim_{t\to1-}f(t)=4$

답 ④

대표문제 2 $\lim_{x\to1}\frac{x^3-x^2+x-1}{\sqrt{x+8}-3}=\lim_{x\to1}\frac{(x-1)(x^2+1)}{\sqrt{x+8}-3}$
$=\lim_{x\to1}\frac{(x-1)(x^2+1)(\sqrt{x+8}+3)}{(\sqrt{x+8}-3)(\sqrt{x+8}+3)}$
$=\lim_{x\to1}\frac{(x-1)(x^2+1)(\sqrt{x+8}+3)}{x-1}$
$=\lim_{x\to1}(x^2+1)(\sqrt{x+8}+3)$
$=2\times6=12$ 답 ⑤

2-1 $\lim_{x\to\infty}\frac{1}{x-\sqrt{x^2-3x-2}}$
$=\lim_{x\to\infty}\frac{x+\sqrt{x^2-3x-2}}{(x-\sqrt{x^2-3x-2})(x+\sqrt{x^2-3x-2})}$
$=\lim_{x\to\infty}\frac{x+\sqrt{x^2-3x-2}}{3x+2}$
$=\lim_{x\to\infty}\frac{1+\sqrt{1-\frac{3}{x}-\frac{2}{x^2}}}{3+\frac{2}{x}}=\frac{2}{3}$ 답 ②

2-2 $\lim_{x\to3}\frac{1}{x-3}\left\{\frac{1}{(x-2)^2}-1\right\}$

$=\lim_{x\to3}\left\{\frac{1}{x-3}\times\frac{1-(x^2-4x+4)}{(x-2)^2}\right\}$

$=\lim_{x\to3}\left\{\frac{1}{x-3}\times\frac{-(x-1)(x-3)}{(x-2)^2}\right\}$

$=\lim_{x\to3}\frac{-(x-1)}{(x-2)^2}$

$=\frac{-2}{1}$

$=-2$ 답 ④

2-3 $\lim_{x\to1}\frac{f(x)+x^3-1}{\sqrt{x^2+3x}-(x+1)}$

$=\lim_{x\to1}\frac{\{f(x)+x^3-1\}\{\sqrt{x^2+3x}+(x+1)\}}{\{\sqrt{x^2+3x}-(x+1)\}\{\sqrt{x^2+3x}+(x+1)\}}$

$=\lim_{x\to1}\frac{\{f(x)+x^3-1\}\{\sqrt{x^2+3x}+(x+1)\}}{x-1}$

$=\lim_{x\to1}\left\{\frac{f(x)}{x-1}+\frac{x^3-1}{x-1}\right\}\times\lim_{x\to1}\{\sqrt{x^2+3x}+(x+1)\}$

$=\left\{\lim_{x\to1}\frac{f(x)}{x-1}+\lim_{x\to1}\frac{x^3-1}{x-1}\right\}\times4$

$=4\times\left\{2+\lim_{x\to1}\frac{(x-1)(x^2+x+1)}{(x-1)}\right\}$

$=4\times\left\{2+\lim_{x\to1}(x^2+x+1)\right\}$

$=4\times(2+3)$

$=20$ 답 ③

2-4 $2f(x)-g(x)=h(x)$로 놓으면

$g(x)=2f(x)-h(x)$이고 $\lim_{x\to\infty}h(x)=5$

$\therefore \lim_{x\to\infty}\frac{2f(x)+3g(x)}{4f(x)-g(x)}=\lim_{x\to\infty}\frac{2f(x)+3\{2f(x)-h(x)\}}{4f(x)-\{2f(x)-h(x)\}}$

$=\lim_{x\to\infty}\frac{8f(x)-3h(x)}{2f(x)+h(x)}$

$=\lim_{x\to\infty}\frac{8-3\times\frac{h(x)}{f(x)}}{2+\frac{h(x)}{f(x)}}$

$=4\left(\because \lim_{x\to\infty}\frac{h(x)}{f(x)}=0\right)$ 답 ⑤

대표문제 3 $x\to1$일 때 (분모)$\to0$이고 극한값이 존재하므로 (분자)$\to0$ 이어야 한다.

즉, $\lim_{x\to1}(4x-a)=4-a=0$이므로

$a=4$

$a=4$를 주어진 식에 대입하면

$b=\lim_{x\to1}\frac{4x-4}{x-1}=\lim_{x\to1}\frac{4(x-1)}{x-1}$

$=\lim_{x\to1}4=4$

$\therefore a+b=8$ 답 ①

3-1 $\lim_{x\to\infty}ax^2\left(\frac{2}{x+3}-\frac{2}{x-3}\right)=\lim_{x\to\infty}\left\{ax^2\times\frac{2(x-3)-2(x+3)}{(x+3)(x-3)}\right\}$

$=-\lim_{x\to\infty}\frac{12ax^2}{x^2-9}$

$=-\lim_{x\to\infty}\frac{12a}{1-\frac{9}{x^2}}$

$=-12a$

즉, $-12a=24$이므로 $a=-2$ 답 ②

3-2 $x\to2$일 때 (분모)$\to0$이고 극한값이 존재하므로 (분자)$\to0$ 이어야 한다.

즉, $\lim_{x\to2}(\sqrt{x+a}-b)=\sqrt{2+a}-b=0$이므로

$b=\sqrt{2+a}$ ...... ㉠

$\therefore \lim_{x\to2}\frac{\sqrt{x+a}-\sqrt{2+a}}{x-2}$

$=\lim_{x\to2}\frac{(\sqrt{x+a}-\sqrt{2+a})(\sqrt{x+a}+\sqrt{2+a})}{(x-2)(\sqrt{x+a}+\sqrt{2+a})}$

$=\lim_{x\to2}\frac{x-2}{(x-2)(\sqrt{x+a}+\sqrt{2+a})}$

$=\lim_{x\to2}\frac{1}{\sqrt{x+a}+\sqrt{2+a}}$

$=\frac{1}{2\sqrt{2+a}}=\frac{1}{6}$

즉, $2\sqrt{2+a}=6$에서 $\sqrt{2+a}=3$, $2+a=9$

$\therefore a=7$

$a=7$을 ㉠에 대입하면

$b=\sqrt{2+7}=3$

$\therefore a+b=10$ 답 10

3-3 $\lim_{x\to\infty}\frac{f(x)}{2x^2+1}=\lim_{x\to\infty}\frac{ax^2+bx}{2x^2+1}=\lim_{x\to\infty}\frac{a+\frac{b}{x}}{2+\frac{1}{x^2}}=\frac{a}{2}$

즉, $\frac{a}{2}=1$이므로 $a=2$

$\lim_{x\to1}\frac{f(x)}{x^2-1}=c$에서 $x\to1$일 때 (분모)$\to0$이고 극한값이 존재하므로 (분자)$\to0$이어야 한다.

즉, $\lim_{x\to1}f(x)=\lim_{x\to1}(2x^2+bx)=2+b=0$이므로

$b=-2$

$\therefore c=\lim_{x\to1}\frac{f(x)}{x^2-1}=\lim_{x\to1}\frac{2x^2-2x}{x^2-1}$

$=\lim_{x\to1}\frac{2x(x-1)}{(x+1)(x-1)}$

$=\lim_{x\to1}\frac{2x}{x+1}=1$

$\therefore abc=-4$ 답 ①

3-4 $\lim_{x\to-1}\frac{f(x)}{x+1}=-1$에서 $x\to-1$일 때 (분모)$\to0$이고 극한값이 존재하므로 (분자)$\to0$이어야 한다.

즉, $\lim_{x\to-1}f(x)=0$이므로 $f(-1)=0$

$\lim_{x\to-2}\frac{x+2}{f(x)}=\frac{1}{3}$에서 $x\to-2$일 때 (분자)$\to0$이고 0이 아닌 극한값이 존재하므로 (분모)$\to0$이어야 한다.

즉, $\lim_{x\to-2}f(x)=0$이므로 $f(-2)=0$

이때 $f(x)$는 삼차함수이므로

$f(x)=(x+1)(x+2)(ax+b)$ ($a\neq0$, a, b는 상수)

로 놓으면

$$\lim_{x\to-1}\frac{f(x)}{x+1}=\lim_{x\to-1}(x+2)(ax+b)$$
$$=-a+b=-1 \quad \cdots\cdots \text{㉠}$$

$$\lim_{x\to-2}\frac{x+2}{f(x)}=\lim_{x\to-2}\frac{1}{(x+1)(ax+b)}$$
$$=\frac{1}{2a-b}=\frac{1}{3}$$

$\therefore 2a-b=3 \quad \cdots\cdots$ ㉡

㉠, ㉡을 연립하여 풀면

$a=2$, $b=1$

따라서 $f(x)=(x+1)(x+2)(2x+1)$이므로

$f(1)=2\times3\times3=18$ 답 18

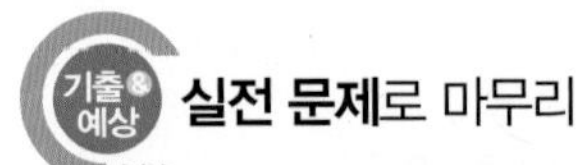

실전 문제로 마무리

| 본문 10~11쪽 |

01 ⑤ 02 ③ 03 1 04 ① 05 65 06 ②
07 ④ 08 ⑤ 09 ② 10 ④ 11 ③

01 $x>-3$일 때, $|x+3|=x+3$이므로

$$a=\lim_{x\to-3+}\frac{|x+3|}{x+3}=\lim_{x\to-3+}\frac{x+3}{x+3}=1$$

$x<-3$일 때, $|x+3|=-(x+3)$이므로

$$b=\lim_{x\to-3-}\frac{|x+3|}{x+3}=\lim_{x\to-3-}\frac{-(x+3)}{x+3}=-1$$

$\therefore a-b=2$ 답 ⑤

02 함수 $f(x)$가 모든 실수 x에 대하여 $f(x)=f(x+3)$이므로 함수 $y=f(x)$의 그래프는 다음 그림과 같다.

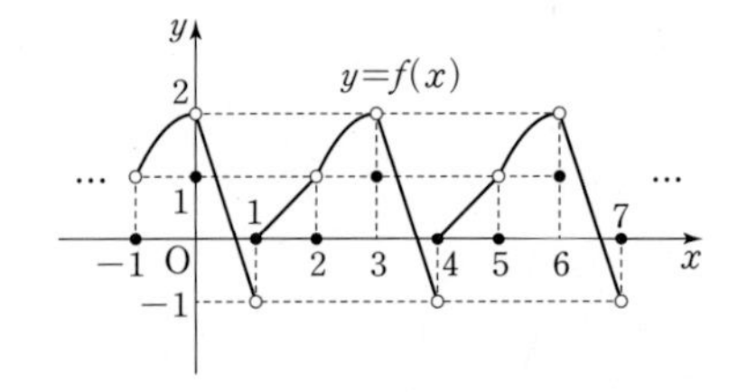

이때 $\lim_{x\to2}f(x)=1$, $\lim_{x\to3}f(x)=2$이므로

$\lim_{x\to2}f(x)=\lim_{x\to5}f(x)=\lim_{x\to8}f(x)=1$

$\lim_{x\to3}f(x)=\lim_{x\to6}f(x)=\lim_{x\to9}f(x)=2$

따라서 $\lim_{x\to n}f(x)$의 값이 존재하도록 하는 모든 한 자리의 자연수 n의 값은 2, 3, 5, 6, 8, 9이므로 그 합은

$2+3+5+6+8+9=33$ 답 ③

03 $f(x)=t$로 놓으면 $x\to1+$일 때 $t\to0+$이므로

$\lim_{x\to1+}f(f(x))=\lim_{t\to0+}f(t)=1$

$x\to1-$일 때 $t\to-2+$이므로

$\lim_{x\to1-}f(f(x))=\lim_{t\to-2+}f(t)=0$

$\therefore \lim_{x\to1+}f(f(x))+\lim_{x\to1-}f(f(x))=1+0=1$ 답 1

04 $-x=t$로 놓으면 $x\to-\infty$일 때 $t\to\infty$이므로

$$\lim_{x\to-\infty}(\sqrt{1-3x+x^2}+x)$$
$$=\lim_{t\to\infty}(\sqrt{1+3t+t^2}-t)$$
$$=\lim_{t\to\infty}\frac{(\sqrt{1+3t+t^2}-t)(\sqrt{1+3t+t^2}+t)}{\sqrt{1+3t+t^2}+t}$$
$$=\lim_{t\to\infty}\frac{1+3t}{\sqrt{1+3t+t^2}+t}$$
$$=\lim_{t\to\infty}\frac{\frac{1}{t}+3}{\sqrt{\frac{1}{t^2}+\frac{3}{t}+1}+1}=\frac{3}{2}$$

답 ①

05 $(x+2)f(x)=g(x)$로 놓으면

$x\neq-2$일 때 $f(x)=\frac{g(x)}{x+2}$

이때 $\lim_{x\to2}g(x)=2$이므로

$$a=\lim_{x\to2}(3x^2+1)f(x)=\lim_{x\to2}\left\{(3x^2+1)\times\frac{g(x)}{x+2}\right\}$$
$$=13\times\frac{2}{4}=\frac{13}{2}$$

$\therefore 10a=10\times\frac{13}{2}=65$ 답 65

06 $x-1=t$로 놓으면 $x\to1$일 때 $t\to0$이므로

$$\lim_{x\to1}\frac{f(x-1)}{x-1}=\lim_{t\to0}\frac{f(t)}{t}=3$$

$$\therefore \lim_{x\to0}\frac{5f(x)+2x}{2x-3f(x)}=\lim_{x\to0}\frac{5\times\frac{f(x)}{x}+2}{2-3\times\frac{f(x)}{x}}$$
$$=\frac{5\times3+2}{2-3\times3}=-\frac{17}{7}$$

답 ②

07 $x\neq1$일 때, $(x-1)^2>0$

$4x^3-8x^2+4x\le f(x)\le x^4-2x^2+1$의 각 변을 $(x-1)^2$으로 나누면

$$\frac{4x^3-8x^2+4x}{(x-1)^2}\le\frac{f(x)}{(x-1)^2}\le\frac{x^4-2x^2+1}{(x-1)^2}$$

$$\frac{4x(x-1)^2}{(x-1)^2}\le\frac{f(x)}{(x-1)^2}\le\frac{(x-1)^2(x+1)^2}{(x-1)^2}$$

$$4x\le\frac{f(x)}{(x-1)^2}\le(x+1)^2$$

이때 $\lim_{x\to1}4x=4$, $\lim_{x\to1}(x+1)^2=4$이므로

$\lim_{x\to1}\frac{f(x)}{(x-1)^2}=4$ 답 ④

08 $\lim_{x\to a}\frac{x^2-a^2}{x-2b}=2$에서 $x\to a$일 때 (분자) $\to 0$이고 0이 아닌 극한값이 존재하므로 (분모) $\to 0$이어야 한다.

즉, $\lim_{x\to a}(x-2b)=a-2b=0$이므로 $a=2b$ …… ㉠

$\therefore \lim_{x\to a}\frac{x^2-a^2}{x-2b}=\lim_{x\to a}\frac{x^2-a^2}{x-a}=\lim_{x\to a}\frac{(x+a)(x-a)}{x-a}$

$=\lim_{x\to a}(x+a)=2a$

즉, $2a=2$에서 $a=1$

$a=1$을 ㉠에 대입하면 $b=\frac{1}{2}$

$a=1$, $b=\frac{1}{2}$을 $\lim_{x\to\infty}(\sqrt{x^2+ax}-\sqrt{x^2+cx})=b$에 대입하면

$\lim_{x\to\infty}(\sqrt{x^2+x}-\sqrt{x^2+cx})$

$=\lim_{x\to\infty}\frac{(\sqrt{x^2+x}-\sqrt{x^2+cx})(\sqrt{x^2+x}+\sqrt{x^2+cx})}{\sqrt{x^2+x}+\sqrt{x^2+cx}}$

$=\lim_{x\to\infty}\frac{(1-c)x}{\sqrt{x^2+x}+\sqrt{x^2+cx}}$

$=\lim_{x\to\infty}\frac{1-c}{\sqrt{1+\frac{1}{x}}+\sqrt{1+\frac{c}{x}}}$

$=\frac{1-c}{2}=\frac{1}{2}$

$\therefore c=0$

$\therefore a+b+c=\frac{3}{2}$

답 ⑤

09 조건 ㈎에서 $\lim_{x\to\infty}\left\{\frac{f(x)}{x^2}+1\right\}=0$이므로 $\lim_{x\to\infty}\frac{f(x)}{x^2}=-1$

이때 0이 아닌 극한값이 존재하고, 분모가 x에 대한 이차식이므로 분자도 x에 대한 이차식이어야 한다.

즉, 함수 $f(x)$는 최고차항의 계수가 -1인 이차함수이다.

따라서 $f(x)=-x^2+ax+b$ (a, b는 상수) …… ㉠

로 놓을 수 있다.

조건 ㈏에서 $x\to 0$일 때 (분모) $\to 0$이고 극한값이 존재하므로 (분자) $\to 0$이어야 한다.

즉, $\lim_{x\to 0}\{f(x)-3\}=0$이므로 $f(0)=3$

$f(0)=3$을 ㉠에 대입하면 $f(0)=b=3$

$\lim_{x\to 0}\frac{f(x)-3}{x^2}=\lim_{x\to 0}\frac{(-x^2+ax+3)-3}{x^2}=\lim_{x\to 0}\frac{-x^2+ax}{x^2}$

$=\lim_{x\to 0}\left(-1+\frac{a}{x}\right)$

이때 $\lim_{x\to 0}\left(-1+\frac{a}{x}\right)=-1$이려면 $\lim_{x\to 0}\frac{a}{x}=0$이어야 하므로

$a=0$

따라서 $f(x)=-x^2+3$이므로

$f(1)=-1^2+3=2$

답 ②

10 $\lim_{x\to a}f(x)\neq 0$이면 $\lim_{x\to a}\frac{f(x)-(x-a)}{f(x)+(x-a)}=\frac{f(a)}{f(a)}=1\neq\frac{3}{5}$이므로

$\lim_{x\to a}f(x)=0$ $\quad\therefore f(a)=0$ …… ㉠

또, 방정식 $f(x)=0$의 두 근이 α, β이므로

$f(x)=(x-\alpha)(x-\beta)$

㉠에서 $a=\alpha$로 놓으면

$\lim_{x\to\alpha}\frac{f(x)-(x-\alpha)}{f(x)+(x-\alpha)}=\lim_{x\to\alpha}\frac{(x-\alpha)(x-\beta)-(x-\alpha)}{(x-\alpha)(x-\beta)+(x-\alpha)}$

$=\lim_{x\to\alpha}\frac{(x-\alpha)(x-\beta-1)}{(x-\alpha)(x-\beta+1)}$

$=\lim_{x\to\alpha}\frac{x-\beta-1}{x-\beta+1}$

$=\frac{\alpha-\beta-1}{\alpha-\beta+1}=\frac{3}{5}$

즉, $5(\alpha-\beta-1)=3(\alpha-\beta+1)$에서 $2(\alpha-\beta)=8$, $\alpha-\beta=4$

$\therefore |\alpha-\beta|=4$

답 ④

11 직선 $y=x+1$에 수직인 직선의 기울기는 -1이므로 점 $\mathrm{P}(t, t+1)$을 지나고 직선 $y=x+1$에 수직인 직선의 방정식은

$y-(t+1)=-(x-t)$ $\quad\therefore y=-x+2t+1$

따라서 $\mathrm{Q}(0, 2t+1)$이므로

$\overline{\mathrm{AP}}^2=\{t-(-1)\}^2+\{(t+1)-0\}^2=2t^2+4t+2$

$\overline{\mathrm{AQ}}^2=\{0-(-1)\}^2+\{(2t+1)-0\}^2=4t^2+4t+2$

$\therefore \lim_{t\to\infty}\frac{\overline{\mathrm{AQ}}^2}{\overline{\mathrm{AP}}^2}=\lim_{t\to\infty}\frac{4t^2+4t+2}{2t^2+4t+2}=\lim_{t\to\infty}\frac{4+\frac{4}{t}+\frac{2}{t^2}}{2+\frac{4}{t}+\frac{2}{t^2}}=2$

답 ③

02강 함수의 연속

| 본문 12쪽 |

확인 1 $f(2)=1$, $\lim_{x\to 2}f(x)=\lim_{x\to 2}|x-2|=0$이므로

$\lim_{x\to 2}f(x)\neq f(2)$

따라서 함수 $f(x)$는 $x=2$에서 불연속이다.

답 불연속

확인 2 $\lim_{x\to 1}f(x)=f(1)$이어야 하므로

$\lim_{x\to 1}(2x+5)=a$

$\therefore a=2+5=7$

답 7

확인 3 ㄹ. 함수 $\frac{g(x)}{f(x)}=\frac{x^2+1}{x^2-2x}=\frac{x^2+1}{x(x-2)}$은 $f(x)=0$일 때, 즉 $x=0$ 또는 $x=2$일 때 불연속이므로 실수 전체의 집합에서 연속이 아니다.

따라서 모든 실수 x에서 연속인 함수는 ㄱ, ㄴ, ㄷ이다.

답 ㄱ, ㄴ, ㄷ

확인 4 $f(-1)=-2<0$, $f(0)=1>0$이므로 사잇값의 정리에 의하여 방정식 $f(x)=0$은 구간 $(-1, 0)$에서 적어도 하나의 실근을 갖는다.

또, $f(1)=2>0$, $f(2)=-2<0$이므로 방정식 $f(x)=0$은 구간 $(1, 2)$에서 적어도 하나의 실근을 갖는다.

따라서 방정식 $f(x)=0$은 구간 $(-1, 2)$에서 적어도 2개의 실근을 가지므로

$n=2$ 답 2

꼭! 나오는 핵심 유형 익히기

| 본문 13~15쪽 |

대표문제 1 ④	1-1 ⑤	1-2 ⑤	1-3 ③	1-4 10
대표문제 2 2	2-1 ③	2-2 2	2-3 ①	2-4 ①
대표문제 3 ②	3-1 ④	3-2 5	3-3 ③	3-4 ③

대표문제 1 함수 $f(x)$가 실수 전체의 집합에서 연속이려면 $x=3$에서 연속이어야 하므로

$\lim_{x\to 3} f(x)=f(3)$

$\therefore \lim_{x\to 3}\dfrac{x^2-5x+a}{x-3}=b$

$x\to 3$일 때 (분모)$\to 0$이고 극한값이 존재하므로 (분자)$\to 0$이어야 한다.

즉, $\lim_{x\to 3}(x^2-5x+a)=9-15+a=-6+a=0$이므로

$a=6$

$b=\lim_{x\to 3}\dfrac{x^2-5x+6}{x-3}=\lim_{x\to 3}\dfrac{(x-2)(x-3)}{x-3}$

$=\lim_{x\to 3}(x-2)=1$

$\therefore a+b=7$ 답 ④

1-1 ① $f(0)$이 정의되지 않으므로 $f(x)$는 $x=0$에서 불연속이다.

② $\lim_{x\to 0-} f(x)=\lim_{x\to 0-}[x]=-1$

$\lim_{x\to 0+} f(x)=\lim_{x\to 0+}[x]=0$

$\therefore \lim_{x\to 0-} f(x)\neq\lim_{x\to 0+} f(x)$

즉, $\lim_{x\to 0} f(x)$의 값이 존재하지 않으므로 $f(x)$는 $x=0$에서 불연속이다.

③ $f(0)$이 정의되지 않으므로 $f(x)$는 $x=0$에서 불연속이다.

④ $\lim_{x\to 0-} f(x)=\lim_{x\to 0-}\dfrac{|x|}{x}=\lim_{x\to 0-}\dfrac{-x}{x}=-1$

$\lim_{x\to 0+} f(x)=\lim_{x\to 0+}\dfrac{|x|}{x}=\lim_{x\to 0+}\dfrac{x}{x}=1$

$\therefore \lim_{x\to 0-} f(x)\neq\lim_{x\to 0+} f(x)$

즉, $\lim_{x\to 0} f(x)$의 값이 존재하지 않으므로 $f(x)$는 $x=0$에서 불연속이다.

⑤ $f(0)=\dfrac{1}{4}$

$\lim_{x\to 0} f(x)=\lim_{x\to 0}\dfrac{\sqrt{x+4}-2}{x}$

$=\lim_{x\to 0}\dfrac{(\sqrt{x+4}-2)(\sqrt{x+4}+2)}{x(\sqrt{x+4}+2)}$

$=\lim_{x\to 0}\dfrac{x}{x(\sqrt{x+4}+2)}$

$=\lim_{x\to 0}\dfrac{1}{\sqrt{x+4}+2}=\dfrac{1}{4}$

$\therefore \lim_{x\to 0} f(x)=f(0)$

즉, $f(x)$는 $x=0$에서 연속이다.

따라서 $x=0$에서 연속인 함수는 ⑤이다. 답 ⑤

1-2 ㄱ. $\lim_{x\to 2-} f(x)=0$, $\lim_{x\to 2+} f(x)=0$이므로

$\lim_{x\to 2} f(x)=0$ (참)

ㄴ. 함수 $y=f(x)$의 그래프가 $x=-1$, $x=1$, $x=2$에서 끊어져 있으므로 $x=-1$, $x=1$, $x=2$에서 불연속이다.

즉, 함수 $f(x)$가 불연속인 점은 3개이다. (참)

ㄷ. $\lim_{x\to 1-}|f(x)|=|-3|=3$, $\lim_{x\to 1+}|f(x)|=|3|=3$

$|f(1)|=|3|=3$

$\therefore \lim_{x\to 1-}|f(x)|=\lim_{x\to 1+}|f(x)|=|f(1)|$

즉, 함수 $|f(x)|$는 $x=1$에서 연속이다. (참)

따라서 ㄱ, ㄴ, ㄷ 모두 옳다. 답 ⑤

1-3 $x\neq 2$일 때, $f(x)=\dfrac{x^2-ax+4}{x-2}$

함수 $f(x)$가 모든 실수에서 연속이려면 $x=2$에서 연속이어야 하므로

$f(2)=\lim_{x\to 2} f(x)=\lim_{x\to 2}\dfrac{x^2-ax+4}{x-2}$

$x\to 2$일 때 (분모)$\to 0$이고 극한값이 존재하므로 (분자)$\to 0$이어야 한다.

즉, $\lim_{x\to 2}(x^2-ax+4)=4-2a+4=8-2a=0$이므로

$a=4$

$\therefore f(2)=\lim_{x\to 2}\dfrac{x^2-4x+4}{x-2}=\lim_{x\to 2}\dfrac{(x-2)^2}{x-2}$

$=\lim_{x\to 2}(x-2)=0$ 답 ③

1-4 $f(x)=\begin{cases} ax+2 & (|x|<1) \\ bx^2+x & (|x|\geq 1)\end{cases}$

$=\begin{cases} bx^2+x & (x\leq -1) \\ ax+2 & (-1<x<1) \\ bx^2+x & (x\geq 1)\end{cases}$

함수 $f(x)$가 실수 전체의 집합에서 연속이려면 $x=-1$, $x=1$에서 연속이어야 한다.

$x=-1$에서 연속이어야 하므로

$\lim_{x\to -1-} f(x)=\lim_{x\to -1+} f(x)=f(-1)$에서

$\lim_{x\to -1-}(bx^2+x)=\lim_{x\to -1+}(ax+2)=b-1$

$b-1=-a+2$

$\therefore\ a+b=3$ ...... ㉠

또, $x=1$에서 연속이어야 하므로

$\lim_{x\to1-}f(x)=\lim_{x\to1+}f(x)=f(1)$에서

$\lim_{x\to1-}(ax+2)=\lim_{x\to1+}(bx^2+x)=b+1$

$a+2=b+1$

$\therefore\ a-b=-1$ ...... ㉡

㉠, ㉡을 연립하여 풀면

$a=1,\ b=2$

따라서 $f(x)=\begin{cases}x+2 & (|x|<1)\\ 2x^2+x & (|x|\ge1)\end{cases}$이므로

$f(ab)=f(2)=2\times2^2+2=10$ 답 10

대표문제 2 함수 $f(x)$는 $x=2$에서 불연속이고, 함수 $g(x)$는 실수 전체의 집합에서 연속이므로 함수 $f(x)g(x)$가 실수 전체의 집합에서 연속이려면 $x=2$에서 연속이어야 한다.

즉, $\lim_{x\to2-}f(x)g(x)=\lim_{x\to2+}f(x)g(x)=f(2)g(2)$에서

$\lim_{x\to2-}(x+3)(ax-4)=\lim_{x\to2+}(x^2-x)(ax-4)$

$=5(2a-4)$

$5(2a-4)=2(2a-4)$

$\therefore\ a=2$ 답 2

2-1 ㄱ. $\{f(x)\}^2=f(x)\times f(x)$이므로 $\{f(x)\}^2$은 $x=0$에서 연속이다. (참)

ㄴ. $f(x)\{1-g(x)\}=f(x)-f(x)g(x)$이므로 $f(x)\{1-g(x)\}$는 $x=0$에서 연속이다. (참)

ㄷ. (반례) $f(x)=x,\ g(x)=\frac{1}{x}$로 놓으면 두 함수 $f(x)=x$, $f(x)g(x)=x\times\frac{1}{x}=1$은 $x=0$에서 연속이지만 $g(x)=\frac{1}{x}$은 $x=0$에서 불연속이다. (거짓)

따라서 $x=0$에서 항상 연속인 것은 ㄱ, ㄴ이다. 답 ③

2-2 두 함수 $f(x)$, $g(x)$는 모든 실수 x에서 연속이므로 함수 $\frac{g(x)}{f(x)}$가 모든 실수 x에서 연속이려면 모든 실수 x에 대하여 $f(x)\ne0$이어야 한다.

즉, 이차방정식 $x^2-2ax+4a-3=0$의 실근이 존재하지 않아야 하므로 이 이차방정식의 판별식을 D라 하면

$\frac{D}{4}=(-a)^2-(4a-3)<0$

$a^2-4a+3<0,\ (a-1)(a-3)<0$ $\therefore\ 1<a<3$

따라서 자연수 a의 값은 2이다. 답 2

2-3 함수 $y=kx+2$는 모든 실수 x에서 연속이고, 함수 $f(x)$는 $x=1$에서 불연속이므로 함수 $g(x)=(kx+2)f(x)$가 실수 전체의 집합에서 연속이려면 $x=1$에서 연속이어야 한다.

즉, $\lim_{x\to1-}g(x)=\lim_{x\to1+}g(x)=g(1)$에서

$\lim_{x\to1-}(kx+2)f(x)=\lim_{x\to1+}(kx+2)f(x)=k+2$

$k+2=0$

$\therefore\ k=-2$ 답 ①

2-4 $f(x)$는 최고차항의 계수가 1인 이차함수이므로

$f(x)=x^2+ax+b$ (a, b는 상수)로 놓을 수 있다.

함수 $f(x)$는 실수 전체의 집합에서 연속이고, 함수 $g(x)$는 $x=0$, $x=2$에서 불연속이므로 함수 $f(x)g(x)$가 실수 전체의 집합에서 연속이려면 $x=0$, $x=2$에서 연속이어야 한다.

$x=0$에서 연속이어야 하므로

$\lim_{x\to0-}f(x)g(x)=\lim_{x\to0+}f(x)g(x)=f(0)g(0)$에서

$\lim_{x\to0-}\{(x^2+ax+b)\times(-1)\}=\lim_{x\to0+}(x^2+ax+b)(-x+1)$

$=-b$

$-b=b$

$\therefore\ b=0$

또, $x=2$에서 연속이어야 하므로

$\lim_{x\to2-}f(x)g(x)=\lim_{x\to2+}f(x)g(x)=f(2)g(2)$에서

$\lim_{x\to2-}(x^2+ax)(-x+1)=\lim_{x\to2+}\{(x^2+ax)\times1\}=2a+4$

$-2a-4=2a+4$

$\therefore\ a=-2$

따라서 $f(x)=x^2-2x$이므로

$f(5)=5^2-2\times5=15$ 답 ①

대표문제 3 함수 $f(x)$는 구간 $[1,\ 2]$에서 연속이므로 사잇값의 정리에 의하여 방정식 $f(x)=0$이 구간 $(1,\ 2)$에서 적어도 하나의 실근을 가지려면 $f(1)f(2)<0$이어야 한다.

$f(1)=1+2+k-3=k$

$f(2)=32+8+k-3=k+37$

이므로

$f(1)f(2)=k(k+37)<0$

$\therefore\ -37<k<0$

따라서 정수 k는 $-36,\ -35,\ -34,\ \cdots,\ -1$의 36개이다.

답 ②

3-1 $f(x)=x^3-2x^2-x-1$로 놓으면 $f(x)$는 연속함수이고

$f(-1)=-3<0,\ f(0)=-1<0,\ f(1)=-3<0$

$f(2)=-3<0,\ f(3)=5>0,\ f(4)=27>0$

따라서 $f(2)f(3)<0$이므로 사잇값의 정리에 의하여 주어진 방정식의 실근이 존재하는 구간은 $(2,\ 3)$이다. 답 ④

3-2 $f(x)=(kx-3)-3=kx-6$으로 놓으면 $f(x)$는 구간 $(2,\ 3)$에서 연속이다.

이때 두 직선이 구간 $(2,\ 3)$에서 교점을 가지려면 방정식 $f(x)=0$이 구간 $(2,\ 3)$에서 실근을 가져야 한다.

즉, 사잇값의 정리에 의하여 $f(2)f(3)<0$이어야 하므로

$(2k-6)(3k-6)<0$

$6(k-3)(k-2)<0 \qquad \therefore 2<k<3$

따라서 $\alpha=2$, $\beta=3$이므로

$\alpha+\beta=5$ 답 5

3-3 $g(x)=f(x)+2x$로 놓으면 $g(x)$는 연속함수이고

$g(-2)=f(-2)-4=5-4=1>0$

$g(-1)=f(-1)-2=0-2=-2<0$

$g(0)=f(0)+0=1>0$

$g(1)=f(1)+2=-1+2=1>0$

$g(2)=f(2)+4=-6+4=-2<0$

즉, $g(-2)g(-1)<0$, $g(-1)g(0)<0$, $g(1)g(2)<0$이므로 사잇값의 정리에 의하여 방정식 $g(x)=0$은 구간 $(-2, -1)$, $(-1, 0)$, $(1, 2)$에서 각각 적어도 하나의 실근을 갖는다.

따라서 방정식 $f(x)+2x=0$은 구간 $(-2, 2)$에서 적어도 3개의 실근을 갖는다.

$\therefore n=3$ 답 ③

3-4 ㄱ. 함수 $f(x)$는 $x=-1$, $x=1$에서 불연속이므로 함수 $f(x)$가 구간 $[-2, 2]$에서 불연속인 점은 2개이다. (참)

ㄴ. (반례) $f(x)=x+2$ $(-1\le x\le 1)$이면 구간 $[-2, 2]$에서 $0<f(x)<4$이므로 함수 $f(x)$는 구간 $[-2, 2]$에서 최댓값과 최솟값을 모두 갖지 않는다. (거짓)

ㄷ. 방정식 $f(x)-2=0$의 실근은 함수 $y=f(x)$의 그래프와 직선 $y=2$의 교점의 x좌표이다.

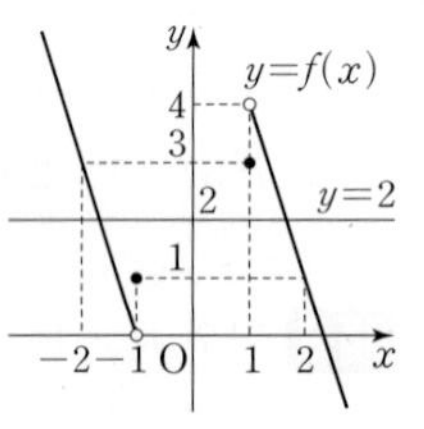

오른쪽 그림과 같이 함수 $y=f(x)$의 그래프와 직선 $y=2$가 두 구간 $(-2, -1)$, $(1, 2)$에서 한 개씩 교점을 가지므로 방정식 $f(x)-2=0$은 두 구간 $(-2, -1)$, $(1, 2)$에서 각각 하나의 실근을 갖는다.

또, 함수 $f(x)$는 구간 $[-1, 1]$에서 연속이고, $f(-1)=1$, $f(1)=3$이므로 사잇값의 정리에 의하여 $f(c)=2$를 만족시키는 c가 구간 $(-1, 1)$ 사이에 적어도 하나 존재한다.

즉, 방정식 $f(x)-2=0$의 실근이 구간 $(-1, 1)$ 사이에 적어도 하나 존재한다.

따라서 방정식 $f(x)-2=0$은 구간 $(-2, 2)$에서 적어도 3개의 실근을 갖는다. (참)

따라서 옳은 것은 ㄱ, ㄷ이다. 답 ③

기출+예상 실전 문제로 마무리

| 본문 16~17쪽 |

01 ② 02 ① 03 1 04 4 05 ③ 06 ⑤
07 3 08 ④ 09 ③ 10 ①

01 $\lim_{x\to1-}f(x)=1$, $\lim_{x\to1+}f(x)=3$이므로

$\lim_{x\to1-}f(x)\ne\lim_{x\to1+}f(x)$

$\lim_{x\to5-}f(x)=1$, $\lim_{x\to5+}f(x)=0$이므로

$\lim_{x\to5-}f(x)\ne\lim_{x\to5+}f(x)$

따라서 $\lim_{x\to1}f(x)$, $\lim_{x\to5}f(x)$의 값이 존재하지 않으므로 $f(x)$의 극한값이 존재하지 않는 x의 값은 1, 5의 2개이다.

$\therefore a=2$

또, $\lim_{x\to3}f(x)=3$, $f(3)=2$에서 $\lim_{x\to3}f(x)\ne f(3)$이므로 $f(x)$는 $x=3$에서 불연속이고, 극한값이 존재하지 않는 $x=1$, $x=5$에서도 불연속이므로

$b=3$

$\therefore ab=6$ 답 ②

02 ㄱ. $\lim_{x\to2-}f(x)=\lim_{x\to2-}(x-1)^2=1$

$\lim_{x\to2+}f(x)=\lim_{x\to2+}(2x-3)=1$

$f(2)=2\times2-3=1$

$\therefore \lim_{x\to2}f(x)=f(2)$

즉, $f(x)$는 $x=2$에서 연속이므로 모든 실수 x에서 연속이다.

ㄴ. $\lim_{x\to1}g(x)=\lim_{x\to1}\dfrac{x-1}{x^2-2x-3}=0$

$g(1)=2$

$\therefore \lim_{x\to1}g(x)\ne g(1)$

즉, $g(x)$는 $x=1$에서 불연속이다.

ㄷ. $\lim_{x\to0}h(x)$

$=\lim_{x\to0}\dfrac{\sqrt{3x+1}-\sqrt{x+1}}{x}$

$=\lim_{x\to0}\dfrac{(\sqrt{3x+1}-\sqrt{x+1})(\sqrt{3x+1}+\sqrt{x+1})}{x(\sqrt{3x+1}+\sqrt{x+1})}$

$=\lim_{x\to0}\dfrac{2x}{x(\sqrt{3x+1}+\sqrt{x+1})}$

$=\lim_{x\to0}\dfrac{2}{\sqrt{3x+1}+\sqrt{x+1}}=1$

$h(0)=2$

$\therefore \lim_{x\to0}h(x)\ne h(0)$

즉, $h(x)$는 $x=0$에서 불연속이다.

따라서 모든 실수 x에서 연속인 함수인 것은 ㄱ뿐이다. 답 ①

03 함수 $f(x)$가 모든 실수 x에서 연속이려면 $x=1$에서 연속이어야 하므로

$\lim_{x\to1}f(x)=f(1)$

$\therefore \lim_{x\to1}\dfrac{\sqrt{x^2+1}+bx}{x-1}=a$

$x\to1$일 때 (분모)$\to0$이고 극한값이 존재하므로 (분자)$\to0$이어야 한다.

즉, $\lim_{x\to1}(\sqrt{x^2+1}+bx)=\sqrt{2}+b=0$이므로

$b=-\sqrt{2}$

$$a=\lim_{x\to1}\frac{\sqrt{x^2+1}-\sqrt{2}x}{x-1}$$
$$=\lim_{x\to1}\frac{(\sqrt{x^2+1}-\sqrt{2}x)(\sqrt{x^2+1}+\sqrt{2}x)}{(x-1)(\sqrt{x^2+1}+\sqrt{2}x)}$$
$$=\lim_{x\to1}\frac{x^2+1-2x^2}{(x-1)(\sqrt{x^2+1}+\sqrt{2}x)}$$
$$=\lim_{x\to1}\frac{-x^2+1}{(x-1)(\sqrt{x^2+1}+\sqrt{2}x)}$$
$$=\lim_{x\to1}\frac{-(x+1)(x-1)}{(x-1)(\sqrt{x^2+1}+\sqrt{2}x)}$$
$$=-\lim_{x\to1}\frac{x+1}{\sqrt{x^2+1}+\sqrt{2}x}$$
$$=-\frac{2}{2\sqrt{2}}=-\frac{\sqrt{2}}{2}$$

$\therefore ab=1$ 답 1

04 함수 $f(x)$가 모든 실수 x에서 연속이므로 $x=1$에서 연속이다.

즉, $\lim_{x\to1-}f(x)=\lim_{x\to1+}f(x)=f(1)$에서

$\lim_{x\to1-}(2x+2)=\lim_{x\to1+}(x^2+ax+b)=1+a+b$

$4=a+b+1$

$\therefore a+b=3$ …… ㉠

또, $f(x)=f(x+2)$에서 $f(0)=f(2)$이므로

$2=4+2a+b$

$\therefore 2a+b=-2$ …… ㉡

㉠, ㉡을 연립하여 풀면

$a=-5,\ b=8$

$\therefore f(a)=f(-5)=f(-3)=f(-1)=f(1)$

$=1+a+b=1+(-5)+8=4$ 답 4

05 ㄱ. $g(x)=(x-1)f(x)$로 놓으면

$\lim_{x\to1-}g(x)=\lim_{x\to1+}g(x)=g(1)=0$

이므로 함수 $(x-1)f(x)$는 $x=1$에서 연속이다. (참)

ㄴ. $f(x)=t$로 놓으면 $x\to-1-$일 때 $t\to2-$이므로

$\lim_{x\to-1-}f(f(x))=\lim_{t\to2-}f(t)=1$

$x\to-1+$일 때 $t\to1-$이므로

$\lim_{x\to-1+}f(f(x))=\lim_{t\to1-}f(t)=1$

$\therefore \lim_{x\to-1}f(f(x))=1$ (참)

ㄷ. $f(f(-1))=f(1)=-1$

$\therefore \lim_{x\to-1}f(f(x))\neq f(f(-1))$ ($\because$ ㄴ)

즉, 함수 $f(f(x))$는 $x=-1$에서 불연속이다. (거짓)

따라서 옳은 것은 ㄱ, ㄴ이다. 답 ③

06 $f(-2)=13,\ f(2)=-3,\ g(-2)=-5,\ g(2)=-1$

ㄱ. $h_1(x)=f(x)+g(x)$로 놓으면 함수 $h_1(x)$는 구간 $[-2, 2]$에서 연속이고

$h_1(-2)=f(-2)+g(-2)=13+(-5)=8>0$

$h_1(2)=f(2)+g(2)=-3+(-1)=-4<0$

이므로 사잇값의 정리에 의하여 방정식 $h_1(x)=0$, 즉 $f(x)+g(x)=0$은 구간 $(-2, 2)$에서 적어도 하나의 실근을 갖는다.

ㄴ. $h_2(x)=f(x)-g(x)$로 놓으면 함수 $h_2(x)$는 구간 $[-2, 2]$에서 연속이고

$h_2(-2)=f(-2)-g(-2)=13-(-5)=18>0$

$h_2(2)=f(2)-g(2)=-3-(-1)=-2<0$

이므로 사잇값의 정리에 의하여 방정식 $h_2(x)=0$, 즉 $f(x)-g(x)=0$은 구간 $(-2, 2)$에서 적어도 하나의 실근을 갖는다.

ㄷ. $h_3(x)=f(x)g(x)$로 놓으면 함수 $h_3(x)$는 구간 $[-2, 2]$에서 연속이고

$h_3(-2)=f(-2)g(-2)=13\times(-5)=-65<0$

$h_3(2)=f(2)g(2)=(-3)\times(-1)=3>0$

이므로 사잇값의 정리에 의하여 방정식 $h_3(x)=0$, 즉 $f(x)g(x)=0$은 구간 $(-2, 2)$에서 적어도 하나의 실근을 갖는다.

따라서 ㄱ, ㄴ, ㄷ 모두 구간 $(-2, 2)$에서 적어도 하나의 실근을 갖는다. 답 ⑤

07 $\lim_{x\to2}\frac{f(x)}{x-2}=3,\ \lim_{x\to5}\frac{f(x)}{x-5}=2$에서

$f(2)=0,\ f(5)=0$

즉, $f(x)=(x-2)(x-5)Q(x)$ ($Q(x)$는 다항함수)로 놓을 수 있다.

$$\lim_{x\to2}\frac{f(x)}{x-2}=\lim_{x\to2}\frac{(x-2)(x-5)Q(x)}{x-2}$$
$$=\lim_{x\to2}(x-5)Q(x)$$
$$=-3Q(2)=3$$

$\therefore Q(2)=-1$

$$\lim_{x\to5}\frac{f(x)}{x-5}=\lim_{x\to5}\frac{(x-2)(x-5)Q(x)}{x-5}$$
$$=\lim_{x\to5}(x-2)Q(x)$$
$$=3Q(5)=2$$

$\therefore Q(5)=\frac{2}{3}$

그런데 $Q(x)$는 다항함수이므로 모든 실수 x에서 연속이다.

이때 $Q(2)Q(5)<0$이므로 사잇값의 정리에 의하여 방정식 $Q(x)=0$은 구간 $(2, 5)$에서 적어도 하나의 실근을 갖는다.

따라서 방정식 $f(x)=0$은 두 실근 2, 5를 갖고 구간 $(2, 5)$에서 적어도 하나의 실근을 가지므로 구간 $[2, 5]$에서 적어도 3개의 실근을 갖는다.

$\therefore n=3$ 답 3

08 함수 $f(x)$는 $x\neq2$인 실수 전체의 집합에서 연속이고 함수 $g(x)$는 실수 전체의 집합에서 연속이므로 함수 $\frac{g(x)}{f(x)}$가 실수 전체의 집합에서 연속이려면 $x=2$에서 연속이어야 한다.

즉, $\lim_{x\to 2-}\frac{g(x)}{f(x)}=\lim_{x\to 2+}\frac{g(x)}{f(x)}=\frac{g(2)}{f(2)}$에서

$\lim_{x\to 2-}\frac{ax+1}{x^2-4x+6}=\lim_{x\to 2+}(ax+1)=\frac{2a+1}{1}$

즉, $\frac{2a+1}{2}=2a+1$이므로

$2a+1=4a+2$

$\therefore a=-\frac{1}{2}$

답 ④

09

ㄱ. $\lim_{x\to 1+}f(x)=\lim_{x\to 1+}(-x+2)=1$ (참)

ㄴ. $a=0$이면 $x\le 1$일 때, $f(x)=0$이므로

$\lim_{x\to 1-}f(x)=0$

$\lim_{x\to 1+}f(x)=1$ ($\because$ ㄱ)

$\therefore \lim_{x\to 1-}f(x)\ne\lim_{x\to 1+}f(x)$

즉, $\lim_{x\to 1}f(x)$의 값이 존재하지 않으므로 $f(x)$는 $x=1$에서 불연속이다. (거짓)

ㄷ. 함수 $y=x-1$은 실수 전체의 집합에서 연속이고, 함수 $f(x)$는 $a\ne 1$일 때 $x=1$에서 불연속이므로 함수 $(x-1)f(x)$가 실수 전체의 집합에서 연속이려면 a의 값에 관계없이 $x=1$에서 연속이어야 한다.

$g(x)=(x-1)f(x)$로 놓으면

$\lim_{x\to 1-}g(x)=\lim_{x\to 1-}(x-1)f(x)$

$=\lim_{x\to 1-}(x-1)\lim_{x\to 1-}a$

$=0\times a=0$

$\lim_{x\to 1+}g(x)=\lim_{x\to 1+}(x-1)f(x)$

$=\lim_{x\to 1+}(x-1)\lim_{x\to 1+}(-x+2)$

$=0\times 1=0$

$g(1)=(1-1)f(1)=0$

$\therefore \lim_{x\to 1-}g(x)=\lim_{x\to 1+}g(x)=g(1)$

즉, 함수 $g(x)$가 $x=1$에서 연속이므로

함수 $y=(x-1)f(x)$는 실수 전체의 집합에서 연속이다. (참)

따라서 옳은 것은 ㄱ, ㄷ이다.

답 ③

10

ㄱ. (반례) $f(x)=\frac{1}{x}$, $g(x)=-\frac{1}{x}$로 놓으면

$\lim_{x\to 0}f(x)$, $\lim_{x\to 0}g(x)$가 모두 존재하지 않지만

$\lim_{x\to 0}\{f(x)+g(x)\}=\lim_{x\to 0}\left(\frac{1}{x}-\frac{1}{x}\right)=\lim_{x\to 0}0=0$

이므로 $\lim_{x\to 0}\{f(x)+g(x)\}$는 존재한다. (거짓)

ㄴ. $y=f(x)$가 $x=0$에서 연속이므로 $f(0)=k$로 놓으면

$\lim_{x\to 0}f(x)=f(0)=k$

(i) $k\ge 0$일 때

$\lim_{x\to 0}|f(x)|=k$, $|f(0)|=k$이므로

$\lim_{x\to 0}|f(x)|=|f(0)|$

따라서 $y=|f(x)|$도 $x=0$에서 연속이다.

(ii) $k<0$일 때

$\lim_{x\to 0}|f(x)|=-k$, $|f(0)|=-k$이므로

$\lim_{x\to 0}|f(x)|=|f(0)|$

따라서 $y=|f(x)|$도 $x=0$에서 연속이다.

(i), (ii)에 의하여 $y=f(x)$가 $x=0$에서 연속이면 $y=|f(x)|$도 $x=0$에서 연속이다. (참)

ㄷ. (반례) $f(x)=\begin{cases}-1 & (x<0)\\ 1 & (x\ge 0)\end{cases}$로 놓으면 $|f(x)|=1$이므로

$y=|f(x)|$가 $x=0$에서 연속이지만 $y=f(x)$는 $x=0$에서 불연속이다. (거짓)

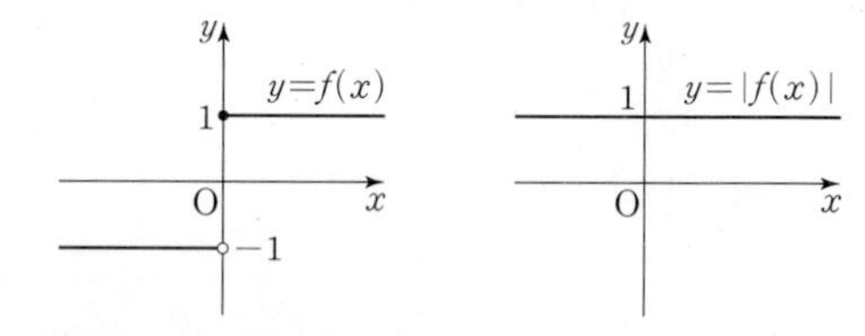

따라서 옳은 것은 ㄴ뿐이다.

답 ①

Ⅱ 다항함수의 미분법

03강 미분계수

| 본문 18쪽 |

확인 1 x의 값이 2에서 4까지 변할 때의 함수 $f(x)$의 평균변화율은

$$\frac{f(4)-f(2)}{4-2}=\frac{(16+12)-(4+6)}{2}=9$$

답 9

확인 2 $f'(1)=\lim_{\Delta x \to 0}\frac{f(1+\Delta x)-f(1)}{\Delta x}$

$$=\lim_{\Delta x \to 0}\frac{\{(1+\Delta x)^2+2\}-(1^2+2)}{\Delta x}$$

$$=\lim_{\Delta x \to 0}\frac{2\Delta x+(\Delta x)^2}{\Delta x}$$

$$=\lim_{\Delta x \to 0}(2+\Delta x)=2$$

답 2

확인 3 (1) $f(1)=0$이고 $\lim_{x\to 1}f(x)=\lim_{x\to 1}|x-1|=0$이므로

$\lim_{x\to 1}f(x)=f(1)$

따라서 함수 $f(x)=|x-1|$은 $x=1$에서 연속이다.

(2) $\lim_{x\to 1-}\frac{f(x)-f(1)}{x-1}=\lim_{x\to 1-}\frac{|x-1|}{x-1}$

$$=\lim_{x\to 1-}\frac{-(x-1)}{x-1}=-1$$

$\lim_{x\to 1+}\frac{f(x)-f(1)}{x-1}=\lim_{x\to 1+}\frac{|x-1|}{x-1}$

$$=\lim_{x\to 1+}\frac{x-1}{x-1}=1$$

이므로 $\lim_{x\to 1-}\frac{f(x)-f(1)}{x-1}\neq\lim_{x\to 1+}\frac{f(x)-f(1)}{x-1}$

즉, $\lim_{x\to 1}\frac{f(x)-f(1)}{x-1}$은 존재하지 않는다.

따라서 함수 $f(x)=|x-1|$은 $x=1$에서 미분가능하지 않다.

답 (1) 연속이다. (2) 미분가능하지 않다.

꼭! 나오는 핵심 유형 익히기

| 본문 19~21쪽 |

대표문제 1 ①	1-1 ③	1-2 ③	1-3 6	1-4 ②
대표문제 2 ①	2-1 3	2-2 ①	2-3 ③	2-4 ②
대표문제 3 ⑤	3-1 12	3-2 2		
대표문제 4 ③	4-1 3	4-2 10		

대표문제 1 x의 값이 0에서 2까지 변할 때의 함수 $f(x)$의 평균변화율은

$$\frac{f(2)-f(0)}{2-0}=\frac{(4-12+2)-2}{2}=-4$$

함수 $f(x)$의 $x=a$에서의 미분계수는

$$f'(a)=\lim_{x\to a}\frac{f(x)-f(a)}{x-a}$$

$$=\lim_{x\to a}\frac{(x^2-6x+2)-(a^2-6a+2)}{x-a}$$

$$=\lim_{x\to a}\frac{x^2-a^2-(6x-6a)}{x-a}$$

$$=\lim_{x\to a}\frac{(x+a)(x-a)-6(x-a)}{x-a}$$

$$=\lim_{x\to a}\frac{(x-a)(x+a-6)}{x-a}$$

$$=\lim_{x\to a}(x+a-6)=2a-6$$

즉, $-4=2a-6$에서 $2a=2$ $\therefore a=1$

답 ①

1-1 x의 값이 -2에서 2까지 변할 때의 함수 $f(x)$의 평균변화율이 10이므로

$$\frac{f(2)-f(-2)}{2-(-2)}=\frac{(8+4a-2a+2)-(-8+4a+2a+2)}{4}$$

$$=4-a=10$$

$\therefore a=-6$

답 ③

1-2 x의 값이 -3에서 $a\,(-3<a<3)$까지 변할 때의 함수 $f(x)$의 평균변화율은

$$\frac{f(a)-f(-3)}{a-(-3)}=\frac{(a^3-10a+1)-4}{a+3}=\frac{a^3-10a-3}{a+3}$$

$$=\frac{(a+3)(a^2-3a-1)}{a+3}$$

$$=a^2-3a-1$$

두 점 $(-3, 4)$, $(3, -2)$를 지나는 직선의 기울기는

$$\frac{-2-4}{3-(-3)}=-1$$

즉, $a^2-3a-1=-1$에서 $a(a-3)=0$

$-3<a<3$이므로 $a=0$

답 ③

다른 풀이 x의 값이 -3에서 $a\,(-3<a<3)$까지 변할 때의 함수 $f(x)$의 평균변화율은 곡선 $y=f(x)$ 위의 두 점 $A(-3, 4)$와 $P(a, a^3-10a+1)$을 지나는 직선의 기울기와 같다.

즉, 점 P는 두 점 $A(-3, 4)$, $B(3, -2)$를 지나는 직선

$y=\frac{-2-4}{3-(-3)}\{x-(-3)\}+4$, 즉 $y=-x+1$ 위의 점이다.

$a^3-10a+1=-a+1$에서

$a^3-9a=0$, $a(a+3)(a-3)=0$

$-3<a<3$이므로 $a=0$

1-3 x의 값이 a에서 b까지 변할 때의 함수 $f(x)$의 평균변화율은

$$\frac{f(b)-f(a)}{b-a}=\frac{(b^2+4b+5)-(a^2+4a+5)}{b-a}$$

$$=\frac{(b-a)(b+a)+4(b-a)}{b-a}$$

$$=\frac{(b-a)(a+b+4)}{b-a}=a+b+4$$

함수 $f(x)$의 $x=3$에서의 미분계수는

$$f'(3)=\lim_{x\to3}\frac{f(x)-f(3)}{x-3}=\lim_{x\to3}\frac{x^2+4x+5-26}{x-3}$$
$$=\lim_{x\to3}\frac{x^2+4x-21}{x-3}=\lim_{x\to3}\frac{(x+7)(x-3)}{x-3}$$
$$=\lim_{x\to3}(x+7)=10$$

즉, $a+b+4=10$이므로 $a+b=6$ 답 6

1-4 ㄱ. $f(0)=0$이고 $\frac{f(a)}{a}=\frac{f(a)-f(0)}{a-0}$이므로 $\frac{f(a)}{a}$는 두 점 $(0,\ f(0))$, $(a,\ f(a))$를 지나는 직선의 기울기이다.

마찬가지로, $\frac{f(b)}{b}$는 두 점 $(0,\ f(0))$, $(b,\ f(b))$를 지나는 직선의 기울기이다.

두 점 $(0,\ f(0))$, $(a,\ f(a))$를 지나는 직선의 기울기가 두 점 $(0,\ f(0))$, $(b,\ f(b))$를 지나는 직선의 기울기보다 크므로

$\frac{f(a)}{a}>\frac{f(b)}{b}$ (참)

ㄴ. $\frac{f(b)-f(a)}{b-a}$는 두 점 $(a,\ f(a))$, $(b,\ f(b))$를 지나는 직선의 기울기이고, 이 기울기는 직선 $y=x$의 기울기보다 작으므로

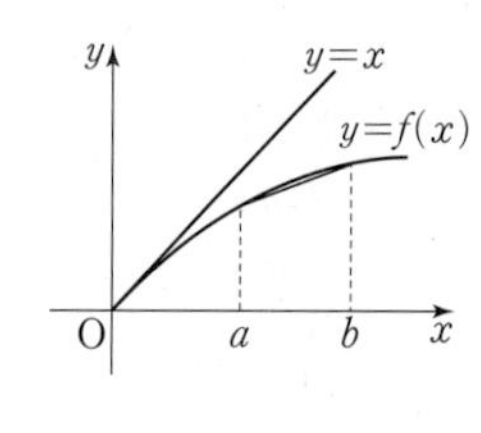

$\frac{f(b)-f(a)}{b-a}<1$ (거짓)

ㄷ. $f'(x)$는 곡선 $y=f(x)$ 위의 점 $(x,\ f(x))$에서의 접선의 기울기이고, 점 $(a,\ f(a))$에서의 접선의 기울기가 점 $(b,\ f(b))$에서의 접선의 기울기보다 크므로

$f'(a)>f'(b)$ (참)

ㄹ. $f'(a)$는 곡선 $y=f(x)$ 위의 점 $(a,\ f(a))$에서의 접선의 기울기이고, 이 기울기는 직선 $y=x$의 기울기보다 작으므로

$f'(a)<1$ (거짓)

따라서 옳은 것은 ㄱ, ㄷ이다. 답 ②

대표문제 2 $\lim_{x\to1}\frac{f(x)-2}{x^2-1}=3$에서 $x\to1$일 때 (분모)$\to0$이고 극한값이 존재하므로 (분자)$\to0$이어야 한다.

즉, $\lim_{x\to1}\{f(x)-2\}=0$이므로 $f(1)=2$

$$\lim_{x\to1}\frac{f(x)-2}{x^2-1}=\lim_{x\to1}\frac{f(x)-f(1)}{x^2-1}=\lim_{x\to1}\frac{f(x)-f(1)}{(x+1)(x-1)}$$
$$=\lim_{x\to1}\left\{\frac{f(x)-f(1)}{x-1}\times\frac{1}{x+1}\right\}$$
$$=\frac{1}{2}f'(1)=3$$

$\therefore f'(1)=6$

$\therefore \frac{f'(1)}{f(1)}=\frac{6}{2}=3$ 답 ①

2-1 $$\lim_{h\to0}\frac{f(3+kh)-f(3)}{h}=\lim_{h\to0}\left\{\frac{f(3+kh)-f(3)}{kh}\times k\right\}$$
$$=kf'(3)=2k$$

즉, $2k=6$이므로 $k=3$ 답 3

2-2 함수 $y=f(x)$의 그래프 위의 점 $(3,\ 2)$에서의 접선의 기울기가 2이므로

$f(3)=2,\ f'(3)=2$

$$\therefore \lim_{h\to0}\frac{f(3-2h)-2}{h}=\lim_{h\to0}\left\{\frac{f(3-2h)-f(3)}{-2h}\times(-2)\right\}$$
$$=-2f'(3)$$
$$=-2\times2=-4$$
답 ①

2-3 $$\lim_{x\to-2}\frac{x^2-4}{\{f(x)\}^2-9}$$
$$=\lim_{x\to-2}\frac{x^2-(-2)^2}{\{f(x)\}^2-\{f(-2)\}^2}$$
$$=\lim_{x\to-2}\frac{\{x-(-2)\}\{x+(-2)\}}{\{f(x)-f(-2)\}\{f(x)+f(-2)\}}$$
$$=\lim_{x\to-2}\left\{\frac{1}{\frac{f(x)-f(-2)}{x-(-2)}}\times\frac{x-2}{f(x)+f(-2)}\right\}$$
$$=\frac{1}{f'(-2)}\times\frac{-4}{2f(-2)}$$
$$=\frac{1}{-4}\times\frac{-4}{2\times3}=\frac{1}{6}$$
답 ③

2-4 $x+2=t$로 놓으면 $x=t-2$이고 $x\to1$일 때 $t\to3$이므로

$$\lim_{x\to1}\frac{f(x+2)-5}{x-1}=\lim_{t\to3}\frac{f(t)-5}{t-3}=1$$

$t\to3$일 때 (분모)$\to0$이고 극한값이 존재하므로 (분자)$\to0$이어야 한다.

즉, $\lim_{t\to3}\{f(t)-5\}=0$이므로

$f(3)=5$

$$\therefore \lim_{t\to3}\frac{f(t)-5}{t-3}=\lim_{t\to3}\frac{f(t)-f(3)}{t-3}=f'(3)=1$$
$$\therefore \lim_{h\to0}\frac{f(3+h)-f(3-2h)}{h}$$
$$=\lim_{h\to0}\frac{f(3+h)-f(3)+f(3)-f(3-2h)}{h}$$
$$=\lim_{h\to0}\frac{\{f(3+h)-f(3)\}-\{f(3-2h)-f(3)\}}{h}$$
$$=\lim_{h\to0}\frac{f(3+h)-f(3)}{h}-\lim_{h\to0}\left\{\frac{f(3-2h)-f(3)}{-2h}\times(-2)\right\}$$
$$=f'(3)-f'(3)\times(-2)=3f'(3)$$
$$=3\times1=3$$
답 ②

대표문제 3 ① $f(x)=|x|$에서

$$\lim_{h\to0-}\frac{f(0+h)-f(0)}{h}=\lim_{h\to0-}\frac{|h|}{h}$$
$$=\lim_{h\to0-}\frac{-h}{h}=-1$$

$$\lim_{h\to0+}\frac{f(0+h)-f(0)}{h}=\lim_{h\to0+}\frac{|h|}{h}$$
$$=\lim_{h\to0+}\frac{h}{h}=1$$
$$\therefore \lim_{h\to0-}\frac{f(0+h)-f(0)}{h}\neq\lim_{h\to0+}\frac{f(0+h)-f(0)}{h}$$

즉, $f(x)$는 $x=0$에서 미분가능하지 않다.

② $f(x)=x-|x|$에서

$$\lim_{h\to0-}\frac{f(0+h)-f(0)}{h}=\lim_{h\to0-}\frac{h-|h|}{h}=\lim_{h\to0-}\frac{h+h}{h}$$
$$=\lim_{h\to0-}\frac{2h}{h}=2$$
$$\lim_{h\to0+}\frac{f(0+h)-f(0)}{h}=\lim_{h\to0+}\frac{h-|h|}{h}$$
$$=\lim_{h\to0+}\frac{h-h}{h}=0$$
$$\therefore \lim_{h\to0-}\frac{f(0+h)-f(0)}{h}\neq\lim_{h\to0+}\frac{f(0+h)-f(0)}{h}$$

즉, $f(x)$는 $x=0$에서 미분가능하지 않다.

③ $f(x)=\frac{|x|}{x}=\begin{cases}1 & (x>0)\\ -1 & (x<0)\end{cases}$은 $x=0$에서 정의되지 않으므로 미분가능하지 않다.

④ $f(x)=\frac{1}{x}$은 $x=0$에서 정의되지 않으므로 미분가능하지 않다.

⑤ $f(x)=|x^2|=x^2$에서

$\lim_{x\to0}f(x)=0$, $f(0)=0$이므로 $f(x)$는 $x=0$에서 연속이다.

$$f'(0)=\lim_{h\to0}\frac{f(0+h)-f(0)}{h}=\lim_{h\to0}\frac{h^2}{h}$$
$$=\lim_{h\to0}h=0$$

즉, $f(x)$는 $x=0$에서 미분가능하다.

따라서 $x=0$에서 미분가능한 함수는 ⑤이다. 답 ⑤

다른 풀이 함수 $y=f(x)$의 그래프는 다음과 같다.

①
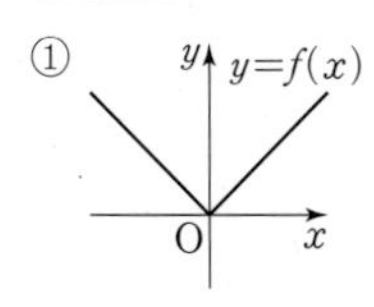

②
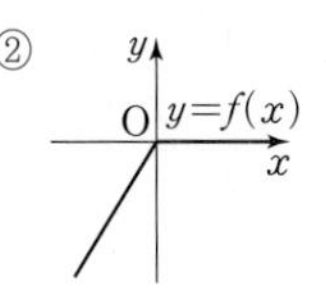

③
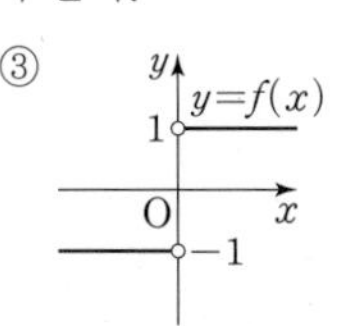

④ ⑤
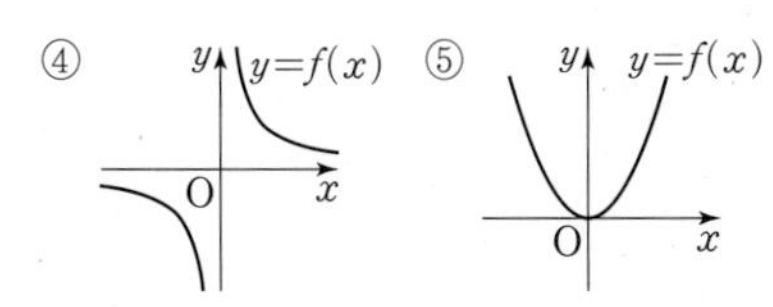

①, ② $x=0$에서 그래프가 꺾여 있으므로 미분가능하지 않다.

③, ④ $x=0$에서 정의되지 않으므로 미분가능하지 않다.

따라서 $x=0$에서 미분가능한 함수는 ⑤이다.

3-1 함수 $f(x)$가 미분가능하므로 $x=3$에서도 미분가능하다.

즉, 함수 $f(x)$가 $x=3$에서 연속이므로

$\lim_{x\to3}f(x)=a-1$

$$\lim_{x\to3}f(x)=\lim_{x\to3}\frac{x^2+5x-24}{x-3}=\lim_{x\to3}\frac{(x-3)(x+8)}{x-3}$$
$$=\lim_{x\to3}(x+8)=11$$

즉, $a-1=11$이므로 $a=12$ 답 12

3-2 $f(x)=\begin{cases}-(x-2)(x+k) & (x<2)\\ (x-2)(x+k) & (x\geq2)\end{cases}$이므로

$$\lim_{h\to0-}\frac{f(2+h)-f(2)}{h}=\lim_{h\to0-}\frac{-h(2+h+k)}{h}$$
$$=\lim_{h\to0-}(-2-h-k)=-2-k$$
$$\lim_{h\to0+}\frac{f(2+h)-f(2)}{h}=\lim_{h\to0+}\frac{h(2+h+k)}{h}$$
$$=\lim_{h\to0+}(2+h+k)=2+k$$

$f(x)$는 $x=2$에서 미분가능하므로

$-2-k=2+k$

$2k=-4$ $\therefore k=-2$

따라서 $f(x)=\begin{cases}-(x-2)^2 & (x<2)\\ (x-2)^2 & (x\geq2)\end{cases}$이므로

$$f'(1)=\lim_{h\to0}\frac{f(1+h)-f(1)}{h}$$
$$=\lim_{h\to0}\frac{-(-1+h)^2-(-1)}{h}$$
$$=\lim_{h\to0}\frac{-h^2+2h}{h}$$
$$=\lim_{h\to0}(-h+2)=2$$

답 2

대표문제 4 $f(x+y)=f(x)+f(y)+xy$에 $x=0$, $y=0$을 대입하면

$f(0+0)=f(0)+f(0)+0$

$\therefore f(0)=0$

또, $f'(0)=1$에서

$$f'(0)=\lim_{h\to0}\frac{f(0+h)-f(0)}{h}=\lim_{h\to0}\frac{f(h)}{h}=1$$

이므로

$$f'(1)=\lim_{h\to0}\frac{f(1+h)-f(1)}{h}$$
$$=\lim_{h\to0}\frac{f(1)+f(h)+h-f(1)}{h}$$
$$=\lim_{h\to0}\frac{f(h)+h}{h}=\lim_{h\to0}\left\{\frac{f(h)}{h}+1\right\}$$
$$=1+1=2$$
$$f'(2)=\lim_{h\to0}\frac{f(2+h)-f(2)}{h}$$
$$=\lim_{h\to0}\frac{f(2)+f(h)+2h-f(2)}{h}$$
$$=\lim_{h\to0}\frac{f(h)+2h}{h}=\lim_{h\to0}\left\{\frac{f(h)}{h}+2\right\}$$
$$=1+2=3$$

$\therefore f'(1)f'(2)=6$ 답 ③

4-1 $f(x+y)=f(x)+f(y)+3xy+2$에 $x=0$, $y=0$을 대입하면

$f(0+0)=f(0)+f(0)+0+2$

$\therefore f(0)=-2$

또, $f'(0)=3$에서

$$f'(0)=\lim_{h\to0}\frac{f(0+h)-f(0)}{h}=\lim_{h\to0}\frac{f(h)+2}{h}=3$$

이므로

$$f'(a)=\lim_{h\to0}\frac{f(a+h)-f(a)}{h}$$
$$=\lim_{h\to0}\frac{f(a)+f(h)+3ah+2-f(a)}{h}$$
$$=\lim_{h\to0}\left\{\frac{f(h)+2}{h}+3a\right\}$$
$$=3a+3$$
즉, $3a+3=12$이므로

$a=3$ 답 3

4-2 $f(x+y)=f(x)+g(5y)$에 $x=0$, $y=0$을 대입하면

$f(0+0)=f(0)+g(0)$

$\therefore g(0)=0$

또, $g'(0)=2$에서

$$g'(0)=\lim_{h\to0}\frac{g(0+h)-g(0)}{h}=\lim_{h\to0}\frac{g(h)}{h}=2$$
이므로
$$f'(4)=\lim_{h\to0}\frac{f(4+h)-f(4)}{h}$$
$$=\lim_{h\to0}\frac{f(4)+g(5h)-f(4)}{h}$$
$$=\lim_{h\to0}\frac{g(5h)}{h}=\lim_{h\to0}\left\{\frac{g(5h)}{5h}\times5\right\}$$
$$=2\times5=10$$
답 10

기출 예상 실전 문제로 마무리

| 본문 22~23쪽 |

01 ④	02 ③	03 4	04 ②	05 ④	06 ⑤
07 ①	08 2	09 ③	10 ①	11 ⑤	

01 x의 값이 1에서 a까지 변할 때의 함수 $f(x)$의 평균변화율은
$$\frac{f(a)-f(1)}{a-1}=\frac{(2a^2-1)-1}{a-1}=\frac{2a^2-2}{a-1}$$
$$=\frac{2(a+1)(a-1)}{a-1}=2(a+1)$$
즉, $2(a+1)=a+7$이므로

$a=5$ 답 ④

02 $f'(a)$, $f'(b)$, $f'(c)$는 각각 곡선 $y=f(x)$ 위의 점 $(a, f(a))$, $(b, f(b))$, $(c, f(c))$에서의 접선의 기울기이다.

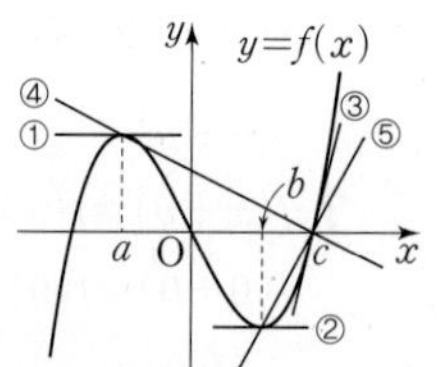

함수 $f(x)$의 구간 $[a, c]$에서의 평균변화율은 두 점 $(a, f(a))$, $(c, f(c))$를 지나는 직선의 기울기이고, 구간 $[b, c]$에서의 평균변화율은 두 점 $(b, f(b))$, $(c, f(c))$를 지나는 직선의 기울기이다.

따라서 그 값이 가장 큰 것은 ③이다. 답 ③

03
$$\lim_{h\to0}\frac{f(4+ah)-f(4+bh)}{h}$$
$$=\lim_{h\to0}\frac{f(4+ah)-f(4)+f(4)-f(4+bh)}{h}$$
$$=\lim_{h\to0}\frac{\{f(4+ah)-f(4)\}-\{f(4+bh)-f(4)\}}{h}$$
$$=\lim_{h\to0}\left\{\frac{f(4+ah)-f(4)}{ah}\times a\right\}-\lim_{h\to0}\left\{\frac{f(4+bh)-f(4)}{bh}\times b\right\}$$
$$=af'(4)-bf'(4)$$
$$=6(a-b)=24$$
$\therefore a-b=4$ 답 4

04
$$\lim_{x\to1}\frac{x^2f(1)-f(x^2)}{x-1}$$
$$=\lim_{x\to1}\frac{x^2f(1)-f(1)+f(1)-f(x^2)}{x-1}$$
$$=\lim_{x\to1}\frac{\{x^2f(1)-f(1)\}-\{f(x^2)-f(1)\}}{x-1}$$
$$=\lim_{x\to1}\left\{\frac{x^2-1}{x-1}\times f(1)\right\}-\lim_{x\to1}\frac{f(x^2)-f(1)}{x-1}$$
$$=\lim_{x\to1}\{(x+1)\times f(1)\}-\lim_{x\to1}\left\{\frac{f(x^2)-f(1)}{x^2-1}\times(x+1)\right\}$$
$$=2f(1)-2f'(1)$$
$$=2\times1-2\times5=-8$$
답 ②

05 조건 (나)에서 $x\to-2$일 때 (분모) $\to0$이고 극한값이 존재하므로 (분자) $\to0$이어야 한다.

즉, $\lim_{x\to-2}\{f(x)-4\}=0$이므로 $f(-2)=4$
$$\therefore \lim_{x\to-2}\frac{f(x)-4}{x+2}=\lim_{x\to-2}\frac{f(x)-f(-2)}{x-(-2)}$$
$$=f'(-2)=3$$
조건 (가)에서 $f(2)=f(-2)=4$
$$f'(2)=\lim_{h\to0}\frac{f(2+h)-f(2)}{h}$$
$$=\lim_{h\to0}\frac{f(-2-h)-f(-2)}{h}$$
$$=\lim_{h\to0}\left\{\frac{f(-2-h)-f(-2)}{-h}\times(-1)\right\}$$
$$=-f'(-2)=-3$$
$\therefore f(2)+f'(2)=1$ 답 ④

06 $\lim_{x\to-1}f(x)$, $\lim_{x\to0}f(x)$의 값이 존재하지 않으므로 함수 $f(x)$는 $x=-1$, $x=0$에서 불연속이다.

또, $\lim_{x\to2}f(x)=2$, $f(2)=1$이므로 함수 $f(x)$는 $x=2$에서 불연속이다.

따라서 함수 $f(x)$가 불연속인 점은 3개이므로 $a=3$
$$\lim_{x\to-2-}\frac{f(x)-f(2)}{x-2}>0,\ \lim_{x\to-2+}\frac{f(x)-f(2)}{x-2}<0$$
이므로 함수 $f(x)$는 $x=-2$에서 미분가능하지 않다.

또, 불연속이면 미분가능하지 않으므로 함수 $f(x)$가 미분가능하지 않은 점은 4개이다.

$\therefore b=4$

$\therefore a+b=7$

답 ⑤

07

ㄱ. $f(x)=\sqrt{(x+1)^2}=|x+1|$에서

$\lim_{x\to -1} f(x)=0$, $f(-1)=0$이므로 $f(x)$는 $x=-1$에서 연속이다.

$$\lim_{x\to -1-}\frac{f(x)-f(-1)}{x-(-1)}=\lim_{x\to -1-}\frac{|x+1|}{x+1}=\lim_{x\to -1-}\frac{-(x+1)}{x+1}=-1$$

$$\lim_{x\to -1+}\frac{f(x)-f(-1)}{x-(-1)}=\lim_{x\to -1+}\frac{|x+1|}{x+1}=\lim_{x\to -1+}\frac{x+1}{x+1}=1$$

$$\therefore \lim_{x\to -1-}\frac{f(x)-f(-1)}{x-(-1)}\neq\lim_{x\to -1+}\frac{f(x)-f(-1)}{x-(-1)}$$

즉, $f(x)$는 $x=-1$에서 미분가능하지 않다.

ㄴ. $g(x)=|x+1|^2$에서

$\lim_{x\to -1} g(x)=0$, $g(-1)=0$이므로 $g(x)$는 $x=-1$에서 연속이다.

$$g'(-1)=\lim_{x\to -1}\frac{g(x)-g(-1)}{x-(-1)}=\lim_{x\to -1}\frac{|x+1|^2}{x+1}=\lim_{x\to -1}\frac{(x+1)^2}{x+1}=\lim_{x\to -1}(x+1)=0$$

즉, $g(x)$는 $x=-1$에서 미분가능하다.

ㄷ. $h(x)=(x+1)|x+1|$에서

$\lim_{x\to -1} h(x)=0$, $h(-1)=0$이므로 $h(x)$는 $x=-1$에서 연속이다.

$$h'(-1)=\lim_{x\to -1}\frac{h(x)-h(-1)}{x-(-1)}=\lim_{x\to -1}\frac{(x+1)|x+1|}{x+1}=\lim_{x\to -1}|x+1|=0$$

즉, $h(x)$는 $x=-1$에서 미분가능하다.

따라서 $x=-1$에서 연속이지만 미분가능하지 않은 함수는 ㄱ뿐이다.

답 ①

08

$f(x+y)=f(x)f(y)$에 $x=0$, $y=0$을 대입하면

$f(0)=\{f(0)\}^2$

$\therefore f(0)=1$ ($\because f(x)>0$)

또, $f'(0)=2$에서

$$f'(0)=\lim_{h\to 0}\frac{f(0+h)-f(0)}{h}=\lim_{h\to 0}\frac{f(h)-1}{h}=2$$

이므로

$$f'(3)=\lim_{h\to 0}\frac{f(3+h)-f(3)}{h}=\lim_{h\to 0}\frac{f(3)f(h)-f(3)}{h}=\lim_{h\to 0}\left\{\frac{f(h)-1}{h}\times f(3)\right\}=2f(3)$$

$$\therefore \frac{f'(3)}{f(3)}=2$$

답 2

09

x의 값이 -2에서 0까지 변할 때의 함수 $f(x)$의 평균변화율은

$$\frac{f(0)-f(-2)}{0-(-2)}=\frac{-(-2)\times(-1)\times(-4)}{2}=4$$

x의 값이 0에서 a까지 변할 때의 함수 $f(x)$의 평균변화율은

$$\frac{f(a)-f(0)}{a-0}=\frac{a(a+1)(a-2)}{a}=(a+1)(a-2)\ (\because a>0)$$

즉, $4=(a+1)(a-2)$이므로

$a^2-a-6=0$

$(a+2)(a-3)=0$

$\therefore a=3$ ($\because a>0$)

답 ③

10

$y=f(x)$의 그래프가 y축에 대하여 대칭이므로

$f(-x)=f(x)$

$f'(2)=-3$에서

$$f'(-2)=\lim_{h\to 0}\frac{f(-2+h)-f(-2)}{h}=\lim_{h\to 0}\frac{f(2-h)-f(2)}{h}=\lim_{h\to 0}\left\{\frac{f(2-h)-f(2)}{-h}\times(-1)\right\}=-f'(2)=3$$

이므로

$$\lim_{x\to -2}\frac{f(x^2)-f(4)}{f(x)-f(-2)}$$

$$=\lim_{x\to -2}\left\{\frac{f(x^2)-f(4)}{x^2-4}\times\frac{x-(-2)}{f(x)-f(-2)}\times\frac{x^2-4}{x-(-2)}\right\}$$

$$=\lim_{x\to -2}\left\{\frac{f(x^2)-f(4)}{x^2-4}\times\frac{1}{\frac{f(x)-f(-2)}{x-(-2)}}\times(x-2)\right\}$$

$$=f'(4)\times\frac{1}{f'(-2)}\times(-4)$$

$$=6\times\frac{1}{3}\times(-4)=-8$$

답 ①

11

$a>1$이고, 함수 $f(x)$는 증가함수이므로

$f(a)>f(1)$

두 점 $(1,\ f(1))$, $(a,\ f(a))$ 사이의 거리가 a^2-1이므로

$\sqrt{(a-1)^2+\{f(a)-f(1)\}^2}=a^2-1$

위의 식의 양변을 제곱하면

$(a-1)^2+\{f(a)-f(1)\}^2=(a^2-1)^2$

$\{f(a)-f(1)\}^2=(a-1)^2(a+1)^2-(a-1)^2$

$\{f(a)-f(1)\}^2=(a-1)^2(a^2+2a)$

$\therefore f(a)-f(1)=(a-1)\sqrt{a^2+2a}$ ($\because a>1$, $f(a)>f(1)$)

함수 $f(x)$가 $x=1$에서 미분가능하므로

$$f'(1)=\lim_{a\to 1}\frac{f(a)-f(1)}{a-1}=\lim_{a\to 1}\frac{(a-1)\sqrt{a^2+2a}}{a-1}=\lim_{a\to 1}\sqrt{a^2+2a}=\sqrt{3}$$

답 ⑤

04강 도함수

| 본문 24쪽 |

확인 1 $f'(x)=\lim_{\Delta x\to 0}\frac{f(x+\Delta x)-f(x)}{\Delta x}$

$=\lim_{\Delta x\to 0}\frac{\{(x+\Delta x)^2-3(x+\Delta x)\}-(x^2-3x)}{\Delta x}$

$=\lim_{\Delta x\to 0}\frac{2x\Delta x+(\Delta x)^2-3\Delta x}{\Delta x}$

$=\lim_{\Delta x\to 0}(2x+\Delta x-3)=2x-3$ 답 $f'(x)=2x-3$

확인 2 (1) $y'=2\times 3x^2=6x^2$

(2) $y'=0$ 답 (1) $y'=6x^2$ (2) $y'=0$

확인 3 (1) $f'(x)=x^2+4x-6$이므로

$f'(2)=4+8-6=6$

(2) $f'(x)=2x(x^2+x-2)+(x^2+1)(2x+1)$이므로

$f'(2)=4\times4+5\times5=41$ 답 (1) 6 (2) 41

꼭! 나오는 핵심 유형 익히기

| 본문 25~27쪽 |

대표문제 1 ②	1-1 ⑤	1-2 ③	1-3 ④	1-4 ①
대표문제 2 14	2-1 ④	2-2 ③	2-3 25	2-4 7
대표문제 3 ⑤	3-1 ④	3-2 ①	3-3 ④	3-4 13

대표문제 1 $f'(x)=(x-1)'(x-2)(x-3)\cdots(x-10)$

$+(x-1)(x-2)'(x-3)\cdots(x-10)$

$+(x-1)(x-2)(x-3)'\cdots(x-10)$

$\vdots$

$+(x-1)(x-2)(x-3)\cdots(x-10)'$

$=(x-2)(x-3)(x-4)\cdots(x-10)$

$+(x-1)(x-3)(x-4)\cdots(x-10)$

$+(x-1)(x-2)(x-4)\cdots(x-10)$

$\vdots$

$+(x-1)(x-2)(x-3)\cdots(x-9)$

에서

$f'(1)=(1-2)(1-3)(1-4)\cdots(1-10)$

$=(-1)\times(-2)\times(-3)\times\cdots\times(-9)$

$=-(1\times2\times3\times\cdots\times9)$

$f'(4)=(4-1)(4-2)(4-3)(4-5)\cdots(4-10)$

$=3\times2\times1\times(-1)\times(-2)\times\cdots\times(-6)$

$=6\times(1\times2\times3\times\cdots\times6)$

$\therefore \frac{f'(1)}{f'(4)}=\frac{-(1\times2\times3\times\cdots\times9)}{6\times(1\times2\times3\times\cdots\times6)}$

$=\frac{-(7\times8\times9)}{6}$

$=-84$ 답 ②

1-1 $f'(x)+g'(x)=(3x^2-4x)+(2x-2)$

$=3x^2-2x-2$

이므로

$f'(2)+g'(2)=12-4-2=6$ 답 ⑤

1-2 함수 $y=f(x)$의 그래프 위의 점 $(3, 5)$에서의 접선의 기울기가 -4이므로

$f(3)=5,\ f'(3)=-4$

$g(x)=x^2f(x)+ax$에서

$g'(x)=2xf(x)+x^2f'(x)+a$이므로

$g'(3)=6f(3)+9f'(3)+a$

$=30-36+a$

$=-6+a=-5$

$\therefore a=1$ 답 ③

1-3 주어진 식의 양변에 $x=1$을 대입하면

$2f(1)=2g(1)$

$\therefore g(1)=f(1)=3$

또, 주어진 식의 양변을 x에 대하여 미분하면

$(2x-2)f(x)+(x^2-2x+3)f'(x)=g(x)+(x+1)g'(x)$

위의 식의 양변에 $x=1$을 대입하면

$2f'(1)=g(1)+2g'(1)$

$2\times3=3+2g'(1)\qquad \therefore g'(1)=\frac{3}{2}$

$\therefore g(1)+g'(1)=\frac{9}{2}$ 답 ④

1-4 $f'(x)=2ax$이므로

$4f(x)=\{f'(x)\}^2+x^2+4$에서

$4(ax^2+b)=(2ax)^2+x^2+4$

$4ax^2+4b=(4a^2+1)x^2+4$

이 식이 x에 대한 항등식이므로

$4a=4a^2+1,\ 4b=4$

$4a=4a^2+1$에서 $4a^2-4a+1=0$

$(2a-1)^2=0\qquad \therefore a=\frac{1}{2}$

$4b=4$에서 $b=1$

따라서 $f(x)=\frac{1}{2}x^2+1$이므로

$f(2)=\frac{1}{2}\times2^2+1=3$ 답 ①

대표문제 2 $\lim_{x\to1}\frac{f(x)-5}{x-1}=9$에서 $x\to1$일 때 (분모)$\to0$이고 극한값이 존재하므로 (분자)$\to0$이어야 한다.

즉, $\lim_{x\to1}\{f(x)-5\}=0$이므로 $f(1)=5$

$\therefore \lim_{x\to1}\frac{f(x)-5}{x-1}=\lim_{x\to1}\frac{f(x)-f(1)}{x-1}=f'(1)=9$

따라서 $g'(x)=f(x)+xf'(x)$이므로

$g'(1)=f(1)+f'(1)=5+9=14$ 답 14

2-1 $\lim_{h\to0}\frac{f(1+2h)-f(1)}{h}=\lim_{h\to0}\left\{\frac{f(1+2h)-f(1)}{2h}\times2\right\}$

$=2f'(1)$

$f'(x)=4x+4$이므로

(주어진 식)$=2f'(1)=2\times8=16$ 답 ④

2-2 $\lim_{h\to0}\frac{f(a+h)-f(a-h)}{h}$

$=\lim_{h\to0}\frac{f(a+h)-f(a)+f(a)-f(a-h)}{h}$

$=\lim_{h\to0}\frac{\{f(a+h)-f(a)\}-\{f(a-h)-f(a)\}}{h}$

$=\lim_{h\to0}\frac{f(a+h)-f(a)}{h}-\lim_{h\to0}\left\{\frac{f(a-h)-f(a)}{-h}\times(-1)\right\}$

$=f'(a)+f'(a)=2f'(a)=48$

$\therefore f'(a)=24$

$f'(x)=3(2x-1)^2\times2=6(2x-1)^2$이므로

$6(2a-1)^2=24,\ 2a-1=\pm2$

$\therefore a=\frac{3}{2}\ (\because a>0)$ 답 ③

2-3 $\frac{1}{n}=h$로 놓으면 $n\to\infty$일 때 $h\to0$이므로

$\lim_{n\to\infty}n\left\{f\left(1+\frac{3}{n}\right)-f\left(1-\frac{2}{n}\right)\right\}$

$=\lim_{h\to0}\frac{1}{h}\{f(1+3h)-f(1-2h)\}$

$=\lim_{h\to0}\frac{f(1+3h)-f(1)+f(1)-f(1-2h)}{h}$

$=\lim_{h\to0}\frac{\{f(1+3h)-f(1)\}-\{f(1-2h)-f(1)\}}{h}$

$=\lim_{h\to0}\left\{\frac{f(1+3h)-f(1)}{3h}\times3\right\}$

$-\lim_{h\to0}\left\{\frac{f(1-2h)-f(1)}{-2h}\times(-2)\right\}$

$=3f'(1)+2f'(1)$

$=5f'(1)$

$f'(x)=8x^3-3$이므로

(주어진 식)$=5f'(1)=5\times(8-3)=25$ 답 25

2-4 $\lim_{x\to0}\frac{f(x)}{x}=12$에서 $x\to0$일 때 (분모)$\to0$이고 극한값이 존재하므로 (분자)$\to0$이어야 한다.

즉, $\lim_{x\to0}f(x)=0$이므로 $f(0)=0$

$\therefore \lim_{x\to0}\frac{f(x)}{x}=\lim_{x\to0}\frac{f(x)-f(0)}{x}=f'(0)=12$

$\lim_{x\to3}\frac{f(x)}{x-3}=-3$에서 $x\to3$일 때 (분모)$\to0$이고 극한값이 존재하므로 (분자)$\to0$이어야 한다.

즉, $\lim_{x\to3}f(x)=0$이므로 $f(3)=0$

$\therefore \lim_{x\to3}\frac{f(x)}{x-3}=\lim_{x\to3}\frac{f(x)-f(3)}{x-3}=f'(3)=-3$

삼차함수 $f(x)$의 최고차항의 계수가 1이므로

$f(x)=x(x-3)(x-a)$ (a는 상수)로 놓을 수 있다.

이때 $f'(x)=(x-3)(x-a)+x(x-a)+x(x-3)$에서

$f'(0)=(-3)\times(-a)=3a$

즉, $3a=12$이므로 $a=4$

$\therefore f(x)=x(x-3)(x-4)$

따라서 방정식 $f(x)=0$의 모든 근의 합은

$0+3+4=7$ 답 7

참고 함수 $f(x)$는 다음과 같이 구할 수도 있다.

$f(x)=x(x-3)(x-a)$(a는 상수)로 놓으면

$\lim_{x\to0}\frac{f(x)}{x}=\lim_{x\to0}\frac{x(x-3)(x-a)}{x}=\lim_{x\to0}(x-3)(x-a)=3a$

즉, $3a=12$이므로 $a=4$

$\therefore f(x)=x(x-3)(x-4)$

대표문제 3 함수 $f(x)$가 실수 전체의 집합에서 미분가능하므로 $x=-2$에서도 미분가능하고 연속이다.

(i) 함수 $f(x)$가 $x=-2$에서 연속이므로

$\lim_{x\to-2-}f(x)=\lim_{x\to-2+}f(x)=f(-2)$에서

$\lim_{x\to-2-}f(x)=\lim_{x\to-2-}(x^2+ax+b)=4-2a+b$

$\lim_{x\to-2+}f(x)=\lim_{x\to-2+}2x=-4$

$f(-2)=4-2a+b$

즉, $4-2a+b=-4$이므로

$2a-b=8$ …… ㉠

(ii) 함수 $f(x)$가 $x=-2$에서 미분가능하고

$f'(x)=\begin{cases}2x+a & (x<-2)\\ 2 & (x>-2)\end{cases}$이므로

$\lim_{x\to-2-}f'(x)=\lim_{x\to-2+}f'(x)$에서

$\lim_{x\to-2-}f'(x)=\lim_{x\to-2-}(2x+a)=-4+a$

$\lim_{x\to-2+}f'(x)=\lim_{x\to-2+}2=2$

즉, $-4+a=2$이므로 $a=6$

$a=6$을 ㉠에 대입하여 풀면 $b=4$

$\therefore a+b=10$ 답 ⑤

3-1 (i) 함수 $g(x)$가 $x=1$에서 연속이므로

$\lim_{x\to1-}g(x)=\lim_{x\to1+}g(x)=g(1)$에서

$\lim_{x\to1-}f(x)=\lim_{x\to1+}(3x+2)=5$

$\therefore \lim_{x\to1-}f(x)=5$

함수 $f(x)$는 $x=1$에서 연속이므로

$f(1)=\lim_{x\to1}f(x)=\lim_{x\to1-}f(x)=5$

(ii) 함수 $g(x)$가 $x=1$에서 미분가능하고

$g'(x)=\begin{cases}f'(x) & (x<1)\\ 3 & (x>1)\end{cases}$이므로

$\lim_{x\to1-}g'(x)=\lim_{x\to1+}g'(x)$에서

$\lim_{x\to1-}g'(x)=\lim_{x\to1-}f'(x)=f'(1)$

$\lim_{x\to1+}g'(x)=\lim_{x\to1+}3=3$

$\therefore f'(1)=3$

$\therefore f(1)+f'(1)=8$ 답 ④

3-2 (i) 함수 $f(x)$가 $x=a$에서 연속이므로

$\lim_{x\to a-} f(x)=\lim_{x\to a+} f(x)=f(a)$에서

$\lim_{x\to a-} f(x)=\lim_{x\to a-} (-x^2+5x+b)=-a^2+5a+b$

$\lim_{x\to a+} f(x)=\lim_{x\to a+} x^3=a^3$

$f(a)=-a^2+5a+b$

즉, $a^3=-a^2+5a+b$이므로

$b=a^3+a^2-5a$ ...... ㉠

(ii) 함수 $f(x)$가 $x=a$에서 미분가능하고

$f'(x)=\begin{cases} -2x+5 & (x<a) \\ 3x^2 & (x>a) \end{cases}$이므로

$\lim_{x\to a-} f'(x)=\lim_{x\to a+} f'(x)$에서

$\lim_{x\to a-} f'(x)=\lim_{x\to a-} (-2x+5)=-2a+5$

$\lim_{x\to a+} f'(x)=\lim_{x\to a+} 3x^2=3a^2$

즉, $3a^2=-2a+5$이므로 $3a^2+2a-5=0$

$(3a+5)(a-1)=0 \quad \therefore a=1 \ (\because a>0)$

$a=1$을 ㉠에 대입하여 풀면 $b=-3$

$\therefore ab=-3$

답 ①

3-3 함수 $f(x)$가 실수 전체의 집합에서 미분가능하므로 $x=0$에서도 미분가능하고 연속이다.

(i) 함수 $f(x)$가 $x=0$에서 연속이므로

$\lim_{x\to 0-} f(x)=\lim_{x\to 0+} f(x)=f(0)$에서

$\lim_{x\to 0-} f(x)=\lim_{x\to 0-} (-3x+a)=a$

$\lim_{x\to 0+} f(x)=\lim_{x\to 0+} (4x^3-ax-b)=-b$

$f(0)=-b$

$\therefore a=-b$ ...... ㉠

(ii) 함수 $f(x)$가 $x=0$에서 미분가능하고

$f'(x)=\begin{cases} -3 & (x<0) \\ 12x^2-a & (x>0) \end{cases}$이므로

$\lim_{x\to 0-} f'(x)=\lim_{x\to 0+} f'(x)$에서

$\lim_{x\to 0-} f'(x)=\lim_{x\to 0-} (-3)=-3$

$\lim_{x\to 0+} f'(x)=\lim_{x\to 0+} (12x^2-a)=-a$

즉, $-3=-a$이므로 $a=3$

$a=3$을 ㉠에 대입하여 풀면 $b=-3$

$\therefore f(x)=\begin{cases} -3x+3 & (x<0) \\ 4x^3-3x+3 & (x\ge 0) \end{cases}$

$\therefore f(1)=4-3+3=4$

답 ④

3-4 함수 $g(x)$가 실수 전체의 집합에서 미분가능하려면 $x=k$에서 미분가능하고 연속이어야 한다.

$\lim_{x\to k-} g(x)=\lim_{x\to k+} g(x)=g(k)=f(k)$이므로 함수 $g(x)$는 $x=k$에서 연속이다.

함수 $g(x)$가 $x=k$에서 미분가능하고

$g'(x)=\begin{cases} f'(x) & (x>k) \\ -f'(2k-x) & (x<k) \end{cases}$이므로

$\lim_{x\to k-} g'(x)=\lim_{x\to k+} g'(x)$에서

$\lim_{x\to k-} g'(x)=\lim_{x\to k-} \{-f'(2k-x)\}=-f'(k)$

$\lim_{x\to k+} g'(x)=\lim_{x\to k+} f'(x)=f'(k)$

즉, $f'(k)=-f'(k)$이므로 $f'(k)=0$

따라서 $x=k$는 이차방정식 $f'(x)=0$의 해이다.

이때 $f'(x)=3x^2-2x-9$이므로 $f'(x)=0$, 즉

$3x^2-2x-9=0$에서 이차방정식의 근과 계수의 관계에 의하여 두 실근의 합은 $\frac{2}{3}$이다.

즉, 모든 실수 k의 값의 합은 $\frac{2}{3}$이다.

따라서 $p=3$, $q=2$이므로

$p^2+q^2=13$

답 13

기출 예상 실전 문제로 마무리

| 본문 28~29쪽 |

01 ③	02 ④	03 ⑤	04 11	05 ②	06 60
07 ③	08 ①	09 56	10 ④	11 ②	

01 $f'(x)=9x^2-a$이므로

$f'(2)=36-a=30$

$\therefore a=6$

답 ③

02 $f'(x)=(2x-4)(x^3+x^2+6)+(x^2-4x+7)(3x^2+2x)$

이므로

$f'(1)=(-2)\times 8+4\times 5=4$

답 ④

03 점 $(a, 3)$은 직선 $y=2x-7$ 위의 점이므로

$2a-7=3 \quad \therefore a=5$

즉, 점 $(5, 3)$은 곡선 $y=f(x)$ 위의 점이고 이 점에서 접하는 직선의 기울기가 2이므로

$f(5)=3$, $f'(5)=2$

$g'(x)=(2x+2)f(x)+(x^2+2x)f'(x)$에서

$g'(a)=g'(5)=12f(5)+35f'(5)$

$=36+70=106$

답 ⑤

04 $f(2)=2+\frac{1}{2}\times 4=4$, $g(2)=\frac{1}{4}\times 16=4$이므로

$f(2)=g(2)$

$\lim_{h\to 0} \frac{f(2+h)-g(2-h)}{h}$

$=\lim_{h\to 0} \frac{f(2+h)-f(2)+g(2)-g(2-h)}{h}$

$=\lim_{h\to 0} \frac{\{f(2+h)-f(2)\}-\{g(2-h)-g(2)\}}{h}$

$=\lim_{h\to 0} \frac{f(2+h)-f(2)}{h}-\lim_{h\to 0}\left\{\frac{g(2-h)-g(2)}{-h}\times(-1)\right\}$

$=f'(2)+g'(2)$

$f'(x)=1+x$, $g'(x)=x^3$이므로

$f'(2)=1+2=3$, $g'(2)=2^3=8$

$\therefore$ (주어진 식)$=f'(2)+g'(2)=11$ 답 11

05

$f(x)=x^{10}+x^9+x^8+\cdots+x$로 놓으면

$f(-1)=1+(-1)+1+\cdots+(-1)=0$이므로

$$\lim_{x\to-1}\frac{x^{10}+x^9+x^8+\cdots+x}{x+1}=\lim_{x\to-1}\frac{f(x)}{x+1}=\lim_{x\to-1}\frac{f(x)-f(-1)}{x-(-1)}=f'(-1)$$

$f'(x)=10x^9+9x^8+8x^7+\cdots+1$이므로

$f'(-1)=-10+9+(-8)+\cdots+1=-5$ 답 ②

06

조건 (가)에서 극한값이 1이므로 $f(x)$는 최고차항의 계수가 2인 삼차함수이다.

$f(x)=2x^3+ax^2+bx+c$ (a, b, c는 상수)로 놓으면

$f'(x)=6x^2+2ax+b$

조건 (나)에서 $x\to0$일 때 (분모)$\to0$이고 극한값이 존재하므로 (분자)$\to0$이어야 한다.

즉, $\lim_{x\to0}f'(x)=0$이므로 $f'(0)=0$ $\quad\therefore b=0$

$$\therefore \lim_{x\to0}\frac{f'(x)}{x}=\lim_{x\to0}\frac{6x^2+2ax}{x}=\lim_{x\to0}(6x+2a)=2a=2$$

$\therefore a=1$

따라서 $f'(x)=6x^2+2x$이므로

$f'(3)=6\times3^2+2\times3=60$ 답 60

07

다항식 $x^{10}+ax^5+b$를 $(x-1)^2$으로 나누었을 때의 몫을 $Q(x)$로 놓으면

$x^{10}+ax^5+b=(x-1)^2Q(x)$ $\quad\cdots\cdots$ ㉠

㉠의 양변에 $x=1$을 대입하면

$1+a+b=0$ $\quad\therefore a+b=-1$ $\quad\cdots\cdots$ ㉡

㉠의 양변을 x에 대하여 미분하면

$10x^9+5ax^4=2(x-1)Q(x)+(x-1)^2Q'(x)$

위의 식의 양변에 $x=1$을 대입하면

$10+5a=0$ $\quad\therefore a=-2$

$a=-2$를 ㉡에 대입하여 풀면 $b=1$

$\therefore a^2+b^2=(-2)^2+1^2=5$ 답 ③

참고 함수 $f(x)$가 미분가능할 때, $y=\{f(x)\}^2$이면

$y'=[\{f(x)\}^2]'=\{f(x)f(x)\}'$

$=f'(x)f(x)+f(x)f'(x)=2f(x)f'(x)$

08

함수 $f(x)$가 실수 전체의 집합에서 미분가능하므로 $x=4$에서도 미분가능하고 연속이다.

(i) 함수 $f(x)$가 $x=4$에서 연속이므로

$\lim_{x\to4-}f(x)=\lim_{x\to4+}f(x)=f(4)$에서

$\lim_{x\to4-}f(x)=\lim_{x\to4-}x^2=16$

$\lim_{x\to4+}f(x)=\lim_{x\to4+}\{-(x-a)^2+b\}=-(4-a)^2+b$

$f(4)=16$

즉, $16=-(4-a)^2+b$이므로

$b=(4-a)^2+16$ $\quad\cdots\cdots$ ㉠

(ii) 함수 $f(x)$가 $x=4$에서 미분가능하고

$f'(x)=\begin{cases}2x & (x<4)\\ -2(x-a) & (x>4)\end{cases}$이므로

$\lim_{x\to4-}f'(x)=\lim_{x\to4+}f'(x)$에서

$\lim_{x\to4-}f'(x)=\lim_{x\to4-}2x=8$

$\lim_{x\to4+}f'(x)=\lim_{x\to4+}\{-2(x-a)\}=-2(4-a)$

즉, $8=-2(4-a)$이므로

$8=-8+2a$, $2a=16$

$\therefore a=8$

$a=8$을 ㉠에 대입하면

$b=(4-8)^2+16=32$

$\therefore a+b=40$ 답 ①

09

최고차항의 계수가 1인 삼차함수 $y=f(x)$의 그래프와 x축이 만나는 서로 다른 세 점의 x좌표가 $-2t$, 0, t이므로

$f(x)=(x+2t)x(x-t)$

$=x^3+tx^2-2t^2x$

$f'(x)=3x^2+2tx-2t^2$이므로

$f'(4)=-2t^2+8t+48$

$=-2(t-2)^2+56$ (단, $t>0$)

따라서 $f'(4)$의 최댓값은 $t=2$일 때 56이다. 답 56

10

$\lim_{x\to2}\frac{f(x)}{(x-2)\{f'(x)\}^2}=\frac{1}{4}$에서 $x\to2$일 때 (분모)$\to0$이고 극한값이 존재하므로 (분자)$\to0$이어야 한다.

즉, $\lim_{x\to2}f(x)=0$이므로 $f(2)=0$

따라서 $f(1)=0$, $f(2)=0$이고 최고차항의 계수가 1인 삼차함수 $f(x)$는

$f(x)=(x-1)(x-2)(x-a)$ (a는 상수)로 놓을 수 있다.

$f'(x)=(x-2)(x-a)+(x-1)(x-a)+(x-1)(x-2)$이므로

$$\lim_{x\to2}\frac{f(x)}{(x-2)\{f'(x)\}^2}$$

$$=\lim_{x\to2}\frac{(x-1)(x-2)(x-a)}{(x-2)\{f'(x)\}^2}$$

$$=\lim_{x\to2}\frac{(x-1)(x-a)}{\{(x-2)(x-a)+(x-1)(x-a)+(x-1)(x-2)\}^2}$$

$$=\frac{(2-1)(2-a)}{\{(2-1)(2-a)\}^2}$$

$$=\frac{1}{2-a}=\frac{1}{4}$$

즉, $2-a=4$이므로 $a=-2$

따라서 $f(x)=(x-1)(x-2)(x+2)$이므로

$f(3)=(3-1)(3-2)(3+2)=10$ 답 ④

11 함수 $f(x)$는 $x=-1$, $x=0$에서 불연속이다.

즉, $x\neq-1$, $x\neq0$일 때,

$f'(x)=\frac{1}{2}(3x^2-3)$이므로 함수 $y=f'(x)$의 그래프는 오른쪽 그림과 같다.

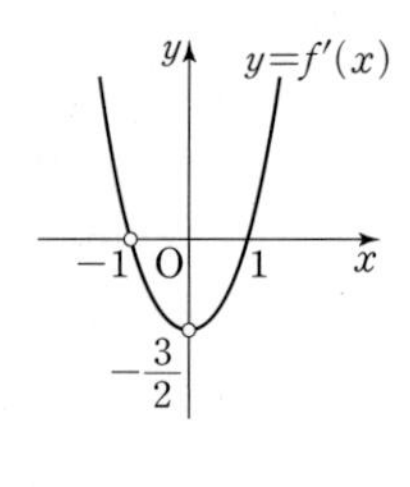

ㄱ. 함수 $f(x)$는 $x=0$에서 불연속이므로 $x=0$에서 미분가능하지 않다. (거짓)

ㄴ. 함수 $y=f'(x)$의 그래프에서

$\lim_{x\to0}f'(x)=-\frac{3}{2}$ (참)

ㄷ. $f'(x)=t$로 놓으면 $x\to-1+$일 때 $t\to0-$이므로

$\lim_{x\to-1+}f(f'(x))=\lim_{t\to0-}f(t)=-1$ (거짓)

따라서 옳은 것은 ㄴ뿐이다. 답 ②

05강 도함수의 활용 (1)

| 본문 30쪽 |

확인 1 $f(x)=-2x^3+3x$로 놓으면 $f'(x)=-6x^2+3$이므로

곡선 위의 점 $(1, 1)$에서의 접선의 기울기는

$f'(1)=-6+3=-3$ 답 -3

확인 2 $f(x)=-x^3+4x$로 놓으면 $f'(x)=-3x^2+4$이므로

곡선 위의 점 $(1, 3)$에서의 접선의 기울기는

$f'(1)=-3+4=1$

따라서 접선의 방정식은

$y-3=x-1$, 즉 $y=x+2$

이므로 $a=1$, $b=2$

$\therefore 10a+b=12$ 답 12

확인 3 함수 $f(x)=x^2+2x-3$은 닫힌구간 $[-3, 1]$에서 연속이고 열린구간 $(-3, 1)$에서 미분가능하며 $f(-3)=f(1)=0$이므로 롤의 정리에 의하여 $f'(c)=0$인 실수 c가 열린구간 $(-3, 1)$에 적어도 하나 존재한다.

$f'(x)=2x+2$에서 $f'(c)=2c+2$이므로

$2c+2=0$ $\quad\therefore c=-1$ 답 -1

확인 4 함수 $f(x)=-x^2+5x$는 닫힌구간 $[0, 2]$에서 연속이고 열린구간 $(0, 2)$에서 미분가능하므로 평균값 정리에 의하여

$\frac{f(2)-f(0)}{2-0}=f'(c)$

인 c가 열린구간 $(0, 2)$에 적어도 하나 존재한다.

이때 $f(2)=6$, $f(0)=0$, $f'(x)=-2x+5$이므로

$\frac{6-0}{2-0}=-2c+5$, $2c=2$ $\quad\therefore c=1$ 답 1

꼭! 나오는 핵심 유형 익히기

| 본문 31~33쪽 |

대표문제 1 ⑤	1-1 ④	1-2 ②	1-3 ③	1-4 ①
대표문제 2 ②	2-1 ④	2-2 ④	2-3 ④	2-4 ①
대표문제 3 ②	3-1 ⑤	3-2 5	3-3 ③	3-4 ⑤

대표문제 1 곡선 $y=g(x)$ 위의 점 $(2, g(2))$에서의 접선의 기울기는

$g'(2)=f(2)=(2-3)^2=1$

즉, 접선의 기울기는 1이고 y절편이 -5이므로 접선의 방정식은

$y=x-5$

$y=0$을 대입하면

$0=x-5$ $\quad\therefore x=5$

따라서 이 접선의 x절편은 5이다. 답 ⑤

1-1 $f(x)=x^3-2x$로 놓으면 $f'(x)=3x^2-2$이므로

곡선 위의 점 $\mathrm{P}(2, 4)$에서의 접선의 기울기는

$f'(2)=12-2=10$

이때 점 P에서의 접선과 수직인 직선의 기울기는

$-\frac{1}{f'(2)}=-\frac{1}{10}$이므로 점 P를 지나고 점 P에서의 접선과 수직인 직선의 방정식은

$y-4=-\frac{1}{10}(x-2)$

$\therefore y=-\frac{1}{10}x+\frac{21}{5}$

따라서 $a=-\frac{1}{10}$, $b=\frac{21}{5}$이므로

$a+b=\frac{41}{10}$ 답 ④

1-2 $f(x)=x^3-3x^2+x+1$로 놓으면

$f'(x)=3x^2-6x+1$

점 A의 x좌표가 3이므로 점 A에서의 접선의 기울기는

$f'(3)=27-18+1=10$

점 B의 x좌표를 a $(a\neq3)$라 하면 두 점 A, B에서의 접선이 서로 평행하므로

$f'(a)=10$

$3a^2-6a+1=10$, $a^2-2a-3=0$

$(a+1)(a-3)=0$ $\quad\therefore a=-1$ ($\because a\neq3$)

$f(-1)=-4$이므로 점 $\mathrm{B}(-1, -4)$에서의 접선의 방정식은

$y-(-4)=10\{x-(-1)\}$

$\therefore y=10x+6$

따라서 점 B에서의 접선의 y절편은 6이다. 답 ②

1-3 $f(x)=x^3-9x$로 놓으면

$f'(x)=3x^2-9$

접점의 좌표를 (t, t^3-9t)라 하면 접선의 기울기가 18이므로

$f'(t)=3t^2-9=18$

$t^2=9$ $\quad\therefore t=-3$ 또는 $t=3$

따라서 접점의 좌표는 $(-3, 0)$, $(3, 0)$이므로 접선의 방정식은

$y=18(x+3)$, $y=18(x-3)$

$\therefore y=18x+54$, $y=18x-54$

즉, $a=54$, $b=-54$ 또는 $a=-54$, $b=54$이므로

$a+b=0$ 답 ③

1-4 두 점 $(-1, -8)$, $(2, 4)$를 지나는 직선의 기울기는

$\frac{4-(-8)}{2-(-1)}=4$

$f'(x)=2x+2$이고 점 (a, b)에서의 접선의 기울기가 4이므로

$f'(a)=2a+2=4 \quad \therefore a=1$

$b=f(a)=f(1)=1+2-3=0$

$\therefore ab=0$

$g(x)=xf(x)+1$로 놓으면 $g'(x)=f(x)+xf'(x)$이므로

$g(0)=1$, $g'(0)=f(0)=-3$

곡선 $y=xf(x)+1$ 위의 $x=ab$인 점, 즉 점 $(0, 1)$에서의 접선의 방정식은

$y-g(0)=g'(0)(x-0)$에서

$y-1=-3(x-0) \quad \therefore y=-3x+1$

$y=0$을 대입하면

$0=-3x+1 \quad \therefore x=\frac{1}{3}$

따라서 이 접선의 x절편은 $\frac{1}{3}$이다. 답 ①

대표문제 2 $f(x)=x^3-2$로 놓으면

$f'(x)=3x^2$

점 $(0, -4)$에서 곡선 $y=f(x)$에 그은 접선의 접점의 좌표를 (t, t^3-2)라 하면 이 점에서의 접선의 기울기는 $f'(t)=3t^2$이므로 접선의 방정식은

$y-(t^3-2)=3t^2(x-t)$

$\therefore y=3t^2x-2t^3-2 \quad \cdots\cdots$ ㉠

이 직선이 점 $(0, -4)$를 지나므로

$-4=-2t^3-2$, $t^3=1 \quad \therefore t=1$

$t=1$을 ㉠에 대입하면

$y=3x-4$

이 직선이 x축과 만나는 점의 좌표가 $(a, 0)$이므로

$0=3a-4 \quad \therefore a=\frac{4}{3}$ 답 ②

2-1 $f(x)=x^3-3x^2$으로 놓으면

$f'(x)=3x^2-6x$

점 $(0, a)$에서 곡선 $y=f(x)$에 그은 접선의 접점의 좌표를 (t, t^3-3t^2)이라 하면 이 점에서의 접선의 기울기가 -3이므로

$f'(t)=3t^2-6t=-3$

$3(t-1)^2=0 \quad \therefore t=1$

따라서 접점의 좌표는 $(1, -2)$이므로 접선의 방정식은

$y-(-2)=-3(x-1)$

$\therefore y=-3x+1$

점 $(0, a)$는 이 접선 위의 점이므로

$a=1$ 답 ④

2-2 $f(x)=2x^2-3x$로 놓으면

$f'(x)=4x-3$

점 $\mathrm{A}(0, -8)$에서 곡선 $y=f(x)$에 그은 접선의 접점의 좌표를 $(t, 2t^2-3t)$라 하면 이 점에서의 접선의 기울기는

$f'(t)=4t-3$이므로 접선의 방정식은

$y-(2t^2-3t)=(4t-3)(x-t)$

$\therefore y=(4t-3)x-2t^2$

이 직선이 점 $\mathrm{A}(0, -8)$을 지나므로

$-8=-2t^2$, $t^2=4 \quad \therefore t=-2$ 또는 $t=2$

따라서 $\mathrm{B}(-2, 14)$, $\mathrm{C}(2, 2)$ 또는 $\mathrm{B}(2, 2)$, $\mathrm{C}(-2, 14)$이므로 삼각형 ABC의 무게중심 G의 좌표는

$\left(\frac{0+(-2)+2}{3}, \frac{-8+14+2}{3}\right)$, 즉 $\left(0, \frac{8}{3}\right)$

$\therefore \overline{\mathrm{OG}}=\frac{8}{3}$ 답 ④

2-3 $f(x)=x^3-2x^2+x$로 놓으면

$f'(x)=3x^2-4x+1$

점 $(2, 0)$에서 곡선 $y=f(x)$에 그은 접선의 접점의 좌표를 (t, t^3-2t^2+t)라 하면 이 점에서의 접선의 기울기는

$f'(t)=3t^2-4t+1$이므로 접선의 방정식은

$y-(t^3-2t^2+t)=(3t^2-4t+1)(x-t)$

$\therefore y=(3t^2-4t+1)x-2t^3+2t^2$

이 직선이 점 $(2, 0)$을 지나므로

$0=-2t^3+8t^2-8t+2$

$\therefore t^3-4t^2+4t-1=0$

따라서 삼차방정식의 근과 계수의 관계에 의하여 세 접점의 x좌표의 합은 4이다. 답 ④

2-4 $f(x)=x^2-2x$로 놓으면

$f'(x)=2x-2$

점 $\mathrm{P}(1, t)$에서 곡선 $y=f(x)$에 그은 접선의 접점의 좌표를 (a, a^2-2a)라 하면 이 점에서의 접선의 기울기는

$f'(a)=2a-2$이므로 접선의 방정식은

$y-(a^2-2a)=(2a-2)(x-a)$

$\therefore y=(2a-2)x-a^2$

이 직선이 점 $\mathrm{P}(1, t)$를 지나므로

$t=2a-2-a^2$

$\therefore a^2-2a+t+2=0 \quad \cdots\cdots$ ㉠

a에 대한 이차방정식 ㉠의 두 근을 α, β라 하면 이차방정식의 근과 계수의 관계에 의하여

$\alpha+\beta=2$, $\alpha\beta=t+2$

또, α, β는 접점의 x좌표이므로 두 접점에서의 접선의 기울기는 각각 $f'(\alpha)$, $f'(\beta)$이다.

이때 두 접선이 이루는 각의 크기가 $90°$이므로

$f'(\alpha)f'(\beta)=-1$에서

$$\begin{aligned}(2\alpha-2)(2\beta-2)&=4\alpha\beta-4(\alpha+\beta)+4\\&=4(t+2)-4\times2+4\\&=4t+4=-1\end{aligned}$$

$\therefore t=-\frac{5}{4}$ 답 ①

대표문제 3 함수 $f(x)=x^3-4x^2$은 닫힌구간 $[0, 4]$에서 연속이고 열린구간 $(0, 4)$에서 미분가능하다.
이때 $f(0)=f(4)=0$이므로 롤의 정리에 의하여 $f'(c)=0$을 만족시키는 c가 열린구간 $(0, 4)$에 적어도 하나 존재한다.
$f'(x)=3x^2-8x$이므로
$f'(c)=3c^2-8c=0$, $c(3c-8)=0$
$\therefore c=\frac{8}{3}$ ($\because 0<c<4$) 답 ②

3-1 함수 $f(x)=x^2-2x+3$은 닫힌구간 $[0, 5]$에서 연속이고 열린구간 $(0, 5)$에서 미분가능하다.
평균값 정리에 의하여 $\frac{f(5)-f(0)}{5-0}=f'(c)$를 만족시키는 c가 열린구간 $(0, 5)$에 적어도 하나 존재한다.
$f'(x)=2x-2$이므로
$\frac{(25-10+3)-3}{5-0}=2c-2$
$3=2c-2$ $\therefore c=\frac{5}{2}$ 답 ⑤

3-2 다항함수 $f(x)$는 닫힌구간 $[-2, 3]$에서 연속이고 열린구간 $(-2, 3)$에서 미분가능하다.
평균값 정리에 의하여 $\frac{f(3)-f(-2)}{3-(-2)}=f'(c)$를 만족시키는 c가 열린구간 $(-2, 3)$에 적어도 하나 존재한다.
이때 실수 c는 두 점 $(-2, f(-2))$, $(3, f(3))$을 잇는 직선의 기울기와 같은 미분계수를 갖는 점의 x좌표이다.
오른쪽 그림과 같이 두 점 $(-2, f(-2))$, $(3, f(3))$을 잇는 직선과 평행한 접선을 5개 그을 수 있으므로 구하는 실수 c의 개수는 5이다. 답 5

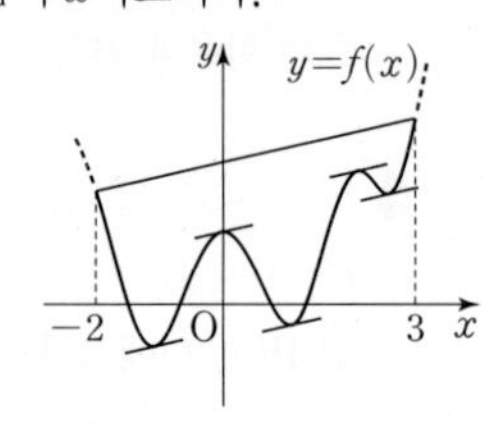

3-3 함수 $f(x)=x^2-2ax+a^2$은 닫힌구간 $[a-1, a+1]$에서 연속이고 열린구간 $(a-1, a+1)$에서 미분가능하다.
이때 $f(x)=x^2-2ax+a^2=(x-a)^2$에서 $f(a-1)=1$, $f(a+1)=1$이므로 롤의 정리에 의하여 $f'(3)=0$을 만족시키는 3이 열린구간 $(a-1, a+1)$에 존재한다.
$f'(x)=2x-2a$이므로
$f'(3)=6-2a=0$
$\therefore a=3$ 답 ③

3-4 ㄱ. 다항함수 $f(x)$는 닫힌구간 $[0, 1]$에서 연속이고 열린구간 $(0, 1)$에서 미분가능하다.
평균값 정리에 의하여 $\frac{f(1)-f(0)}{1-0}=3=f'(c_1)$을 만족시키는 c_1이 열린구간 $(0, 1)$에 적어도 하나 존재한다. (참)
ㄴ. 다항함수 $f(x)$는 닫힌구간 $[1, 3]$에서 연속이고 열린구간 $(1, 3)$에서 미분가능하다.
이때 $f(1)=f(3)$이므로 롤의 정리에 의하여 $f'(c_2)=0$을 만족시키는 c_2가 열린구간 $(1, 3)$에 적어도 하나 존재한다. (참)
ㄷ. 조건 (가), (나)에서 $f(3)-f(0)=f(1)-f(0)=3$
다항함수 $f(x)$는 닫힌구간 $[0, 3]$에서 연속이고 열린구간 $(0, 3)$에서 미분가능하다.
평균값 정리에 의하여 $\frac{f(3)-f(0)}{3-0}=1=f'(c_3)$을 만족시키는 c_3이 열린구간 $(0, 3)$에 적어도 하나 존재한다. (참)
따라서 ㄱ, ㄴ, ㄷ 모두 옳다. 답 ⑤

다른 풀이 ㄴ. 다항함수 $f(x)$는 닫힌구간 $[1, 3]$에서 연속이고 열린구간 $(1, 3)$에서 미분가능하다.
평균값 정리에 의하여 $\frac{f(3)-f(1)}{3-1}=0=f'(c_2)$를 만족시키는 c_2가 열린구간 $(1, 3)$에 적어도 하나 존재한다. (참)

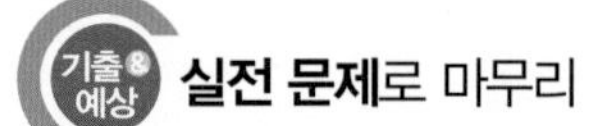

기출 예상 실전 문제로 마무리

| 본문 34~35쪽 |

01 ③	02 ②	03 ①	04 1	05 ④	06 ①
07 ②	08 12	09 ①	10 ④	11 ②	

01 $f(x)=x^3+ax^2+b$로 놓으면
$f'(x)=3x^2+2ax$
점 $(-1, 1)$이 곡선 $y=f(x)$ 위의 점이므로
$f(-1)=-1+a+b=1$에서
$a+b=2$ …… ㉠
또, 점 $(-1, 1)$에서의 접선의 기울기가 -5이므로
$f'(-1)=3-2a=-5$
$2a=8$ $\therefore a=4$
$a=4$를 ㉠에 대입하여 풀면
$b=-2$
$\therefore ab=-8$ 답 ③

02 $f(x)=x^3-4x+1$로 놓으면
$f'(x)=3x^2-4$
점 A$(1, -2)$에서의 접선 l의 기울기는
$f'(1)=3-4=-1$이므로 접선 l의 방정식은
$y-(-2)=-(x-1)$
$\therefore y=-x-1$
두 직선 l, m이 수직이고 직선 l의 기울기는 -1이므로 직선 m의 기울기는 1이다.
따라서 점 A를 지나고 기울기가 1인 직선 m의 방정식은
$y-(-2)=x-1$
$\therefore y=x-3$

두 직선 l, m은 오른쪽 그림과 같으므로 두 직선 l, m 및 x축으로 둘러싸인 부분의 넓이는

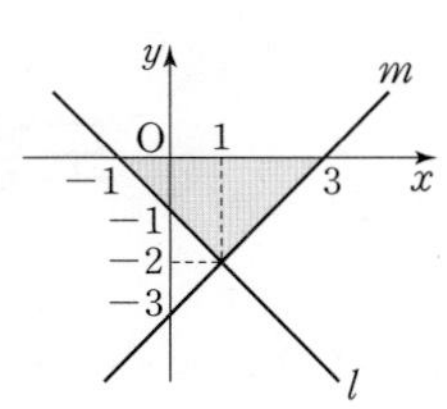

$\frac{1}{2}\times4\times2=4$

답 ②

03

$f(x)=2x^4+1$로 놓으면

$f'(x)=8x^3$

접점의 좌표를 $(t,\ 2t^4+1)$이라 하면 직선 $y=x+2$에 평행한 접선의 기울기가 1이므로

$f'(t)=8t^3=1 \quad \therefore t=\frac{1}{2}$

$f\left(\frac{1}{2}\right)=\frac{9}{8}$이므로 접점의 좌표는 $\left(\frac{1}{2},\ \frac{9}{8}\right)$이다.

따라서 $m=\frac{1}{2}$, $n=\frac{9}{8}$이므로

$m+n=\frac{13}{8}$

답 ①

04

$f(x)=x^3+3x^2-2x+3$으로 놓으면

$f'(x)=3x^2+6x-2=3(x+1)^2-5$

이므로 곡선 $y=f(x)$의 접선 중에서 기울기가 최소인 접선의 기울기는 -5이다.

이때의 접점의 x좌표는 -1이고 $f(-1)=7$이므로 접점의 좌표는 $(-1,\ 7)$이다.

이 점에서의 접선의 방정식은

$y-7=-5\{x-(-1)\} \quad \therefore y=-5x+2$

따라서 $m=-5$, $n=2$, $a=-1$, $b=7$이므로

$\frac{m-n}{ab}=\frac{-5-2}{(-1)\times7}=1$

답 1

05

$f(x)=x^2-3x+3$으로 놓으면

$f'(x)=2x-3$

접점의 좌표를 $(a,\ a^2-3a+3)$이라 하면 이 점에서의 접선의 기울기는 $f'(a)=2a-3$이고, 기울기가 양수이므로

$2a-3>0 \quad \therefore a>\frac{3}{2}$

이 점에서의 접선의 방정식은

$y-(a^2-3a+3)=(2a-3)(x-a)$

$\therefore y=(2a-3)x-a^2+3$

이 직선이 점 $(0,\ -1)$을 지나므로

$-1=-a^2+3$

$a^2=4 \quad \therefore a=2\ \left(\because a>\frac{3}{2}\right)$

따라서 접선의 방정식은

$y=x-1$ ...... ㉠

$g(x)=\frac{1}{3}x^3+k$로 놓으면 $g'(x)=x^2$

접점의 좌표를 $\left(b,\ \frac{1}{3}b^3+k\right)$라 하면 이 점에서의 접선의 기울기는 $g'(b)=b^2$이고 직선 ㉠이 곡선 $y=g(x)$에 접하므로

$b^2=1 \quad \therefore b=1$ 또는 $b=-1$

이때 접점의 좌표는 $\left(1,\ \frac{1}{3}+k\right)$ 또는 $\left(-1,\ -\frac{1}{3}+k\right)$이고 이 두 점은 직선 $y=x-1$ 위의 점이므로

$\frac{1}{3}+k=0$ 또는 $-\frac{1}{3}+k=-2$

$\therefore k=-\frac{1}{3}$ 또는 $k=-\frac{5}{3}$

따라서 구하는 모든 실수 k의 값의 합은

$\left(-\frac{1}{3}\right)+\left(-\frac{5}{3}\right)=-2$

답 ④

06

$f'(x)=3x^2-6x+3$

접점의 좌표를 $(t,\ t^3-3t^2+3t)$라 하면 이 점에서의 접선의 기울기는 $f'(t)=3t^2-6t+3$이므로 접선의 방정식은

$y-(t^3-3t^2+3t)=(3t^2-6t+3)(x-t)$

$\therefore y=(3t^2-6t+3)x-2t^3+3t^2$ ...... ㉠

이 직선이 원점을 지나므로

$2t^3-3t^2=0$

$t^2(2t-3)=0 \quad \therefore t=0$ 또는 $t=\frac{3}{2}$

$t=0$을 ㉠에 대입하면 접선의 방정식은

$y=3x$

$t=\frac{3}{2}$을 ㉠에 대입하면 접선의 방정식은

$y=\frac{3}{4}x$

따라서 두 직선 l, m을 각각 $y=3x$, $y=\frac{3}{4}x$라 하면

$A_n(n,\ 3n)$, $B_n\left(n,\ \frac{3}{4}n\right)$이므로

$g(n)=\overline{A_nB_n}=3n-\frac{3}{4}n=\frac{9}{4}n$

$\therefore \sum_{n=1}^{8}g(n)=\frac{9}{4}\sum_{n=1}^{8}n=\frac{9}{4}\times\frac{8\times9}{2}=81$

답 ①

07

함수 $f(x)=x^3-6x+1$은 닫힌구간 $[-a,\ a]$에서 롤의 정리를 만족시키므로 $f(a)=f(-a)$에서

$a^3-6a+1=-a^3+6a+1$

$2a^3-12a=0$, $2a(a+\sqrt{6})(a-\sqrt{6})=0$

$\therefore a=\sqrt{6}\ (\because a>0)$

롤의 정리에 의하여 $f'(c)=0$을 만족시키는 c가 열린구간 $(-\sqrt{6},\ \sqrt{6})$에 적어도 하나 존재한다.

$f'(x)=3x^2-6$이므로

$f'(c)=3c^2-6=0$

$3(c+\sqrt{2})(c-\sqrt{2})=0 \quad \therefore c=\sqrt{2}\ (\because c>0)$

$\therefore ac=\sqrt{12}=2\sqrt{3}$

답 ②

08

함수 $f(x)$가 실수 전체의 집합에서 미분가능하므로 $f(x)$는 닫힌구간 $[x-3,\ x+3]$에서 연속이고 열린구간 $(x-3,\ x+3)$에서 미분가능하다.

평균값 정리에 의하여 $\frac{f(x+3)-f(x-3)}{(x+3)-(x-3)}=f'(c)$인 c가 열린 구간 $(x-3,\ x+3)$에 적어도 하나 존재한다.

이때 $x\to\infty$이면 $c\to\infty$이므로

$$\lim_{x\to\infty}\{f(x+3)-f(x-3)\}=\lim_{x\to\infty}\left\{\frac{f(x+3)-f(x-3)}{(x+3)-(x-3)}\times 6\right\}$$
$$=6\lim_{c\to\infty}f'(c)$$
$$=6\times 2=12$$

답 12

09 $f'(x)=3x^2+2ax+9$

점 $(1,\ f(1))$에서의 접선의 방정식이 $y=2x+b$이므로

$f'(1)=3+2a+9=2$

$2a=-10 \qquad \therefore a=-5$

또, 점 $(1,\ f(1))$은 곡선 $y=f(x)$ 위의 점이므로

$f(1)=1-5+9+3=8$

이때 점 $(1,\ 8)$은 직선 $y=2x+b$ 위의 점이므로

$8=2+b \qquad \therefore b=6$

$\therefore a+b=1$

답 ①

10 $f(x)=x^3-5x$로 놓으면

$f'(x)=3x^2-5$

점 $\mathrm{A}(1,\ -4)$에서의 접선의 기울기는

$f'(1)=3-5=-2$이므로 접선의 방정식은

$y-(-4)=-2(x-1)$

$\therefore y=-2x-2$

이때 곡선 $y=x^3-5x$와 접선 $y=-2x-2$의 교점의 x좌표는

$x^3-5x=-2x-2$에서

$x^3-3x+2=0$

$(x+2)(x-1)^2=0 \qquad \therefore x=-2$ 또는 $x=1$

따라서 점 B의 x좌표는 -2이고, 점 B는 접선 $y=-2x-2$ 위의 점이므로 점 B의 좌표는 $(-2,\ 2)$이다.

이때 $\mathrm{A}(1,\ -4)$, $\mathrm{B}(-2,\ 2)$이므로

$\overline{\mathrm{AB}}=\sqrt{(-2-1)^2+\{2-(-4)\}^2}$

$=\sqrt{45}=3\sqrt{5}$

답 ④

11 삼각형 OAP의 넓이가 최대가 되려면 점 P와 직선 $y=x$ 사이의 거리가 최대이어야 한다.

즉, 점 P에서의 접선의 기울기가 직선 $y=x$의 기울기 1과 같아야 한다.

$f'(x)=a(x-2)^2+2ax(x-2)$

$=a(x-2)(3x-2)$

이고, 삼각형 OAP의 넓이가 최대가 되는 점 P의 x좌표가 $\frac{1}{2}$이므로 $f'\left(\frac{1}{2}\right)=1$에서

$a\left(\frac{1}{2}-2\right)\left(\frac{3}{2}-2\right)=1$

$\frac{3}{4}a=1 \qquad \therefore a=\frac{4}{3}$

답 ②

06강 도함수의 활용 (2)

| 본문 36쪽 |

확인 1 $f(x)=x^3-3x+4$에서

$f'(x)=3x^2-3=3(x+1)(x-1)$

$f'(x)=0$에서 $x=-1$ 또는 $x=1$

함수 $f(x)$의 증가와 감소를 표로 나타내면 다음과 같다.

x	$\cdots$	-1	$\cdots$	1	$\cdots$
$f'(x)$	$+$	0	$-$	0	$+$
$f(x)$	$\nearrow$		$\searrow$		$\nearrow$

따라서 함수 $f(x)$는 구간 $(-\infty,\ -1]$, $[1,\ \infty)$에서 증가하고, 구간 $[-1,\ 1]$에서 감소한다.

답 풀이 참조

확인 2 $f(x)=x^3-12x$에서

$f'(x)=3x^2-12=3(x+2)(x-2)$

$f'(x)=0$에서 $x=-2$ 또는 $x=2$

함수 $f(x)$의 증가와 감소를 표로 나타내면 다음과 같다.

x	$\cdots$	-2	$\cdots$	2	$\cdots$
$f'(x)$	$+$	0	$-$	0	$+$
$f(x)$	$\nearrow$	16	$\searrow$	-16	$\nearrow$

따라서 함수 $f(x)$는 $x=-2$에서 극댓값 16을 가지므로

$a=-2,\ b=16$

$\therefore a+b=14$

답 14

확인 3 $f(x)=x^3-6x^2+9x+4$에서

$f'(x)=3x^2-12x+9=3(x-1)(x-3)$

$f'(x)=0$에서 $x=1$ 또는 $x=3$

구간 $[-1,\ 2]$에서 함수 $f(x)$의 증가와 감소를 표로 나타내면 다음과 같다.

x	-1	$\cdots$	1	$\cdots$	2
$f'(x)$		$+$	0	$-$	
$f(x)$	-12	$\nearrow$	8	$\searrow$	6

따라서 함수 $f(x)$의 최댓값 $M=8$, 최솟값 $m=-12$이므로

$M-m=20$

답 20

꼭! 나오는 핵심 유형 익히기

| 본문 37~39쪽 |

대표문제 1 3	1-1 ②	1-2 ②	1-3 ④	1-4 ①
대표문제 2 ⑤	2-1 ④	2-2 ⑤	2-3 7	2-4 ③
대표문제 3 ④	3-1 ③	3-2 1	3-3 486	3-4 20

대표문제 1 $f(x)=\frac{1}{3}x^3-9x+3$에서

$f'(x)=x^2-9=(x+3)(x-3)$

$f'(x)=0$에서 $x=-3$ 또는 $x=3$

함수 $f(x)$의 증가와 감소를 표로 나타내면 다음과 같다.

x	$\cdots$	-3	$\cdots$	3	$\cdots$
$f'(x)$	$+$	0	$-$	0	$+$
$f(x)$	↗		↘		↗

따라서 함수 $f(x)$가 구간 $(-3, 3)$에서 감소하므로 구하는 양수 a의 최댓값은 3이다. 답 3

1-1 함수 $f(x)$는 $f'(x)\ge0$인 구간에서 증가한다.
주어진 그래프에서 $f'(x)\ge0$인 구간은 $[-2, 2]$와 $[6, \infty)$이고, 보기 중 구간 $[-2, 2]$, $[6, \infty)$에 속하는 구간은 $[-1, 1]$이다. 답 ②

1-2 $f(x)=-x^3-ax^2+ax+2$에서
$f'(x)=-3x^2-2ax+a$
함수 $f(x)$가 실수 전체의 집합에서 감소하려면 모든 실수 x에 대하여 $f'(x)\le0$이어야 하므로
$-3x^2-2ax+a\le0$, 즉 $3x^2+2ax-a\ge0$
이차방정식 $3x^2+2ax-a=0$의 판별식을 D라 하면
$\frac{D}{4}=a^2+3a\le0$, $a(a+3)\le0$
$\therefore -3\le a\le0$
따라서 실수 a의 최솟값은 -3이다. 답 ②

1-3 $f(x)=x^3-9x^2+ax+a$에서
$f'(x)=3x^2-18x+a=3(x-3)^2+a-27$
함수 $f(x)$가 구간 $[-2, 2]$에서 증가하도록 하려면 이 구간에서 $f'(x)\ge0$이어야 하므로 오른쪽 그림에서

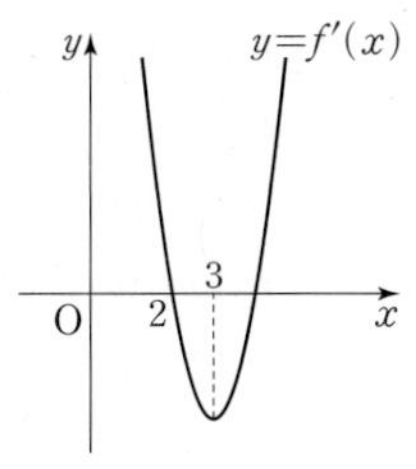

$f'(2)=3(2-3)^2+a-27$
$=a-24\ge0$
$\therefore a\ge24$
따라서 실수 a의 최솟값은 24이다. 답 ④

1-4 함수 $f(x)$의 역함수가 존재하려면 함수 $f(x)$가 일대일대응이어야 하므로 함수 $f(x)$는 실수 전체의 집합에서 증가하거나 실수 전체의 집합에서 감소해야 한다.
이때 함수 $f(x)$의 최고차항의 계수가 양수이므로 $f(x)$는 실수 전체의 집합에서 증가해야 한다.
$f(x)=\frac{1}{3}x^3-ax^2+3ax$에서
$f'(x)=x^2-2ax+3a$
따라서 함수 $f(x)$가 실수 전체의 집합에서 증가하려면 모든 실수 x에 대하여 $f'(x)\ge0$이어야 하므로
$x^2-2ax+3a\ge0$
이차방정식 $x^2-2ax+3a=0$의 판별식을 D라 하면
$\frac{D}{4}=(-a)^2-3a\le0$, $a(a-3)\le0$
$\therefore 0\le a\le3$
따라서 상수 a의 최댓값은 3이다. 답 ①

대표문제 2 $f'(x)=x^2-1$이므로 $g(x)=f(x)-kx$에서
$g'(x)=f'(x)-k=x^2-1-k$
함수 $g(x)$가 $x=-3$에서 극값을 가지므로
$g'(-3)=(-3)^2-1-k=8-k=0$
$\therefore k=8$ 답 ⑤

2-1 오른쪽 그림과 같이 도함수 $y=f'(x)$의 그래프가 x축과 만나는 점의 x좌표를 각각 $\alpha, \beta, \gamma, \delta$ $(\alpha<\beta<\gamma<\delta)$라 하자.

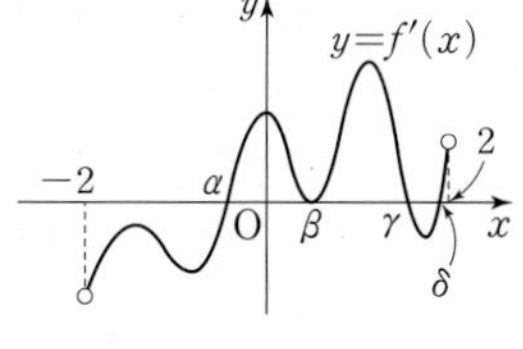

구간 $(-2, 2)$에서 함수 $f(x)$의 증가와 감소를 표로 나타내면 다음과 같다.

x	(-2)	$\cdots$	α	$\cdots$	β	$\cdots$	γ	$\cdots$	δ	$\cdots$	(2)
$f'(x)$		$-$	0	$+$	0	$+$	0	$-$	0	$+$	
$f(x)$		↘	극소	↗		↗	극대	↘	극소	↗	

따라서 함수 $f(x)$는 $x=\alpha$, $x=\delta$에서 극솟값을 갖고, $x=\gamma$에서 극댓값을 가지므로 $a=2$, $b=1$
$\therefore 2a+b=2\times2+1=5$ 답 ④

2-2 $f(x)=x^3-3kx^2-24k^2x+12$에서
$f'(x)=3x^2-6kx-24k^2=3(x+2k)(x-4k)$
$f'(x)=0$에서 $x=-2k$ 또는 $x=4k$
$k>0$이므로 함수 $f(x)$의 증가와 감소를 표로 나타내면 다음과 같다.

x	$\cdots$	$-2k$	$\cdots$	$4k$	$\cdots$
$f'(x)$	$+$	0	$-$	0	$+$
$f(x)$	↗	$28k^3+12$	↘	$-80k^3+12$	↗

즉, 함수 $f(x)$는 $x=-2k$에서 극댓값 $28k^3+12$를 갖고 $x=4k$에서 극솟값 $-80k^3+12$를 갖는다.
극댓값과 극솟값의 차가 216이므로
$(28k^3+12)-(-80k^3+12)=216$
$108k^3=216$ $\quad\therefore k^3=2$
따라서 함수 $f(x)$의 극댓값은
$28k^3+12=28\times2+12=68$ 답 ⑤

2-3 $f(x)=x^3-ax^2+2ax+1$에서
$f'(x)=3x^2-2ax+2a$
삼차함수 $f(x)$가 극값을 가지려면 이차방정식 $f'(x)=0$이 서로 다른 두 실근을 가져야 하므로 이차방정식 $3x^2-2ax+2a=0$의 판별식을 D라 하면
$\frac{D}{4}=(-a)^2-6a>0$, $a(a-6)>0$
$\therefore a<0$ 또는 $a>6$
따라서 자연수 a의 최솟값은 7이다. 답 7

2-4 $h(x)=f(x)-g(x)$에서
$h'(x)=f'(x)-g'(x)$

주어진 그래프에서 $f'(1)=g'(1)$, $f'(4)=g'(4)$이므로

$h'(x)=0$에서 $x=1$ 또는 $x=4$

함수 $h(x)$의 증가와 감소를 표로 나타내면 다음과 같다.

x	$\cdots$	1	$\cdots$	4	$\cdots$
$h'(x)$	$+$	0	$-$	0	$+$
$h(x)$	↗	극대	↘	극소	↗

ㄱ. 방정식 $h'(x)=0$의 실근은 $x=1$ 또는 $x=4$이므로 모든 실근의 합은 5이다. (참)

ㄴ. 구간 $[1, 4]$에서 함수 $h(x)$는 감소하므로 구간 $(2, 3)$에서도 함수 $h(x)$는 감소한다. (거짓)

ㄷ. 함수 $h(x)$는 $x=4$에서 극솟값 $h(4)$를 갖는다. (참)

따라서 옳은 것은 ㄱ, ㄷ이다. 답 ③

대표문제 3 $f(x)=x^3-3x^2+a$에서

$f'(x)=3x^2-6x=3x(x-2)$

$f'(x)=0$에서 $x=0$ 또는 $x=2$

구간 $[1, 4]$에서 함수 $f(x)$의 증가와 감소를 표로 나타내면 다음과 같다.

x	1	$\cdots$	2	$\cdots$	4
$f'(x)$		$-$	0	$+$	
$f(x)$	$a-2$	↘	$a-4$	↗	$a+16$

따라서 함수 $f(x)$는 $x=4$에서 최댓값 $M=a+16$을 갖고

$x=2$에서 최솟값 $m=a-4$를 갖는다.

$M+m=20$이므로

$(a+16)+(a-4)=20 \quad \therefore a=4$ 답 ④

3-1 $f(x)=x^3-3x$에서

$f'(x)=3x^2-3=3(x+1)(x-1)$

$f'(x)=0$에서 $x=-1$ 또는 $x=1$

구간 $[-3, 1]$에서 함수 $f(x)$의 증가와 감소를 표로 나타내면 다음과 같다.

x	-3	$\cdots$	-1	$\cdots$	1
$f'(x)$		$+$	0	$-$	0
$f(x)$	-18	↗	2	↘	-2

따라서 함수 $f(x)$는 $x=-1$에서 최댓값 $M=2$를 갖고

$x=-3$에서 최솟값 $m=-18$을 가지므로

$Mm=-36$ 답 ③

3-2 $f(x)=2x^3+3x^2-12x+k$에서

$f'(x)=6x^2+6x-12=6(x+2)(x-1)$

$f'(x)=0$에서 $x=-2$ 또는 $x=1$

구간 $[-2, 2]$에서 함수 $f(x)$의 증가와 감소를 표로 나타내면 다음과 같다.

x	-2	$\cdots$	1	$\cdots$	2
$f'(x)$	0	$-$	0	$+$	
$f(x)$	$k+20$	↘	$k-7$	↗	$k+4$

즉, 함수 $f(x)$는 $x=-2$에서 최댓값 $k+20$을 갖고 $x=1$에서 최솟값 $k-7$을 갖는다.

이때 함수 $f(x)$의 최댓값이 28이므로

$k+20=28 \quad \therefore k=8$

따라서 함수 $f(x)$의 최솟값은

$k-7=1$ 답 1

3-3 잘라 내야 하는 정사각형의 한 변의 길이를 $x\left(0<x<\frac{15}{2}\right)$라 하면 상자의 밑면의 가로의 길이는 $24-2x$, 세로의 길이는 $15-2x$이다.

상자의 부피를 $V(x)$라 하면

$V(x)=x(24-2x)(15-2x)$

$=4x^3-78x^2+360x$

$V'(x)=12x^2-156x+360=12(x-3)(x-10)$

$V'(x)=0$에서 $x=3\left(\because 0<x<\frac{15}{2}\right)$

구간 $\left(0, \frac{15}{2}\right)$에서 함수 $V(x)$의 증가와 감소를 표로 나타내면 다음과 같다.

x	(0)	$\cdots$	3	$\cdots$	$\left(\frac{15}{2}\right)$
$V'(x)$		$+$	0	$-$	
$V(x)$		↗	486	↘	

따라서 함수 $V(x)$는 $x=3$에서 최댓값 486을 가지므로 구하는 상자의 부피의 최댓값은 486이다. 답 486

3-4 함수 $f(x)$는 최고차항의 계수가 1인 삼차함수이므로

$f(x)=x^3+ax^2+bx+c$ (a, b, c는 상수)로 놓으면

$f'(x)=3x^2+2ax+b$

조건 (가)에서 곡선 $y=f(x)$가 점 $(1, f(1))$에서 x축에 접하므로

$f(1)=0$, $f'(1)=0$

$f(1)=1+a+b+c=0$

$\therefore a+b+c=-1 \quad \cdots\cdots$ ㉠

$f'(1)=3+2a+b=0$

$\therefore 2a+b=-3 \quad \cdots\cdots$ ㉡

조건 (나)에서 $f(3)=20$이므로

$f(3)=27+9a+3b+c=20$

$\therefore 9a+3b+c=-7 \quad \cdots\cdots$ ㉢

㉠, ㉡, ㉢을 연립하여 풀면 $a=0$, $b=-3$, $c=2$이므로

$f(x)=x^3-3x+2$

$f'(x)=3x^2-3=3(x+1)(x-1)$

$f'(x)=0$에서 $x=-1$ 또는 $x=1$

구간 $[-3, 2]$에서 함수 $f(x)$의 증가와 감소를 표로 나타내면 다음과 같다.

x	-3	$\cdots$	-1	$\cdots$	1	$\cdots$	2
$f'(x)$		$+$	0	$-$	0	$+$	
$f(x)$	-16	↗	4	↘	0	↗	4

따라서 함수 $f(x)$는 $x=-1$ 또는 $x=2$에서 최댓값 $M=4$를 갖고 $x=-3$에서 최솟값 $m=-16$을 가지므로

$M-m=20$ 답 20

실전 문제로 마무리

| 본문 40~41쪽 |

01 ③ **02** 4 **03** ① **04** 55 **05** ⑤ **06** ④
07 256 **08** ② **09** 12 **10** ⑤ **11** ①

01 $f(x)=-x^3+ax^2+ax+a$에서

$f'(x)=-3x^2+2ax+a$

함수 $f(x)$가 구간 $[0, 1]$에서 증가하려면 $0\le x\le 1$에서 $f'(x)\ge 0$이어야 하고, 구간 $[2, \infty)$에서 감소하려면 $x\ge 2$에서 $f'(x)\le 0$이어야 한다.

오른쪽 그림에서

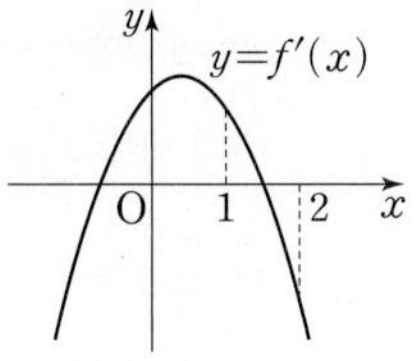

$f'(0)=a\ge 0$

$f'(1)=-3+2a+a\ge 0$

$\therefore a\ge 1$

$f'(2)=-12+4a+a\le 0$

$\therefore a\le \frac{12}{5}$

따라서 주어진 조건을 만족시키는 실수 a의 값의 범위는

$1\le a\le \frac{12}{5}$이므로

$\alpha=1,\ \beta=\frac{12}{5}$

$\therefore \alpha+5\beta=1+5\times\frac{12}{5}=13$ 답 ③

02 $f(x)=x^3+kx^2+4x+1$에서

$f'(x)=3x^2+2kx+4$

함수 $f(x)$가 감소하는 구간이 반드시 존재하려면 $f'(x)<0$인 구간이 존재해야 한다. 즉, 방정식 $f'(x)=0$의 해가 서로 다른 두 실근을 가져야 한다.

이차방정식 $3x^2+2kx+4=0$의 판별식을 D라 하면

$\frac{D}{4}=k^2-12>0$

$\therefore k<-2\sqrt{3}$ 또는 $k>2\sqrt{3}$

따라서 자연수 k의 최솟값은 4이다. 답 4

03 함수 $f(x)$가 실수 전체의 집합에서 증가하려면 모든 실수 x에 대하여 $f'(x)\ge 0$이어야 한다.

(i) $x>a$일 때

$f(x)=x^3+3x^2+9(x-a)+2$

$=x^3+3x^2+9x-9a+2$

$f'(x)=3x^2+6x+9=3(x+1)^2+6>0$

따라서 $x>a$일 때, 함수 $f(x)$는 증가한다.

(ii) $x=a$일 때

$f(x)=x^3+3x^2+2$

$f'(x)=3x^2+6x=3x(x+2)$

이때 $f'(x)\ge 0$인 x의 값의 범위는

$x\le -2$ 또는 $x\ge 0$

(iii) $x<a$일 때

$f(x)=x^3+3x^2-9(x-a)+2$

$=x^3+3x^2-9x+9a+2$

$f'(x)=3x^2+6x-9=3(x+3)(x-1)$

이때 $f'(x)\ge 0$인 x의 값의 범위는

$x\le -3$ 또는 $x\ge 1$

(i), (ii), (iii)에 의하여

$x\le -3$ 또는 $x\ge 1$

즉, $x\le a$일 때 $x\le -3$ 또는 $x\ge 1$이 성립해야 함수 $f(x)$가 증가하므로

$a\le -3$

따라서 실수 a의 최댓값은 -3이다. 답 ①

04 함수 $f(x)$가 $x=3$에서 극댓값 5를 가지므로

$f(3)=5,\ f'(3)=0$

$g(x)=(x^2-3x+1)f(x)$에서

$g'(x)=(2x-3)f(x)+(x^2-3x+1)f'(x)$

$\therefore g(3)=f(3)=5$

$g'(3)=3f(3)+f'(3)=3\times 5+0=15$

곡선 $y=g(x)$ 위의 점 $(3, g(3))$에서의 접선의 방정식은

$y-5=15(x-3)$

$\therefore y=15x-40$

따라서 $m=15,\ n=-40$이므로

$m-n=55$ 답 55

05 $f(x)=x^4-(a+8)x^2+4ax$에서

$f'(x)=4x^3-2(a+8)x+4a=2(x-2)(2x^2+4x-a)$

사차함수 $f(x)$가 극댓값을 갖지 않으려면 삼차방정식 $f'(x)=0$이 한 실근과 두 허근 또는 한 실근과 중근(또는 삼중근)을 가져야 한다.

이차방정식 $2x^2+4x-a=0$의 판별식을 D라 하면

(i) $2(x-2)(2x^2+4x-a)=0$이 한 실근과 두 허근을 갖는 경우

이차방정식 $2x^2+4x-a=0$이 허근을 가져야 하므로

$\frac{D}{4}=2^2-2\times(-a)<0$

$\therefore a<-2$

(ii) $2(x-2)(2x^2+4x-a)=0$이 한 실근과 중근을 갖는 경우

이차방정식 $2x^2+4x-a=0$이 $x=2$를 근으로 가지면

$8+8-a=0$

$\therefore a=16$

이차방정식 $2x^2+4x-a=0$이 2가 아닌 실수를 중근으로 가지면

$\frac{D}{4}=2^2-2\times(-a)=0$

$\therefore a=-2$

(i), (ii)에 의하여 $a=16$ 또는 $a\le -2$이므로 실수 a의 최댓값은 16이다. 답 ⑤

06 함수 $f(x)=ax^3+bx^2+cx+d$의 그래프에서

$x\to\infty$일 때, $f(x)\to-\infty$이므로 $a<0$

또, 주어진 그래프가 y축의 양의 부분과 만나므로 $d>0$

$f'(x)=3ax^2+2bx+c$에서 방정식 $f'(x)=0$의 두 실근은 α, β이고, α, β는 서로 다른 두 양수이므로 이차방정식의 근과 계수의 관계에 의하여

$\alpha+\beta=-\dfrac{2b}{3a}>0$, $\alpha\beta=\dfrac{c}{3a}>0$

이때 $a<0$이므로 $b>0$, $c<0$

따라서 $ab<0$, $ac>0$, $ad<0$, $bc<0$, $cd<0$이므로 옳은 것은 ④이다.

답 ④

07

$-x^2+4=0$에서 $-(x+2)(x-2)=0$이므로

$x=-2$ 또는 $x=2$

$\therefore$ A$(-2, 0)$, B$(2, 0)$

오른쪽 그림과 같이 사다리꼴 ABCD의 한 꼭짓점 C의 좌표를 $(a, -a^2+4)$ $(0<a<2)$라 하면

D$(-a, -a^2+4)$

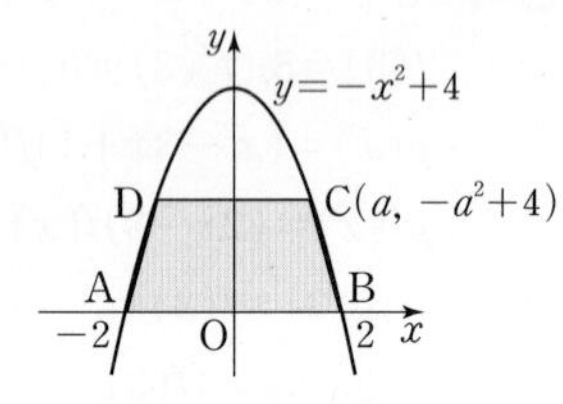

사다리꼴 ABCD의 넓이를 $S(a)$라 하면

$S(a)=\dfrac{1}{2}(2a+4)(-a^2+4)$

$\quad=-a^3-2a^2+4a+8$

$S'(a)=-3a^2-4a+4=-(3a-2)(a+2)$

$S'(a)=0$에서 $a=\dfrac{2}{3}$ $(\because 0<a<2)$

구간 $(0, 2)$에서 함수 $S(a)$의 증가와 감소를 표로 나타내면 다음과 같다.

a	(0)	$\cdots$	$\frac{2}{3}$	$\cdots$	(2)
$S'(a)$		$+$	0	$-$	
$S(a)$		↗	극대	↘	

따라서 함수 $S(a)$는 $a=\dfrac{2}{3}$에서 최댓값 $\dfrac{256}{27}$을 가지므로 구하는 넓이의 최댓값 $M=\dfrac{256}{27}$이다.

$\therefore 27M=256$

답 256

08

$g(x)=x^2+2x-1=(x+1)^2-2$이므로 $g(x)=t$로 놓으면

$t\ge-2$

$(f\circ g)(x)=f(g(x))=f(t)=t^3-3t^2+10$

$\therefore f'(t)=3t^2-6t=3t(t-2)$

$f'(t)=0$에서 $t=0$ 또는 $t=2$

구간 $[-2, \infty)$에서 함수 $f(t)$의 증가와 감소를 표로 나타내면 다음과 같다.

t	-2	$\cdots$	0	$\cdots$	2	$\cdots$
$f'(t)$		$+$	0	$-$	0	$+$
$f(t)$	-10	↗	10	↘	6	↗

따라서 함수 $f(t)$는 $t=-2$에서 최솟값 -10을 갖는다.

답 ②

09

$f(x)=x^3+ax^2-a^2x+2$에서

$f'(x)=3x^2+2ax-a^2=(x+a)(3x-a)$

$f'(x)=0$에서 $x=-a$ 또는 $x=\dfrac{a}{3}$

구간 $[-a, a]$에서 함수 $f(x)$의 증가와 감소를 표로 나타내면 다음과 같다.

x	$-a$	$\cdots$	$\frac{a}{3}$	$\cdots$	a
$f'(x)$	0	$-$	0	$+$	
$f(x)$	a^3+2	↘	$-\frac{5}{27}a^3+2$	↗	a^3+2

즉, 함수 $f(x)$는 $x=\dfrac{a}{3}$에서 최솟값 $-\dfrac{5}{27}a^3+2$를 갖고

$x=\pm a$에서 최댓값 a^3+2를 갖는다.

이때 함수 $f(x)$의 최솟값은 $\dfrac{14}{27}$이므로

$-\dfrac{5}{27}a^3+2=\dfrac{14}{27}$, $a^3=8$

$\therefore a=2$ $(\because a>0)$

따라서 함수 $f(x)$의 최댓값 $M=a^3+2=2^3+2=10$이므로

$a+M=12$

답 12

10

조건 (가)에서 함수 $f(x)$는 최고차항의 계수가 1인 삼차함수이고, 삼차함수 $f(x)$의 도함수 $f'(x)$는 최고차항의 계수가 3인 이차함수이다.

조건 (나)에서 $x=-1$과 $x=2$에서 극값을 가지므로

$f'(-1)=f'(2)=0$

따라서 $f'(x)=3(x+1)(x-2)$이므로

$\displaystyle\lim_{h\to0}\frac{f(3+h)-f(3-h)}{h}$

$\displaystyle=\lim_{h\to0}\frac{f(3+h)-f(3)+f(3)-f(3-h)}{h}$

$\displaystyle=\lim_{h\to0}\left\{\frac{f(3+h)-f(3)}{h}+\frac{f(3-h)-f(3)}{-h}\right\}$

$=f'(3)+f'(3)=2f'(3)$

$=2\times3\times(3+1)\times(3-2)=24$

답 ⑤

11

정사각형 EFGH의 두 대각선의 교점의 좌표를 (t, t^2)으로 놓자.

이때 두 정사각형의 내부의 공통부분이 존재하려면 $-1<t<0$ 또는 $0<t<1$이어야 하고, 정사각형 ABCD와 곡선 $y=x^2$은 각각 y축에 대하여 대칭이므로 $0<t<1$에서의 넓이의 최댓값을 구해도 된다.

C$\left(\dfrac{1}{2}, \dfrac{1}{2}\right)$, E$\left(t-\dfrac{1}{2}, t^2+\dfrac{1}{2}\right)$이므로 두 정사각형의 내부의 공통부분의 넓이를 $S(t)$라 하면

$S(t)=\left\{\dfrac{1}{2}-\left(t-\dfrac{1}{2}\right)\right\}\left\{\left(t^2+\dfrac{1}{2}\right)-\dfrac{1}{2}\right\}$

$\quad=-t^3+t^2$

$\therefore S'(t)=-3t^2+2t=-t(3t-2)$

$S'(t)=0$에서 $t=\dfrac{2}{3}$ $(\because 0<t<1)$

구간 $(0, 1)$에서 함수 $S(t)$의 증가와 감소를 표로 나타내면 다음과 같다.

t	(0)	$\cdots$	$\frac{2}{3}$	$\cdots$	(1)
$S'(t)$		$+$	0	$-$	
$S(t)$		↗	$\frac{4}{27}$	↘	

따라서 함수 $S(t)$는 $t=\frac{2}{3}$에서 최댓값 $\frac{4}{27}$를 가지므로 공통 부분의 넓이의 최댓값은 $\frac{4}{27}$이다.

답 ①

(2) 시각 t에서의 가속도를 a라 하면

$a=\frac{dv}{dt}=6t-6$

따라서 $t=3$일 때의 점 P의 가속도는 $a=18-6=12$

(3) 운동 방향을 바꾸는 순간의 속도는 0이므로

$3t^2-6t=0$에서 $3t(t-2)=0$ $\therefore t=2\ (\because t>0)$

따라서 점 P가 운동 방향을 바꿀 때의 시각은 $t=2$이다.

답 (1) 9 (2) 12 (3) 2

꼭! 나오는 핵심 유형 익히기

| 본문 43~45쪽 |

대표문제 1 ②	1-1 ⑤	1-2 ①	1-3 4	1-4 ①		
대표문제 2 ①	2-1 ⑤	2-2 ③	2-3 ②	2-4 ②		
대표문제 3 ①	3-1 12	3-2 1	3-3 22	3-4 6	3-5 ②	

07강 도함수의 활용 (3)

| 본문 42쪽 |

확인 1 $f(x)=x^3-3x-1$로 놓으면

$f'(x)=3x^2-3=3(x+1)(x-1)$

$f'(x)=0$에서 $x=-1$ 또는 $x=1$

함수 $f(x)$의 증가와 감소를 표로 나타내면 다음과 같다.

x	$\cdots$	-1	$\cdots$	1	$\cdots$
$f'(x)$	$+$	0	$-$	0	$+$
$f(x)$	↗	1	↘	-3	↗

따라서 함수 $y=f(x)$의 그래프는 오른쪽 그림과 같으므로 주어진 방정식은 서로 다른 세 실근을 갖는다.

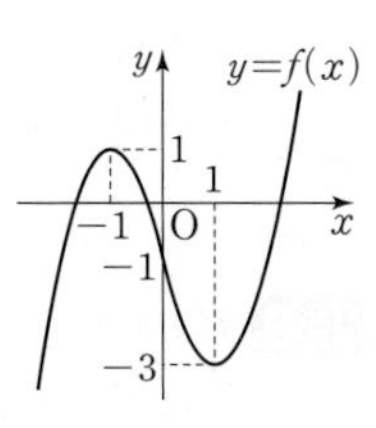

답 3

확인 2 $f(x)=2x^3-3x^2+a$로 놓으면 $f'(x)=6x^2-6x=6x(x-1)$

$f'(x)=0$에서 $x=0$ 또는 $x=1$

$x>0$에서 함수 $f(x)$의 증가와 감소를 표로 나타내면 다음과 같다.

x	(0)	$\cdots$	1	$\cdots$
$f'(x)$		$-$	0	$+$
$f(x)$		↘	$a-1$	↗

따라서 함수 $f(x)$는 $x=1$에서 극소이면서 최소이므로 $x>0$에서 주어진 부등식이 성립하려면

$a-1>0$ $\therefore a>1$

답 $a>1$

확인 3 (1) 시각 t에서의 속도를 v라 하면

$v=\frac{dx}{dt}=3t^2-6t$

따라서 $t=3$일 때의 점 P의 속도는 $v=27-18=9$

대표문제 1 $x^3-3x^2-9x-k=0$에서 $x^3-3x^2-9x=k$

$f(x)=x^3-3x^2-9x$로 놓으면

$f'(x)=3x^2-6x-9=3(x+1)(x-3)$

$f'(x)=0$에서 $x=-1$ 또는 $x=3$

함수 $f(x)$의 증가와 감소를 표로 나타내면 다음과 같다.

x	$\cdots$	-1	$\cdots$	3	$\cdots$
$f'(x)$	$+$	0	$-$	0	$+$
$f(x)$	↗	5	↘	-27	↗

함수 $y=f(x)$의 그래프는 오른쪽 그림과 같고, 주어진 방정식이 서로 다른 세 실근을 가지려면 함수 $y=f(x)$의 그래프와 직선 $y=k$가 서로 다른 세 점에서 만나야 하므로

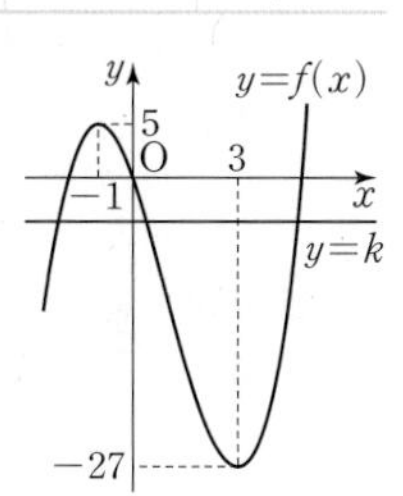

$-27<k<5$

따라서 정수 k의 최댓값은 4이다.

답 ②

다른 풀이 $f(x)=x^3-3x^2-9x-k$로 놓으면

$f'(x)=3x^2-6x-9=3(x+1)(x-3)$

$f'(x)=0$에서 $x=-1$ 또는 $x=3$

따라서 함수 $f(x)$는 $x=-1$에서 극대이고 극댓값은 $f(-1)=5-k$, $x=3$에서 극소이고 극솟값은 $f(3)=-27-k$이므로

$f(-1)f(3)=(5-k)(-27-k)<0$에서 $-27<k<5$

따라서 정수 k의 최댓값은 4이다.

1-1 $x^4-2x^2=\frac{1}{3}a$에서 $f(x)=x^4-2x^2$으로 놓으면

$f'(x)=4x^3-4x=4x(x+1)(x-1)$

$f'(x)=0$에서 $x=-1$ 또는 $x=0$ 또는 $x=1$

함수 $f(x)$의 증가와 감소를 표로 나타내면 다음과 같다.

x	$\cdots$	-1	$\cdots$	0	$\cdots$	1	$\cdots$
$f'(x)$	$-$	0	$+$	0	$-$	0	$+$
$f(x)$	↘	-1	↗	0	↘	-1	↗

함수 $y=f(x)$의 그래프는 오른쪽 그림과 같고, 주어진 방정식이 서로 다른 네 실근을 가지려면 함수 $y=f(x)$의 그래프와 직선 $y=\frac{1}{3}a$가 서로 다른 네 점에서 만나야 하므로

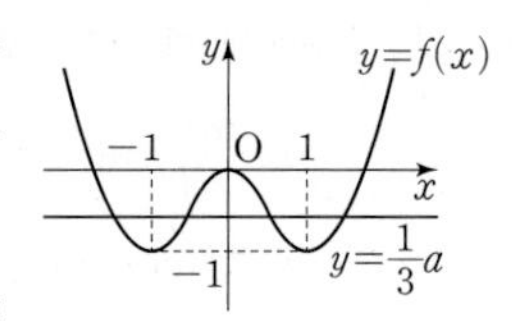

$-1<\frac{1}{3}a<0$ $\quad\therefore -3<a<0$

따라서 정수 a는 -2, -1이므로 그 곱은

$(-2)\times(-1)=2$ 답 ⑤

1-2 곡선 $y=x^3-4x$와 직선 $y=8x+k$가 접하려면 방정식 $x^3-4x=8x+k$, 즉 $x^3-12x-k=0$이 중근과 한 실근을 가져야 한다.

$f(x)=x^3-12x-k$로 놓으면

$f'(x)=3x^2-12=3(x+2)(x-2)$

$f'(x)=0$에서 $x=-2$ 또는 $x=2$

함수 $f(x)$의 증가와 감소를 표로 나타내면 다음과 같다.

x	$\cdots$	-2	$\cdots$	2	$\cdots$
$f'(x)$	$+$	0	$-$	0	$+$
$f(x)$	↗	$16-k$	↘	$-16-k$	↗

이때 삼차방정식 $f(x)=0$이 중근과 한 실근을 가지려면 함수 $f(x)$의 극댓값 또는 극솟값이 0이어야 하므로

$(16-k)(-16-k)=0$

$\therefore k=-16$ 또는 $k=16$

따라서 모든 실수 k의 값의 곱은

$(-16)\times16=-256$ 답 ①

1-3 $h(x)=f(x)-g(x)$로 놓으면

$h(x)=(x^4+6x+a)-(-x^2+4-a)$

$=x^4+x^2+6x-4+2a$

$h'(x)=4x^3+2x+6=(x+1)(4x^2-4x+6)$

이때 $4x^2-4x+6=(2x-1)^2+5>0$이므로

$h'(x)=0$에서 $x=-1$

함수 $h(x)$의 증가와 감소를 표로 나타내면 다음과 같다.

x	$\cdots$	-1	$\cdots$
$h'(x)$	$-$	0	$+$
$h(x)$	↘	$2a-8$	↗

두 함수 $y=f(x)$, $y=g(x)$의 그래프가 오직 한 점에서 만나므로 방정식 $h(x)=0$의 실근이 하나만 존재해야 한다. 즉, 함수 $y=h(x)$의 그래프는 오른쪽 그림과 같이 x축과 한 점에서 만나야 하므로 $h(-1)=0$에서

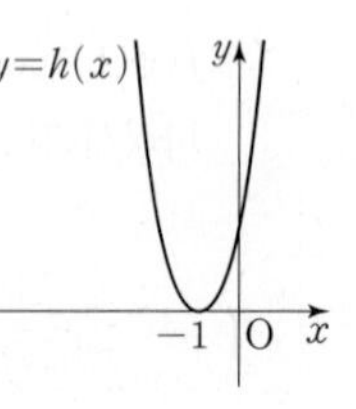

$2a-8=0$

$\therefore a=4$ 답 4

1-4 방정식 $f(x)=g(x)$에서

$3x^3-x^2-3x=x^3-4x^2+9x+a$

$\therefore 2x^3+3x^2-12x=a$

$h(x)=2x^3+3x^2-12x$로 놓으면

$h'(x)=6x^2+6x-12=6(x+2)(x-1)$

$h'(x)=0$에서 $x=-2$ 또는 $x=1$

함수 $h(x)$의 증가와 감소를 표로 나타내면 다음과 같다.

x	$\cdots$	-2	$\cdots$	1	$\cdots$
$h'(x)$	$+$	0	$-$	0	$+$
$h(x)$	↗	20	↘	-7	↗

함수 $y=h(x)$의 그래프는 오른쪽 그림과 같고, 방정식 $f(x)=g(x)$의 근은 방정식 $h(x)=a$의 근과 같다.

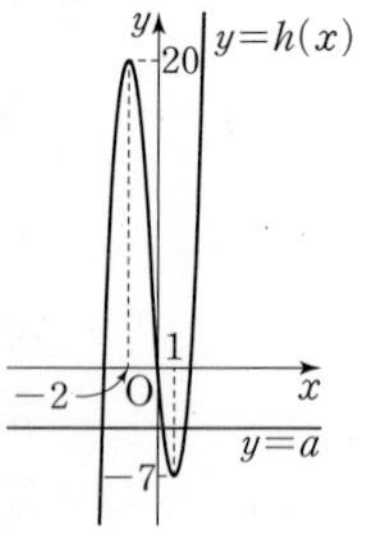

함수 $y=h(x)$의 그래프와 직선 $y=a$가 $x>0$에서 서로 다른 두 점에서 만나고 $x<0$에서 한 점에서 만나려면

$-7<a<0$

따라서 정수 a는 -6, -5, $\cdots$, -1의 6개이다. 답 ①

다른 풀이 $h(x)=f(x)-g(x)$로 놓으면

$h(x)=(3x^3-x^2-3x)-(x^3-4x^2+9x+a)$

$=2x^3+3x^2-12x-a$

$h'(x)=6x^2+6x-12=6(x+2)(x-1)$

$h'(x)=0$에서 $x=-2$ 또는 $x=1$

따라서 방정식 $h(x)=0$이 서로 다른 두 개의 양의 실근과 한 개의 음의 실근을 가지려면 함수 $y=h(x)$의 그래프의 개형은 오른쪽 그림과 같아야 한다.

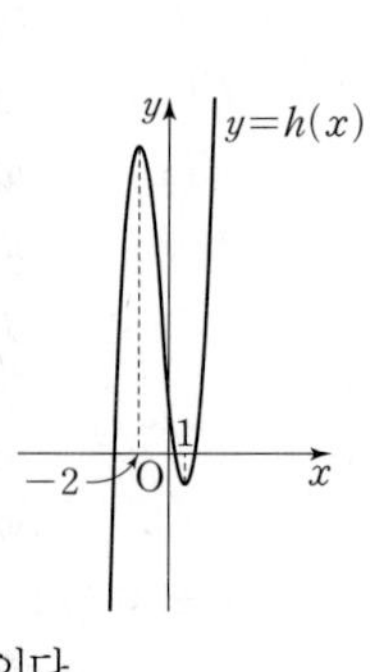

이때 $h(0)=-a>0$,

$h(1)=-7-a<0$이어야 하므로

$a<0$, $a>-7$ $\quad\therefore -7<a<0$

따라서 정수 a는 -6, -5, $\cdots$, -1의 6개이다.

대표문제 2 $f(x)=x^4-4x-a^2+a+9$로 놓으면

$f'(x)=4x^3-4=4(x-1)(x^2+x+1)$

$f'(x)=0$에서 $x=1$ ($\because x^2+x+1>0$)

함수 $f(x)$의 증가와 감소를 표로 나타내면 다음과 같다.

x	$\cdots$	1	$\cdots$
$f'(x)$	$-$	0	$+$
$f(x)$	↘	$-a^2+a+6$	↗

함수 $f(x)$는 $x=1$에서 극소이면서 최소이므로 모든 실수 x에 대하여 부등식 $f(x)\geq0$이 성립하려면

$-a^2+a+6\geq0$, $(a+2)(a-3)\leq0$ $\quad\therefore -2\leq a\leq3$

따라서 정수 a는 -2, -1, $\cdots$, 3의 6개이다. 답 ①

2-1 부등식 $f(x)>g(x)$에서

$3x^4+6x^2+12>4x^3+12x+k$

$\therefore 3x^4-4x^3+6x^2-12x+12-k>0$

$h(x)=3x^4-4x^3+6x^2-12x+12-k$로 놓으면

$h'(x)=12x^3-12x^2+12x-12=12(x-1)(x^2+1)$

$h'(x)=0$에서 $x=1$

함수 $h(x)$의 증가와 감소를 표로 나타내면 오른쪽과 같다.

x	$\cdots$	1	$\cdots$
$h'(x)$	$-$	0	$+$
$h(x)$	↘	$5-k$	↗

함수 $h(x)$는 $x=1$에서 극소이면서 최소이므로 모든 실수 x에 대하여 부등식 $f(x)>g(x)$, 즉 $h(x)>0$이 성립하려면

$5-k>0 \quad \therefore k<5$

따라서 자연수 k는 1, 2, 3, 4이므로 그 합은

$1+2+3+4=10$ 답 ⑤

2-2 $x\geq0$일 때, 함수 $f(x)=x^3-6x^2+a$의 그래프가 항상 직선 $y=5$보다 위쪽에 있으려면

$x^3-6x^2+a>5 \quad \therefore x^3-6x^2+a-5>0$

$g(x)=x^3-6x^2+a-5$로 놓으면

$g'(x)=3x^2-12x=3x(x-4)$

$g'(x)=0$에서 $x=0$ 또는 $x=4$

$x\geq0$에서 함수 $g(x)$의 증가와 감소를 표로 나타내면 다음과 같다.

x	0	$\cdots$	4	$\cdots$
$g'(x)$	0	$-$	0	$+$
$g(x)$	$a-5$	↘	$a-37$	↗

함수 $g(x)$는 $x=4$에서 극소이면서 최소이므로 $x\geq0$에서 부등식 $g(x)>0$이 성립하려면

$a-37>0 \quad \therefore a>37$

따라서 정수 a의 최솟값은 38이다. 답 ③

2-3 $f(x)=x^3-6x^2+9x-4$로 놓으면

$f'(x)=3x^2-12x+9=3(x-1)(x-3)$

$f'(x)=0$에서 $x=1$ 또는 $x=3$

함수 $f(x)$의 증가와 감소를 표로 나타내면 다음과 같다.

x	$\cdots$	1	$\cdots$	3	$\cdots$
$f'(x)$	$+$	0	$-$	0	$+$
$f(x)$	↗	0	↘	-4	↗

이때 $f(x)=0$에서 $x^3-6x^2+9x-4=0$

$(x-1)^2(x-4)=0 \quad \therefore x=1$ 또는 $x=4$

함수 $y=f(x)$의 그래프는 오른쪽 그림과 같으므로 $x>a$에서 부등식 $f(x)>0$이 항상 성립하려면 $a\geq4$이어야 한다.

따라서 실수 a의 최솟값은 4이다.

답 ②

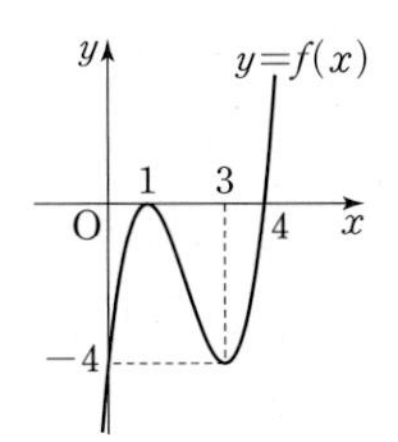

2-4 $h(x)=f(x)-g(x)$로 놓으면 함수 $h(x)$는 최고차항의 계수가 양수인 삼차함수이고, 도함수 $h'(x)$는 최고차항의 계수가 양수인 이차함수이다.

$h'(x)=f'(x)-g'(x)$이므로 조건 (가)에서

$h'(0)=f'(0)-g'(0)=0$

$h'(a)=f'(a)-g'(a)=0$

즉, $h'(x)=0$에서 $x=0$ 또는 $x=a$ (a는 자연수)

$x>0$에서 함수 $h(x)$의 증가와 감소를 표로 나타내면 다음과 같다.

x	(0)	$\cdots$	a	$\cdots$
$h'(x)$		$-$	0	$+$
$h(x)$		↘	$-a^2+6a-8$	↗

함수 $h(x)$는 $x=a$에서 극소이면서 최소이므로 $x>0$에서 부등식 $h(x)\geq0$이 성립하려면

$-a^2+6a-8\geq0,\ a^2-6a+8\leq0$

$(a-2)(a-4)\leq0 \quad \therefore 2\leq a\leq4$

따라서 자연수 a는 2, 3, 4의 3개이다. 답 ②

대표문제 3 두 점 P, Q의 시각 t에서의 속도를 각각 $v_P(t)$, $v_Q(t)$라 하면

$v_P(t)=f'(t)=4t-2$

$v_Q(t)=g'(t)=2t-8$

이때 두 점 P, Q가 서로 반대 방향으로 움직이려면 속도의 부호가 서로 달라야 하므로 $v_P(t)v_Q(t)<0$에서

$(4t-2)(2t-8)<0$

$4(2t-1)(t-4)<0$

$\therefore \frac{1}{2}<t<4$ 답 ①

3-1 점 P가 원점을 지날 때는 $x(t)=0$일 때이므로

$t^3-5t^2+4t=0,\ t(t-1)(t-4)=0$

$\therefore t=0$ 또는 $t=1$ 또는 $t=4$

이때 점 P가 출발한 후 마지막으로 원점을 지날 때는 $t=4$일 때이고 점 P의 속도를 $v(t)$라 하면

$v(t)=x'(t)=3t^2-10t+4$

따라서 $t=4$일 때의 점 P의 속도는

$v(4)=48-40+4=12$ 답 12

3-2 점 P의 시각 t에서의 속도를 $v(t)$라 하면

$v(t)=x'(t)=6t^2-12t=6t(t-2)$

이때 점 P가 출발한 후 운동 방향이 바뀌려면 $v(t)=0$에서

$t=0$ 또는 $t=2$

따라서 점 P는 출발한 후 $t=2$에서 운동 방향이 바뀌었고, 이때의 위치는

$x(2)=16-24+9=1$ 답 1

3-3 점 P의 시각 t에서의 속도, 가속도를 각각 $v(t)$, $a(t)$라 하면

$v(t)=x'(t)=-t^2+6t$

$a(t)=v'(t)=-2t+6$

$a(t)=0$에서 $-2t+6=0 \quad \therefore t=3$

즉, $t=3$일 때 점 P의 위치가 40이므로

$18+k=40 \quad \therefore k=22$ 답 22

3-4 두 점 P, Q의 시각 t에서의 속도를 각각 $v_P(t)$, $v_Q(t)$라 하면
$v_P(t)=f'(t)=4t^3+2kt$, $v_Q(t)=g'(t)=8t$
두 점 P, Q의 시각 t에서의 가속도를 각각 $a_P(t)$, $a_Q(t)$라 하면
$a_P(t)=v_P'(t)=12t^2+2k$, $a_Q(t)=v_Q'(t)=8$
$a_P(t)=a_Q(t)$에서
$12t^2+2k=8$, $12t^2=8-2k$
$t>0$에서 $12t^2>0$이므로 두 점 P, Q의 가속도가 같게 되는 순간이 존재하려면
$8-2k>0$ $\quad\therefore k<4$
따라서 자연수 k는 1, 2, 3이므로 그 합은
$1+2+3=6$ 답 6

3-5 ㄱ. $0<t<a$에서 속도가 증가한다. (참)
ㄴ. 점 P의 가속도는 $v'(t)$이고, $b<t<d$에서 $v'(t)$의 값은 일정하므로 가속도는 일정하다. (거짓)
ㄷ. $t=e$에서의 가속도는 $v'(e)$이고, $v'(e)>0$이므로 $t=e$에서의 가속도는 양의 값이다. (거짓)
ㄹ. $t=c$와 $t=f$의 좌우에서 $v(t)$의 부호가 바뀌므로 점 P의 운동 방향이 바뀐다. 따라서 $0<t<g$에서 점 P는 운동 방향을 두 번 바꾼다. (참)
따라서 옳은 것은 ㄱ, ㄹ이다. 답 ②

기출&예상 실전 문제로 마무리

| 본문 46~47쪽 |

01 ① 02 ④ 03 ② 04 ⑤ 05 45 06 ③
07 92 08 ④ 09 33 10 27 11 ③

01 $f(x)=-x^4+2x^2+3$으로 놓으면
$f'(x)=-4x^3+4x=-4x(x+1)(x-1)$
$f'(x)=0$에서 $x=-1$ 또는 $x=0$ 또는 $x=1$
함수 $f(x)$의 증가와 감소를 표로 나타내면 다음과 같다.

x	$\cdots$	-1	$\cdots$	0	$\cdots$	1	
$f'(x)$	$+$	0	$-$	0	$+$	0	$-$
$f(x)$	↗	4	↘	3	↗	4	↘

함수 $y=f(x)$의 그래프는 오른쪽 그림과 같다.
이때 함수 $y=f(x)$의 그래프와 직선 $y=2k$가 서로 다른 두 점에서 만나려면
$2k<3$ 또는 $2k=4$

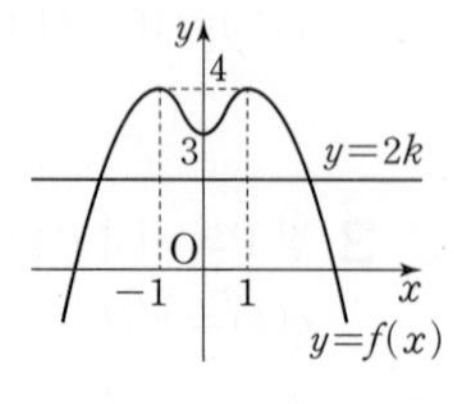

$\therefore k<\frac{3}{2}$ 또는 $k=2$
따라서 자연수 k는 1, 2이므로 그 합은
$1+2=3$ 답 ①

02 $f(x)=2x^3-6x^2+k$로 놓으면
$f'(x)=6x^2-12x=6x(x-2)$
$1<x<2$일 때, $f'(x)<0$이므로 함수 $f(x)$는 구간 $(1, 2)$에서 감소한다.
즉, $1<x<2$일 때, $f(x)>0$이려면 $f(2)\geq 0$이어야 하므로
$f(2)=16-24+k=-8+k\geq 0$
$\therefore k\geq 8$
따라서 실수 k의 최솟값은 8이다. 답 ④

03 부등식 $f(x)>g(x)$에서
$x^3+3x^2-x-4>3x^2+2x-5$
$\therefore x^3-3x+1>0$
$h(x)=x^3-3x+1$로 놓으면
$h'(x)=3x^2-3=3(x+1)(x-1)$
$h'(x)=0$에서 $x=-1$ 또는 $x=1$
함수 $h(x)$의 증가와 감소를 표로 나타내면 다음과 같다.

x	$\cdots$	-1	$\cdots$	1	$\cdots$
$h'(x)$	$+$	0	$-$	0	$+$
$h(x)$	↗	3	↘	-1	↗

이때 $h(-2)=-1$, $h(0)=1$, $h(2)=3$이므로 함수 $y=h(x)$의 그래프는 오른쪽 그림과 같다.

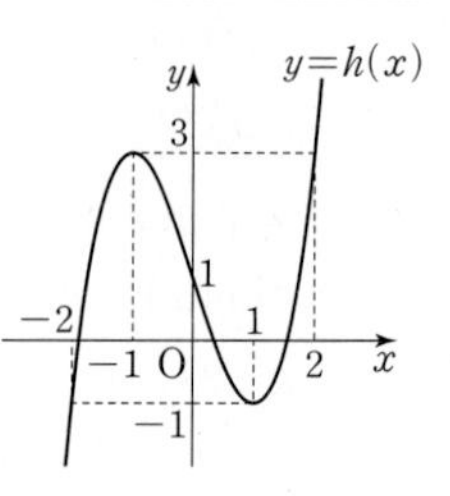

따라서 구간 $[a, a+1]$에서 부등식 $f(x)>g(x)$, 즉 $h(x)>0$이 항상 성립하도록 하는 정수 a는 -1, 2, 3, 4, $\cdots$이므로 정수 a의 최솟값은 -1이다. 답 ②

04 $f(x)=x^4-2x^2-3$에서
$f'(x)=4x^3-4x=4x(x+1)(x-1)$
$f'(x)=0$에서 $x=-1$ 또는 $x=0$ 또는 $x=1$
구간 $[-2, 2]$에서 함수 $f(x)$의 증가와 감소를 표로 나타내면 다음과 같다.

x	-2	$\cdots$	-1	$\cdots$	0	$\cdots$	1	$\cdots$	2
$f'(x)$		$-$	0	$+$	0	$-$	0	$+$	
$f(x)$	5	↘	-4	↗	-3	↘	-4	↗	5

즉, 구간 $[-2, 2]$에서 $-4\leq f(x)\leq 5$이므로
$-k-1<-4$, $k+1>5$
$\therefore k>4$
따라서 자연수 k의 최솟값은 5이다. 답 ⑤

05 점 P의 시각 t에서의 속도를 $v(t)$라 하면
$v(t)=x'(t)=3t^2-30t+30=3(t-5)^2-45$
$1\leq t\leq 6$에서 $-45\leq v(t)\leq 3$이므로
$0\leq |v(t)|\leq 45$
따라서 점 P의 속력의 최댓값은 45이다. 답 45

참고 속력은 속도의 절댓값이다.

06
점 P의 시각 t에서의 속도를 $v(t)$, 가속도를 $a(t)$라 하면

$v(t)=x'(t)=t^3-9t^2+24t+6$

$a(t)=v'(t)=3t^2-18t+24$

점 P의 속도가 감소하면 $a(t)<0$이므로

$3t^2-18t+24<0$, $3(t-2)(t-4)<0$

$\therefore 2<t<4$

따라서 $\alpha=2$, $\beta=4$이므로

$\alpha+\beta=6$

답 ③

07
$f(x)=2x^3-3x^2-12x$에서

$f'(x)=6x^2-6x-12=6(x+1)(x-2)$

$f'(x)=0$에서 $x=-1$ 또는 $x=2$

함수 $f(x)$의 증가와 감소를 표로 나타내면 다음과 같다.

x	$\cdots$	-1	$\cdots$	2	$\cdots$
$f'(x)$	$+$	0	$-$	0	$+$
$f(x)$	↗	7	↘	-20	↗

함수 $y=|f(x)|$의 그래프는 오른쪽 그림과 같으므로 함수 $y=|f(x)|$의 그래프와 직선 $y=n$의 교점의 개수 $g(n)$은 n의 값에 따라 다음과 같다.

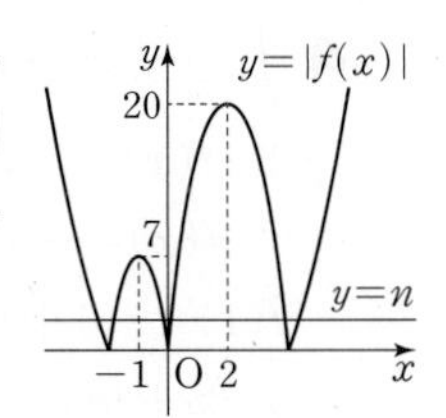

$$g(n)=\begin{cases} 6\ (1\le n<7) \\ 5\ (n=7) \\ 4\ (7<n<20) \\ 3\ (n=20) \\ 2\ (n>20) \end{cases}$$

$\therefore \sum_{n=1}^{20} g(n)=6\times6+5+12\times4+3=92$

답 92

08
그릇에 담긴 수면의 높이를 h cm, 수면의 반지름의 길이를 r cm라 하면

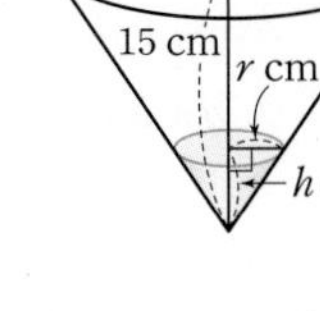

$r : h=10 : 15 \qquad \therefore r=\frac{2}{3}h$

이때 수면의 높이가 매초 2 cm씩 상승하므로 t초 동안 수면의 높이는 $2t$ cm만큼 상승한다.

$\therefore h=2t$

t초 후의 물의 부피를 V cm^{3}라 하면

$V=\frac{1}{3}\pi r^2h=\frac{1}{3}\pi\times\left(\frac{2}{3}h\right)^2\times h=\frac{4}{27}\pi h^3$

$=\frac{4}{27}\pi\times(2t)^3=\frac{32}{27}\pi t^3$

$\therefore \frac{dV}{dt}=\frac{32}{9}\pi t^2$

따라서 $h=6$일 때 $6=2t$에서 $t=3$이므로 이때의 물의 부피의 변화율은

$\frac{32}{9}\pi\times3^2=32\pi$ (cm^3/s)

답 ④

09
$g(x)=2x^3-3x^2-12x-10+a$이므로

$g'(x)=6x^2-6x-12=6(x+1)(x-2)$

$g'(x)=0$에서 $x=-1$ 또는 $x=2$

함수 $g(x)$의 증가와 감소를 표로 나타내면 다음과 같다.

x	$\cdots$	-1	$\cdots$	2	$\cdots$
$g'(x)$	$+$	0	$-$	0	$+$
$g(x)$	↗	$a-3$	↘	$a-30$	↗

이때 방정식 $g(x)=0$이 서로 다른 두 실근만을 가지려면 한 실근과 중근을 가져야 한다.

즉, 함수 $g(x)$의 극댓값 또는 극솟값이 0이어야 하므로

$(a-3)(a-30)=0$

$\therefore a=3$ 또는 $a=30$

따라서 모든 a의 값의 합은

$3+30=33$

답 33

10
두 점 P, Q의 시각 t에서의 속도를 각각 $v_1(t)$, $v_2(t)$라 하면

$v_1(t)=x_1'(t)=3t^2-4t+3$

$v_2(t)=x_2'(t)=2t+12$

두 점 P, Q의 속도가 같으면 $v_1(t)=v_2(t)$에서

$3t^2-4t+3=2t+12$, $3t^2-6t-9=0$

$3(t+1)(t-3)=0$

$\therefore t=3$ ($\because t\ge0$)

따라서 $t=3$일 때 두 점 P, Q의 위치는 각각

$x_1(3)=27-18+9=18$

$x_2(3)=9+36=45$

이므로 두 점 P, Q 사이의 거리는

$45-18=27$

답 27

11
$h(x)=f(x)-g(x)$에서 $h'(x)=f'(x)-g'(x)$이고

$h'(x)=0$, 즉 $f'(x)=g'(x)$에서

$x=0$ 또는 $x=2$

ㄱ. $0<x<2$에서 $f'(x)<g'(x)$이므로

$h'(x)=f'(x)-g'(x)<0$

따라서 $0<x<2$에서 함수 $h(x)$는 감소한다. (참)

ㄴ. $0<x<2$에서 $f'(x)<g'(x)$이므로

$h'(x)=f'(x)-g'(x)<0$

$x>2$에서 $f'(x)>g'(x)$이므로

$h'(x)=f'(x)-g'(x)>0$

따라서 함수 $h(x)$는 $0<x<2$에서 감소하고 $x>2$에서 증가하므로 $x=2$에서 극솟값을 갖는다. (참)

ㄷ. $x<0$에서 $f'(x)>g'(x)$이므로

$h'(x)=f'(x)-g'(x)>0$

함수 $h(x)$는 $x<0$에서 증가하고 $0<x<2$에서 감소하므로 $x=0$에서 극댓값을 갖는다.

이때 $h(0)=f(0)-g(0)=0$이므로 함수 $y=h(x)$의 그래프는 오른쪽 그림과 같다.

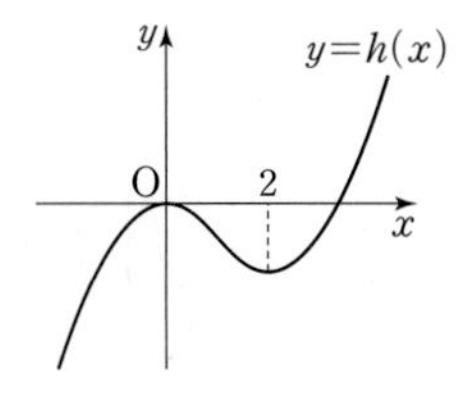

따라서 방정식 $h(x)=0$은 서로 다른 두 실근을 갖는다. (거짓)

따라서 옳은 것은 ㄱ, ㄴ이다.

답 ③

다항함수의 적분법

08강 부정적분

| 본문 48쪽 |

확인 1 (1) $f(x)=(x^2-3x+C)'=2x-3$

(2) $f(x)=(x^3+2x^2-5+C)'=3x^2+4x$

답 (1) $f(x)=2x-3$ (2) $f(x)=3x^2+4x$

확인 2 답 (1) x^2 (2) x^2+C

확인 3 (3) $\int(x-3)^2dx=\int(x^2-6x+9)dx$

$=\frac{1}{3}x^3-3x^2+9x+C$

답 (1) $\frac{3}{2}x^4-x^3+C$ (2) $-\frac{1}{3}x^3+2x^2+x+C$

(3) $\frac{1}{3}x^3-3x^2+9x+C$

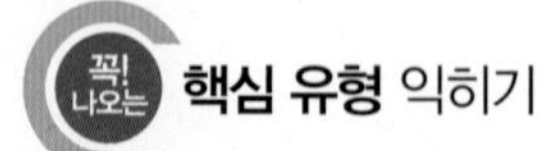

핵심 유형 익히기

| 본문 49~51쪽 |

대표문제 1 ③	1-1 ②	1-2 12	1-3 ①	1-4 4
대표문제 2 ④	2-1 ⑤	2-2 ②	2-3 ①	2-4 ③
대표문제 3 ⑤	3-1 ④	3-2 ③	3-3 ④	3-4 ④

대표문제 1 $\int xf(x)dx=x^4+x^3-ax^2$의 양변을 x에 대하여 미분하면

$xf(x)=4x^3+3x^2-2ax$

$\therefore f(x)=4x^2+3x-2a$

$f(2)=10$이므로

$16+6-2a=10$

$2a=12$ $\therefore a=6$

답 ③

1-1 $\frac{d}{dx}\int x^2f(x)dx=x^2f(x)$이므로

$x^2f(x)=-f(x)+x$, $(x^2+1)f(x)=x$

$\therefore f(x)=\frac{x}{x^2+1}$

$\therefore f(3)=\frac{3}{3^2+1}=\frac{3}{10}$

답 ②

1-2 $f(x)=\int\left\{\frac{d}{dx}(x^2-6x)\right\}dx$

$=x^2-6x+C$

$=(x-3)^2-9+C$

최솟값이 8이므로 $-9+C=8$ $\therefore C=17$

따라서 $f(x)=x^2-6x+17$이므로

$f(1)=1-6+17=12$

답 12

1-3 $\int f(x)dx=xf(x)-4x^3+3x^2+2$의 양변을 x에 대하여 미분하면

$f(x)=f(x)+xf'(x)-12x^2+6x$

$xf'(x)=12x^2-6x$ $\therefore f'(x)=12x-6$

$f'(x)=0$에서 $x=\frac{1}{2}$

함수 $f(x)$의 증가와 감소를 표로 나타내면 오른쪽과 같으므로 $f(x)$는 $x=\frac{1}{2}$에서 극솟값을 갖는다.

x	$\cdots$	$\frac{1}{2}$	$\cdots$
$f'(x)$	$-$	0	$+$
$f(x)$	↘	극소	↗

$\therefore a=\frac{1}{2}$

답 ①

1-4 $\int\{1-f(x)\}dx=ax^3+bx^2+1$의 양변을 x에 대하여 미분하면

$1-f(x)=3ax^2+2bx$

$\therefore f(x)=-3ax^2-2bx+1$

$f(1)=-6$이므로 $-3a-2b+1=-6$

$\therefore 3a+2b=7$ …… ㉠

$\lim_{h\to0}\frac{f(1+3h)-f(1)}{h}=\lim_{h\to0}\left\{\frac{f(1+3h)-f(1)}{3h}\times3\right\}$

$=3f'(1)$

$3f'(1)=-12$이므로 $f'(1)=-4$

$f'(x)=-6ax-2b$이고 $f'(1)=-4$이므로

$-6a-2b=-4$

$\therefore 3a+b=2$ …… ㉡

㉠, ㉡을 연립하여 풀면

$a=-1$, $b=5$

$\therefore a+b=4$

답 4

대표문제 2 $f(x)=\int\left(\frac{1}{2}x^3+2x+1\right)dx-\int\left(\frac{1}{2}x^3+x\right)dx$

$=\int\left\{\left(\frac{1}{2}x^3+2x+1\right)-\left(\frac{1}{2}x^3+x\right)\right\}dx$

$=\int(x+1)dx$

$=\frac{1}{2}x^2+x+C$

$f(0)=1$이므로 $C=1$

따라서 $f(x)=\frac{1}{2}x^2+x+1$이므로

$f(4)=8+4+1=13$

답 ④

2-1 $f'(x)=ax^2+x+2$이므로

$f(x)=\int(ax^2+x+2)dx$

$=\frac{1}{3}ax^3+\frac{1}{2}x^2+2x+C$

$f(0)=1$이므로 $C=1$

$f(-2)=-9$이므로 $-\frac{8}{3}a+2-4+1=-9$

$\therefore a=3$

따라서 $f(x)=x^3+\frac{1}{2}x^2+2x+1$이므로

$f(2)=8+2+4+1=15$ 답 ⑤

2-2 $f(x)=\int(x+\sqrt{x})^2dx+\int(x-\sqrt{x})^2dx$

$=\int(x^2+2x\sqrt{x}+x)dx+\int(x^2-2x\sqrt{x}+x)dx$

$=\int(2x^2+2x)dx$

$=\frac{2}{3}x^3+x^2+C$

$f(1)=3$이므로 $\frac{2}{3}+1+C=3$ $\therefore C=\frac{4}{3}$

따라서 $f(x)=\frac{2}{3}x^3+x^2+\frac{4}{3}$이므로

$f(-1)=-\frac{2}{3}+1+\frac{4}{3}=\frac{5}{3}$ 답 ②

2-3 $\lim_{h\to0}\frac{f(x-h)-f(x)}{h}=\lim_{h\to0}\left\{\frac{f(x-h)-f(x)}{-h}\times(-1)\right\}$

$=-f'(x)$

즉, $-f'(x)=3x^2-6x+2$에서

$f'(x)=-3x^2+6x-2$

$\therefore f(x)=\int(-3x^2+6x-2)dx$

$=-x^3+3x^2-2x+C$

$f(2)=5$이므로 $-8+12-4+C=5$ $\therefore C=5$

따라서 $f(x)=-x^3+3x^2-2x+5$이므로

$f(3)=-27+27-6+5=-1$ 답 ①

2-4 $\int\frac{f'(x)}{x}dx=6x^2+4x+6$의 양변을 x에 대하여 미분하면

$\frac{f'(x)}{x}=12x+4$

즉, $f'(x)=12x^2+4x$이므로

$f(x)=\int(12x^2+4x)dx$

$=4x^3+2x^2+C$

$f(1)=10$이므로 $4+2+C=10$ $\therefore C=4$

따라서 $f(x)=4x^3+2x^2+4$이므로

$f(2)=32+8+4=44$ 답 ③

대표문제 3 곡선 $y=f(x)$ 위의 임의의 점 $(x, f(x))$에서의 접선의 기울기가 $3x^2-2x+2$이므로

$f'(x)=3x^2-2x+2$

$\therefore f(x)=\int(3x^2-2x+2)dx$

$=x^3-x^2+2x+C$

곡선 $y=f(x)$가 원점을 지나므로 $f(0)=0$에서 $C=0$

따라서 $f(x)=x^3-x^2+2x$이므로

$f(3)=27-9+6=24$ 답 ⑤

3-1 곡선 $y=f(x)$ 위의 임의의 점 $(x, f(x))$에서의 접선의 기울기가 ax^3이므로

$f'(x)=ax^3$

$\therefore f(x)=\int ax^3dx=\frac{a}{4}x^4+C$

곡선 $y=f(x)$가 점 $(0, -2)$를 지나므로 $f(0)=-2$에서

$C=-2$

곡선 $y=f(x)$가 점 $(1, -1)$을 지나므로 $f(1)=-1$에서

$\frac{a}{4}-2=-1$ $\therefore a=4$

따라서 $f(x)=x^4-2$이므로

$f(2)=16-2=14$ 답 ④

3-2 $f'(x)=ax(x-2)$ $(a<0)$로 놓으면

$f'(1)=2$에서 $-a=2$ $\therefore a=-2$

즉, $f'(x)=-2x(x-2)=-2x^2+4x$이므로

$f(x)=\int(-2x^2+4x)dx$

$=-\frac{2}{3}x^3+2x^2+C$

이때 함수 $y=f(x)$의 그래프가 점 $(0, 6)$을 지나므로

$f(0)=6$에서 $C=6$

따라서 $f(x)=-\frac{2}{3}x^3+2x^2+6$이므로

$f(1)=-\frac{2}{3}+2+6=\frac{22}{3}$ 답 ③

3-3 $f'(x)=-2x+2$에서

$f(x)=\int(-2x+2)dx$

$=-x^2+2x+C$

접점의 좌표를 $(t, f(t))$로 놓으면 접선의 방정식은

$y-f(t)=f'(t)(x-t)$

이 접선의 기울기가 2이므로

$f'(t)=-2t+2=2$ $\therefore t=0$

즉, 접점의 좌표는 $(0, C)$이고, 이 점은 직선 $y=2x+3$ 위의 점이므로

$C=3$

따라서 $f(x)=-x^2+2x+3$이므로

$f(1)=-1+2+3=4$ 답 ④

3-4 $f'(x)=a(x+1)(x-1)$ $(a>0)$로 놓으면

$f(x)=\int a(x+1)(x-1)dx$

$=\int(ax^2-a)dx$

$=\frac{a}{3}x^3-ax+C$

$f'(x)=0$에서 $x=-1$ 또는 $x=1$

함수 $f(x)$의 증가와 감소를 표로 나타내면 다음과 같다.

x	$\cdots$	-1	$\cdots$	1	$\cdots$
$f'(x)$	$+$	0	$-$	0	$+$
$f(x)$	↗	극대	↘	극소	↗

함수 $f(x)$는 $x=-1$에서 극대이고 극댓값이 4이므로

$f(-1)=4$에서 $-\frac{a}{3}+a+C=4$

$\therefore \frac{2}{3}a+C=4$ $\cdots\cdots$ ㉠

함수 $f(x)$는 $x=1$에서 극소이고 극솟값이 0이므로

$f(1)=0$에서 $\frac{a}{3}-a+C=0$

$\therefore -\frac{2}{3}a+C=0$ $\cdots\cdots$ ㉡

㉠, ㉡을 연립하여 풀면

$a=3,\ C=2$

따라서 $f(x)=x^3-3x+2$이므로

$f(3)=27-9+2=20$

답 ④

실전 문제로 마무리

| 본문 52~53쪽 |

01 ② 02 ③ 03 69 04 1 05 13 06 ①
07 3 08 ④ 09 ① 10 ④ 11 ② 12 ⑤

01 $\int\{1-2f(x)\}dx=-2x^3+x^2+5x+3$의 양변을 x에 대하여 미분하면

$1-2f(x)=-6x^2+2x+5$

$\therefore f(x)=3x^2-x-2$

$\therefore f(-1)=3-(-1)-2=2$

답 ②

02 $\log_x\left(\frac{d}{dx}\int x^7dx\right)$에서 밑의 조건에 의하여 $x>0,\ x\neq1$

주어진 등식의 좌변은

$\log_x\left(\frac{d}{dx}\int x^7dx\right)=\log_x x^7=7$

이므로 주어진 등식은

$x^2-2x-8=7$

$x^2-2x-15=0,\ (x+3)(x-5)=0$

$\therefore x=5\ (\because x>0,\ x\neq1)$

답 ③

03 $f(x)=\int\frac{x^6}{x^3-1}dx-\int\frac{1}{x^3-1}dx$

$=\int\frac{x^6-1}{x^3-1}dx$

$=\int\frac{(x^3+1)(x^3-1)}{x^3-1}dx$

$=\int(x^3+1)dx$

$=\frac{1}{4}x^4+x+C$

$f(-1)=\frac{1}{4}$에서 $\frac{1}{4}-1+C=\frac{1}{4}$ $\quad\therefore C=1$

따라서 $f(x)=\frac{1}{4}x^4+x+1$이므로

$f(4)=64+4+1=69$

답 69

04 $F(x)=xf(x)-3x^4+6x^3+x^2$의 양변을 x에 대하여 미분하면

$f(x)=f(x)+xf'(x)-12x^3+18x^2+2x$

즉, $xf'(x)=12x^3-18x^2-2x$이므로

$f'(x)=12x^2-18x-2$

$\therefore f(x)=\int(12x^2-18x-2)dx$

$=4x^3-9x^2-2x+C$

$f(1)=2$에서 $4-9-2+C=2$ $\quad\therefore C=9$

따라서 $f(x)=4x^3-9x^2-2x+9$이므로

$f(2)=32-36-4+9=1$

답 1

05 조건 (가)에서

$\int\left[\frac{d}{dx}\{f(x)-g(x)\}\right]dx=\int(2x-1)dx$

$\therefore f(x)-g(x)=x^2-x+C_1$

조건 (나)에서

$\int\left[\frac{d}{dx}\{f(x)g(x)\}\right]dx=\int(3x^2+6x-2)dx$

$\therefore f(x)g(x)=x^3+3x^2-2x+C_2$

조건 (다)에서 $f(0)=-2,\ g(0)=3$이므로

$f(0)-g(0)=C_1=-5,\ f(0)g(0)=C_2=-6$

따라서 $f(x)g(x)=x^3+3x^2-2x-6=(x+3)(x^2-2)$,

$f(x)-g(x)=x^2-x-5=(x^2-2)-(x+3)$이고

$f(0)=-2,\ g(0)=3$이므로

$f(x)=x^2-2,\ g(x)=x+3$

$\therefore f(-3)+g(3)=7+6=13$

답 13

06 곡선 $y=f(x)$ 위의 임의의 점 $(x,\ f(x))$에서의 접선의 기울기가 $3x+2$이므로 $f'(x)=3x+2$

$\therefore f(x)=\int(3x+2)dx$

$=\frac{3}{2}x^2+2x+C$

곡선 $y=f(x)$가 점 $(2,\ -1)$을 지나므로 $f(2)=-1$에서

$6+4+C=-1$ $\quad\therefore C=-11$

$\therefore f(x)=\frac{3}{2}x^2+2x-11$

이때 $f(x)=0$을 만족시키는 x의 값이 a와 b이므로 $a,\ b$는 방정식 $\frac{3}{2}x^2+2x-11=0$, 즉 $3x^2+4x-22=0$의 근이다.

따라서 이차방정식의 근과 계수의 관계에 의하여

$a+b=-\frac{4}{3}$

답 ①

07 $f(x)=\int4(x-1)(x^2+x+1)dx$

$=\int(4x^3-4)dx$

$=x^4-4x+C$

$f'(x)=4(x-1)(x^2+x+1)$이므로

$f'(x)=0$에서 $x=1$

함수 $f(x)$의 증가와 감소를 표로 나타내면 오른쪽과 같고 $f(x)$는 $x=1$에서 극소이면서 최소이므로 최솟값은

x	$\cdots$	1	$\cdots$
$f'(x)$	$-$	0	$+$
$f(x)$	↘	극소	↗

$f(1)=1-4+C=C-3$

모든 실수 x에 대하여 $f(x)\ge 0$이므로

$C-3\ge 0 \quad \therefore C\ge 3$

따라서 $f(0)=C\ge 3$이므로 $f(0)$의 최솟값은 3이다. 답 3

08 $f'(x)=ax(x-3)\ (a>0)$으로 놓으면

$f(x)=\int(ax^2-3ax)dx$

$=\frac{a}{3}x^3-\frac{3}{2}ax^2+C$

$f'(x)=0$에서 $x=0$ 또는 $x=3$

함수 $f(x)$의 증가와 감소를 표로 나타내면 다음과 같다.

x	$\cdots$	0	$\cdots$	3	$\cdots$
$f'(x)$	$+$	0	$-$	0	$+$
$f(x)$	↗	극대	↘	극소	↗

함수 $f(x)$는 $x=0$에서 극대이고 극댓값이 4이므로

$f(0)=4$에서 $C=4$

또, 함수 $y=f(x)$의 그래프가 점 $(2, -6)$을 지나므로

$f(2)=-6$에서

$\frac{8}{3}a-6a+4=-6,\ -\frac{10}{3}a=-10 \quad \therefore a=3$

따라서 $f(x)=x^3-\frac{9}{2}x^2+4$이고, 함수 $f(x)$는 $x=3$에서 극소이므로 극솟값은

$f(3)=27-\frac{81}{2}+4=-\frac{19}{2}$ 답 ④

09 $f(x+y)=f(x)+f(y)-2xy$에 $x=0,\ y=0$을 대입하면

$f(0)=f(0)+f(0)-0$이므로 $f(0)=0$

$f'(x)=\lim_{h\to 0}\frac{f(x+h)-f(x)}{h}$

$=\lim_{h\to 0}\frac{f(x)+f(h)-2xh-f(x)}{h}$

$=\lim_{h\to 0}\frac{f(h)}{h}-2x$

$=\lim_{h\to 0}\frac{f(h)-f(0)}{h}-2x\ (\because f(0)=0)$

$=f'(0)-2x$

$=2-2x$

$\therefore f(x)=\int f'(x)dx$

$=\int(2-2x)dx$

$=2x-x^2+C$

$f(0)=0$에서 $C=0$

따라서 $f(x)=2x-x^2$이므로

$f(3)=6-9=-3$ 답 ①

10 $\frac{d}{dx}\int\{f(x)-x^2+4\}dx=\int\frac{d}{dx}\{2f(x)-3x+1\}dx$에서

$f(x)-x^2+4=2f(x)-3x+1+C$

$f(x)=-x^2+3x+C'$으로 놓으면

$f(1)=3$이므로 $-1+3+C'=3 \quad \therefore C'=1$

따라서 $f(x)=-x^2+3x+1$이므로

$f(0)=1$ 답 ④

11 $f(x)g(x)=-2x^4+8x^3$에서 $f(x)$가 이차함수이므로 함수 $g(x)$도 이차함수이다. 따라서 이차함수 $g(x)$의 도함수 $g'(x)$는 일차함수이고 $g(x)=\int\{x^2+f(x)\}dx$에서

$g'(x)=x^2+f(x)$이므로 $f(x)$의 이차항의 계수는 -1이다.

$f(x)g(x)=-2x^4+8x^3=-2x^3(x-4)$에서

(i) $f(x)=-x^2,\ g(x)=2x(x-4)$인 경우

$g(x)=\int\{x^2+f(x)\}dx=C_1$이 되어 조건을 만족시키지 않는다.

(ii) $f(x)=-x(x-4),\ g(x)=2x^2$인 경우

$g(x)=\int\{x^2+f(x)\}dx=2x^2+C_2$에서 $C_2=0$이면 조건을 만족시킨다.

(i), (ii)에 의하여 $g(x)=2x^2$

$\therefore g(1)=2$ 답 ②

12 $\{xf(x)\}'=f(x)+xf'(x)$이므로 조건 (가)에서

$g(x)=xf(x)+C$

방정식 $f(x)=0$의 실근은 $x=0$ 또는 $x=\alpha$(중근)이고 $f(x)$의 최고차항의 계수가 1이므로 $f(x)=x(x-\alpha)^2$으로 놓으면

$g(x)=x^2(x-\alpha)^2+C$

$g'(x)=2x(x-\alpha)^2+2x^2(x-\alpha)=2x(x-\alpha)(2x-\alpha)$

$g'(x)=0$에서 $x=0$ 또는 $x=\frac{\alpha}{2}$ 또는 $x=\alpha$

함수 $g(x)$의 증가와 감소를 표로 나타내면 다음과 같다.

x	$\cdots$	0	$\cdots$	$\frac{\alpha}{2}$	$\cdots$	α	$\cdots$
$g'(x)$	$-$	0	$+$	0	$-$	0	$+$
$g(x)$	↘	극소	↗	극대	↘	극소	↗

함수 $g(x)$는 $x=\frac{\alpha}{2}$에서 극대이고 극댓값이 81이므로

$g\left(\frac{\alpha}{2}\right)=\frac{\alpha^2}{4}\times\frac{\alpha^2}{4}+C=\frac{\alpha^4}{16}+C=81$ …… ㉠

함수 $g(x)$는 $x=0$ 또는 $x=\alpha$에서 극소이고 극솟값이 0이므로

$g(0)=C=0$ 또는 $g(\alpha)=C=0$

$\therefore C=0$

㉠에 $C=0$을 대입하면 $\frac{\alpha^4}{16}=81 \quad \therefore \alpha=6\ (\because \alpha>0)$

따라서 $g(x)=x^2(x-6)^2$이므로

$g\left(\frac{\alpha}{3}\right)=g(2)=2^2\times(-4)^2=64$ 답 ⑤

09강 정적분 (1)

| 본문 54쪽 |

확인 1 $\int_{-1}^{2}(4x^3-6x)dx=\left[x^4-3x^2\right]_{-1}^{2}$

$=(16-12)-(1-3)=6$

답 6

확인 2 (1) $\int_{-1}^{2}(4x^2+2)dx-\int_{-1}^{2}(3x^2+2)dx$

$=\int_{-1}^{2}\{(4x^2+2)-(3x^2+2)\}dx$

$=\int_{-1}^{2}x^2dx=\left[\frac{1}{3}x^3\right]_{-1}^{2}=\frac{8}{3}-\left(-\frac{1}{3}\right)=3$

(2) $\int_{-2}^{1}(2x+1)dx+\int_{1}^{3}(2x+1)dx$

$=\int_{-2}^{3}(2x+1)dx=\left[x^2+x\right]_{-2}^{3}$

$=(9+3)-(4-2)=10$

답 (1) 3 (2) 10

확인 3 (1) $|x|=\begin{cases}-x\ (x<0)\\ x\ \ (x\geq 0)\end{cases}$이므로

$\int_{-2}^{2}|x|dx=\int_{-2}^{0}(-x)dx+\int_{0}^{2}xdx$

$=\left[-\frac{1}{2}x^2\right]_{-2}^{0}+\left[\frac{1}{2}x^2\right]_{0}^{2}$

$=2+2=4$

(2) $\int_{-1}^{1}(x^5+5x^4-x+1)dx=2\int_{0}^{1}(5x^4+1)dx$

$=2\left[x^5+x\right]_{0}^{1}$

$=2\times(1+1)=4$

답 (1) 4 (2) 4

꼭! 나오는 핵심 유형 익히기

| 본문 55~57쪽 |

대표문제 1 ③	1-1 ③	1-2 ⑤	1-3 ④	1-4 ②
대표문제 2 ④	2-1 ⑤	2-2 9	2-3 ⑤	2-4 ②
대표문제 3 ①	3-1 ⑤	3-2 3		
대표문제 4 16	4-1 4	4-2 ④		

대표문제 1 $\int_{0}^{2}f(x)dx=\int_{0}^{2}(3x^2-ax+1)dx$

$=\left[x^3-\frac{a}{2}x^2+x\right]_{0}^{2}$

$=8-2a+2$

$=10-2a$

또, $f(1)=3-a+1=4-a$이므로

$10-2a=4-a$

$\therefore a=6$

답 ③

1-1 $\int_{0}^{3}\frac{2t^3+2}{t+1}dt=\int_{0}^{3}\frac{2(t+1)(t^2-t+1)}{t+1}dt$

$=\int_{0}^{3}(2t^2-2t+2)dt$

$=\left[\frac{2}{3}t^3-t^2+2t\right]_{0}^{3}$

$=18-9+6=15$

답 ③

1-2 $\{x^2f(x)\}'=2xf(x)+x^2f'(x)$이므로

$\int_{1}^{2}\{2xf(x)+x^2f'(x)\}dx=\left[x^2f(x)\right]_{1}^{2}$

$=4f(2)-f(1)$

$=4\times3-2=10$

답 ⑤

1-3 $\int_{0}^{1}(1+4x+9x^2+\cdots+n^2x^{n-1})dx$

$=\left[x+2x^2+3x^3+\cdots+nx^n\right]_{0}^{1}$

$=1+2+3+\cdots+n$

$=\frac{n(n+1)}{2}=210$

즉, $n^2+n-420=0$에서

$(n+21)(n-20)=0$

$\therefore n=20\ (\because n>1)$

답 ④

1-4 $\int_{1}^{2}(6x^2-2x+1)dx=\left[2x^3-x^2+x\right]_{1}^{2}$

$=(16-4+2)-(2-1+1)$

$=12$

$\int_{1}^{a}(2x-1)dx=\left[x^2-x\right]_{1}^{a}=a^2-a$

$a^2-a=12$에서

$a^2-a-12=0$, $(a+3)(a-4)=0$

$\therefore a=-3$ 또는 $a=4$

따라서 $p=-3$, $q=4$ 또는 $p=4$, $q=-3$이므로

$|p-q|=7$

답 ②

대표문제 2 $\int_{0}^{1}(x^2+2x)dx+\int_{1}^{3}(x^2+2x+3)dx$

$=\int_{0}^{3}(x^2+2x)dx+\int_{1}^{3}3\,dx$

$=\left[\frac{1}{3}x^3+x^2\right]_{0}^{3}+\left[3x\right]_{1}^{3}$

$=18+6=24$

답 ④

2-1 $\int_{-2}^{3}(2x^3+4x+1)dx-2\int_{-2}^{3}(x^3-4x-1)dx$

$=\int_{-2}^{3}\{(2x^3+4x+1)-(2x^3-8x-2)\}dx$

$=\int_{-2}^{3}(12x+3)dx$

$=\left[6x^2+3x\right]_{-2}^{3}=45$

답 ⑤

2-2 $\int_{-2}^{4} f(x)dx=\int_{-2}^{3} f(x)dx+\int_{3}^{4} f(x)dx$

$=\int_{-2}^{3} f(x)dx+\int_{3}^{-1} f(x)dx+\int_{-1}^{4} f(x)dx$

$=\int_{-2}^{3} f(x)dx-\int_{-1}^{3} f(x)dx+\int_{-1}^{4} f(x)dx$

$=6-1+4=9$ 답 9

2-3 $\int_{-1}^{2} f(x)dx=\int_{-1}^{1} f(x)dx+\int_{1}^{2} f(x)dx$

$=\int_{-1}^{1} (2x+2)dx+\int_{1}^{2} (x^2+3)dx$

$=\left[x^2+2x\right]_{-1}^{1}+\left[\frac{1}{3}x^3+3x\right]_{1}^{2}$

$=4+\frac{16}{3}=\frac{28}{3}$ 답 ⑤

2-4 함수 $y=f(x)$가 연속함수이므로 $x=2$에서도 연속이다.

즉, $\lim_{x\to 2-} f(x)=\lim_{x\to 2+} f(x)=f(2)$에서

$\lim_{x\to 2-} f(x)=\lim_{x\to 2-} (-4x+2)=-6$

$\lim_{x\to 2+} f(x)=\lim_{x\to 2+} (x^2-2x+a)=a$

$\therefore a=-6$

$\therefore \int_{9}^{11} f(x)dx=\int_{5}^{7} f(x)dx$

$=\int_{1}^{3} f(x)dx$

$=\int_{1}^{2}(-4x+2)dx+\int_{2}^{3}(x^2-2x-6)dx$

$=\left[-2x^2+2x\right]_{1}^{2}+\left[\frac{1}{3}x^3-x^2-6x\right]_{2}^{3}$

$=-4-\frac{14}{3}=-\frac{26}{3}$ 답 ②

대표문제 3 $|x^2-3x+2|=\begin{cases} -x^2+3x-2 & (1<x<2) \\ x^2-3x+2 & (x\le 1 \text{ 또는 } x\ge 2) \end{cases}$ 이므로

$\int_{0}^{2} |x^2-3x+2|dx$

$=\int_{0}^{1} (x^2-3x+2)dx+\int_{1}^{2} (-x^2+3x-2)dx$

$=\left[\frac{1}{3}x^3-\frac{3}{2}x^2+2x\right]_{0}^{1}+\left[-\frac{1}{3}x^3+\frac{3}{2}x^2-2x\right]_{1}^{2}$

$=\frac{5}{6}+\frac{1}{6}=1$ 답 ①

3-1 $|x|=\begin{cases} -x & (x<0) \\ x & (x\ge 0) \end{cases}$ 이므로

$\int_{-1}^{2} (|x|+x+1)dx$

$=\int_{-1}^{0} (-x+x+1)dx+\int_{0}^{2} (x+x+1)dx$

$=\int_{-1}^{0} dx+\int_{0}^{2} (2x+1)dx$

$=\left[x\right]_{-1}^{0}+\left[x^2+x\right]_{0}^{2}$

$=1+6=7$ 답 ⑤

3-2 $|x^2-2x|=\begin{cases} -x^2+2x & (0<x<2) \\ x^2-2x & (x\le 0 \text{ 또는 } x\ge 2) \end{cases}$ 이므로

$\int_{1}^{a} |x^2-2x|dx$

$=\int_{1}^{2} (-x^2+2x)dx+\int_{2}^{a} (x^2-2x)dx$

$=\left[-\frac{1}{3}x^3+x^2\right]_{1}^{2}+\left[\frac{1}{3}x^3-x^2\right]_{2}^{a}$

$=\frac{1}{3}a^3-a^2+2$

즉, $\frac{1}{3}a^3-a^2+2=2$에서 $a^3-3a^2=0$

$a^2(a-3)=0 \quad \therefore a=3\ (\because a>2)$ 답 3

대표문제 4 $\int_{-2}^{2} x(3x+1)dx=\int_{-2}^{2} (3x^2+x)dx$

$=2\int_{0}^{2} 3x^2\,dx$

$=2\left[x^3\right]_{0}^{2}$

$=2\times 8=16$ 답 16

4-1 $\int_{-3}^{1} f(x)dx+\int_{-2}^{3} f(x)dx-\int_{-3}^{3} f(x)dx$

$=\int_{-3}^{-2} f(x)dx+\int_{-2}^{1} f(x)dx+\int_{-2}^{3} f(x)dx-\int_{-3}^{3} f(x)dx$

$=\int_{-2}^{1} f(x)dx+\int_{-3}^{3} f(x)dx-\int_{-3}^{3} f(x)dx$

$=\int_{-2}^{1} f(x)dx$

$\therefore \int_{-2}^{1} f(x)dx=4$

이때 함수 $y=f(x)$의 그래프는 원점에 대하여 대칭이므로

$\int_{1}^{2} f(-x)dx=-\int_{-2}^{-1} f(-x)dx$

$=-\int_{-2}^{-1} \{-f(x)\}dx$

$=\int_{-2}^{-1} f(x)dx$

$=\int_{-2}^{-1} f(x)dx+\underbrace{\int_{-1}^{1} f(x)dx}_{=0}$

$=\int_{-2}^{1} f(x)dx$

$=4$ 답 4

4-2 $\int_{-1}^{1} \{f(x)\}^2dx=\int_{-1}^{1} (x+1)^2\,dx$

$=\int_{-1}^{1} (x^2+2x+1)dx$

$=2\int_{0}^{1} (x^2+1)dx$

$=2\left[\frac{1}{3}x^3+x\right]_{0}^{1}=\frac{8}{3}$

$\int_{-1}^{1} f(x)dx=\int_{-1}^{1} (x+1)dx=2\int_{0}^{1} dx=2\left[x\right]_{0}^{1}=2$

$\int_{-1}^{1} \{f(x)\}^2dx=k\left\{\int_{-1}^{1} f(x)dx\right\}^2$에서

$\frac{8}{3}=k\times 2^2$이므로 $k=\frac{2}{3}$ 답 ④

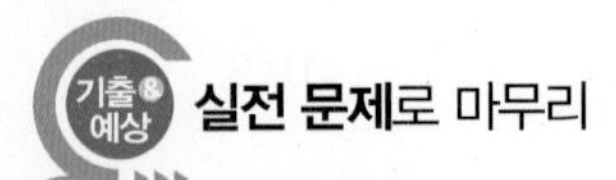

| 본문 58~59쪽 |

01 ② **02** ② **03** ④ **04** 5 **05** ③ **06** ③
07 8 **08** 18 **09** ② **10** ① **11** ③

01 $\int_0^2 (4x+a)dx=\left[2x^2+ax\right]_0^2=8+2a$

$8+2a=a$이므로 $a=-8$

답 ②

02 $f(x)$가 일차함수이므로 $f(x)=ax+b$ (a, b는 상수, $a\neq0$)로 놓으면

$$\int_0^1 xf(x)dx=\int_0^1 x(ax+b)dx=\int_0^1 (ax^2+bx)dx=\left[\frac{a}{3}x^3+\frac{b}{2}x^2\right]_0^1=\frac{a}{3}+\frac{b}{2}=0$$

$\therefore 2a+3b=0$ ...... ㉠

$$\int_0^1 x^2f(x)dx=\int_0^1 x^2(ax+b)dx=\int_0^1 (ax^3+bx^2)dx=\left[\frac{a}{4}x^4+\frac{b}{3}x^3\right]_0^1=\frac{a}{4}+\frac{b}{3}=\frac{1}{12}$$

$\therefore 3a+4b=1$ ...... ㉡

㉠, ㉡을 연립하여 풀면 $a=3$, $b=-2$

따라서 $f(x)=3x-2$이므로

$$\int_0^1 x^3f(x)dx=\int_0^1 x^3(3x-2)dx=\int_0^1 (3x^4-2x^3)dx=\left[\frac{3}{5}x^5-\frac{1}{2}x^4\right]_0^1=\frac{1}{10}$$

답 ②

03 $\int_{-2}^1 (3x^2+4x-1)dx-2\int_{-2}^1 (t^2+2t-2)dt$

$=\int_{-2}^1 (3x^2+4x-1)dx-2\int_{-2}^1 (x^2+2x-2)dx$

$=\int_{-2}^1 \{(3x^2+4x-1)-(2x^2+4x-4)\}dx$

$=\int_{-2}^1 (x^2+3)dx$

$=\left[\frac{1}{3}x^3+3x\right]_{-2}^1=12$

답 ④

04 $\sum_{n=1}^{10}\left(\int_n^{n+1} ax\,dx\right)=\int_1^2 ax\,dx+\int_2^3 ax\,dx+\cdots+\int_{10}^{11} ax\,dx$

$=\int_1^{11} ax\,dx=\left[\frac{a}{2}x^2\right]_1^{11}$

$=60a=300$

$\therefore a=5$

답 5

다른 풀이 $\sum_{n=1}^{10}\left(\int_n^{n+1} ax\,dx\right)=\sum_{n=1}^{10}\left(\left[\frac{1}{2}ax^2\right]_n^{n+1}\right)$

$=\sum_{n=1}^{10}\frac{1}{2}a\{(n+1)^2-n^2\}$

$=\frac{1}{2}a\sum_{n=1}^{10}(2n+1)$

$=\frac{1}{2}a\left(2\times\frac{10\times11}{2}+10\right)$

$=60a=300$

$\therefore a=5$

05 $f(x)=\begin{cases}\frac{3}{2}x+3 & (x<0)\\ 3 & (x\geq0)\end{cases}$에서

$f(x-2)=\begin{cases}\frac{3}{2}x & (x<2)\\ 3 & (x\geq2)\end{cases}$

$\therefore \int_{-1}^3 xf(x-2)dx=\int_{-1}^2 \frac{3}{2}x^2dx+\int_2^3 3x\,dx$

$=\left[\frac{1}{2}x^3\right]_{-1}^2+\left[\frac{3}{2}x^2\right]_2^3$

$=\frac{9}{2}+\frac{15}{2}=12$

답 ③

06 (i) $x\geq2$일 때

$\int_0^x |t-2|dt=\int_0^2 (-t+2)dt+\int_2^x (t-2)dt$

$=\left[-\frac{1}{2}t^2+2t\right]_0^2+\left[\frac{1}{2}t^2-2t\right]_2^x$

$=2+\frac{1}{2}x^2-2x+2$

$=\frac{1}{2}x^2-2x+4$

즉, $\frac{1}{2}x^2-2x+4=x$에서

$x^2-6x+8=0$, $(x-2)(x-4)=0$

$\therefore x=2$ 또는 $x=4$

(ii) $x<2$일 때

$\int_0^x |t-2|dt=\int_0^x (-t+2)dt$

$=\left[-\frac{1}{2}t^2+2t\right]_0^x$

$=-\frac{1}{2}x^2+2x$

즉, $-\frac{1}{2}x^2+2x=x$에서

$x^2-2x=0$, $x(x-2)=0$ $\therefore x=0$ ($\because x<2$)

(i), (ii)에 의하여 $x=0$ 또는 $x=2$ 또는 $x=4$

따라서 주어진 방정식의 모든 실근의 합은

$0+2+4=6$

답 ③

07 함수 $y=f(x)$의 그래프는 y축에 대하여 대칭이고, 함수 $y=g(x)$의 그래프는 원점에 대하여 대칭이므로

$\int_{-3}^3 \{f(x)-g(x)\}dx=\int_{-3}^3 f(x)dx-\int_{-3}^3 g(x)dx$

$=2\int_0^3 f(x)dx-0$

$=2\times4=8$

답 8

08 함수 $f(x)$는 주기가 6이고, 그래프는 y축에 대하여 대칭이다.

$f(x)\geq 0$이므로 $\int_{-a}^{a} f(x)dx=2\int_{0}^{a} f(x)dx=48$

$\therefore \int_{0}^{a} f(x)dx=24$

$\int_{0}^{2} f(x)dx=\int_{0}^{2} x\,dx=\left[\frac{1}{2}x^2\right]_{0}^{2}=2$

$\int_{2}^{4} f(x)dx=\int_{2}^{4} 2\,dx=\left[2x\right]_{2}^{4}=4$

$\int_{4}^{6} f(x)dx=\int_{4}^{6} (-x+6)dx=\left[-\frac{1}{2}x^2+6x\right]_{4}^{6}=2$

이므로

$$\int_{0}^{6} f(x)dx=\int_{0}^{2} f(x)dx+\int_{2}^{4} f(x)dx+\int_{4}^{6} f(x)dx$$
$$=2+4+2=8$$

이때 $\int_{0}^{a} f(x)dx=24$이므로

$$\int_{0}^{a} f(x)dx=3\times 8$$
$$=3\int_{0}^{6} f(x)dx$$
$$=\int_{0}^{6} f(x)dx+\int_{6}^{12} f(x)dx+\int_{12}^{18} f(x)dx$$
$$=\int_{0}^{18} f(x)dx$$

$\therefore a=18$ 답 18

09 a가 양수이므로

$$\int_{-a}^{a} f(x)dx=\int_{-a}^{0} (2x+2)dx+\int_{0}^{a} (-x^2+2x+2)dx$$
$$=\left[x^2+2x\right]_{-a}^{0}+\left[-\frac{1}{3}x^3+x^2+2x\right]_{0}^{a}$$
$$=-\frac{1}{3}a^3+4a$$

$g(a)=-\frac{1}{3}a^3+4a$로 놓으면

$g'(a)=-a^2+4=-(a+2)(a-2)$

$g'(a)=0$에서 $a=-2$ 또는 $a=2$

$a>0$에서 함수 $g(a)$의 증가와 감소를 표로 나타내면 다음과 같다.

a	(0)	$\cdots$	2	$\cdots$
$g'(a)$		$+$	0	$-$
$g(a)$		↗	극대	↘

따라서 함수 $g(a)$는 $a=2$일 때 극대이면서 최대이므로 최댓값은

$g(2)=-\frac{8}{3}+8=\frac{16}{3}$ 답 ②

10 ㄱ. (반례) $f(x)=2x$이면

$\int_{0}^{3} f(x)dx=\int_{0}^{3} 2x\,dx=\left[x^2\right]_{0}^{3}=9$

$3\int_{0}^{1} f(x)dx=3\int_{0}^{1} 2x\,dx=3\left[x^2\right]_{0}^{1}=3$

$\therefore \int_{0}^{3} f(x)dx\neq 3\int_{0}^{1} f(x)dx$ (거짓)

ㄴ. $\int_{a}^{b} f(x)dx=\int_{a}^{c} f(x)dx+\int_{c}^{b} f(x)dx$이므로

$\int_{0}^{1} f(x)dx=\int_{0}^{2} f(x)dx+\int_{2}^{1} f(x)dx$ (참)

ㄷ. (반례) $f(x)=2x$이면

$\int_{0}^{1} \{f(x)\}^2 dx=\int_{0}^{1} 4x^2 dx=\left[\frac{4}{3}x^3\right]_{0}^{1}=\frac{4}{3}$

$\left\{\int_{0}^{1} f(x)dx\right\}^2=\left\{\int_{0}^{1} 2x\,dx\right\}^2=\left\{\left[x^2\right]_{0}^{1}\right\}^2=1$

$\therefore \int_{0}^{1} \{f(x)\}^2 dx\neq\left\{\int_{0}^{1} f(x)dx\right\}^2$ (거짓)

따라서 옳은 것은 ㄴ뿐이다. 답 ①

다른 풀이 ㄴ. $F'(x)=f(x)$로 놓으면

$$\int_{0}^{2} f(x)dx+\int_{2}^{1} f(x)dx$$
$$=\left[F(x)\right]_{0}^{2}+\left[F(x)\right]_{2}^{1}$$
$$=\{F(2)-F(0)\}+\{F(1)-F(2)\}$$
$$=F(1)-F(0)$$
$$=\int_{0}^{1} f(x)dx$$

11 함수 $f(x)$가 $x=1$, $x=3$에서 극값을 가지므로

$f'(x)=a(x-1)(x-3)=a(x^2-4x+3)$ $(a>0)$

으로 놓으면

$$f(x)=\int f'(x)dx$$
$$=\int a(x^2-4x+3)dx$$
$$=a\left(\frac{1}{3}x^3-2x^2+3x\right)+C$$

$f(0)=-3$에서 $C=-3$

$f(1)=1$에서 $\frac{4}{3}a+C=1$

$\frac{4}{3}a-3=1$ $\quad\therefore a=3$

따라서 $f'(x)=3x^2-12x+9$이므로

$$|f'(x)|=|3x^2-12x+9|$$
$$=\begin{cases}-3x^2+12x-9 & (1<x<3)\\ 3x^2-12x+9 & (x\leq 1 \text{ 또는 } x\geq 3)\end{cases}$$

$\therefore \int_{0}^{3} |f'(x)|dx$

$$=\int_{0}^{1} (3x^2-12x+9)dx+\int_{1}^{3} (-3x^2+12x-9)dx$$
$$=\left[x^3-6x^2+9x\right]_{0}^{1}+\left[-x^3+6x^2-9x\right]_{1}^{3}$$
$$=4+4=8$$

답 ③

다른 풀이 $0<x<1$에서 $f'(x)>0$, $1<x<3$에서 $f'(x)<0$이므로

$$\int_{0}^{3} |f'(x)|dx=\int_{0}^{1} f'(x)dx+\int_{1}^{3} \{-f'(x)\}dx$$
$$=\left[f(x)\right]_{0}^{1}+\left[-f(x)\right]_{1}^{3}$$
$$=\{f(1)-f(0)\}+[-f(3)-\{-f(1)\}]$$
$$=2f(1)-f(0)-f(3)$$
$$=2\times 1-(-3)-(-3)$$
$$=8$$

10강 정적분 (2)

| 본문 60쪽 |

확인 1 (1) $\frac{d}{dx}\int_2^x (3t^2-2t+1)dt=3x^2-2x+1$

(2) $\frac{d}{dx}\int_x^{x+1}(4t+3)dt=\{4(x+1)+3\}-(4x+3)$

$=4$ 답 (1) $3x^2-2x+1$ (2) 4

확인 2 $\int_1^x f(t)dt=x^2-2x+1$의 양변을 x에 대하여 미분하면

$f(x)=2x-2$ 답 $f(x)=2x-2$

확인 3 (1) $F'(x)=x^2-2x+5$로 놓으면

$\lim_{h\to0}\frac{1}{h}\int_0^h(x^2-2x+5)dx=\lim_{h\to0}\frac{F(h)-F(0)}{h}$

$=F'(0)=5$

(2) $F'(x)=(x-1)(x+5)$로 놓으면

$\lim_{x\to3}\frac{1}{x-3}\int_3^x(t-1)(t+5)dt=\lim_{x\to3}\frac{F(x)-F(3)}{x-3}$

$=F'(3)$

$=2\times8=16$

답 (1) 5 (2) 16

꼭! 나오는 핵심 유형 익히기

| 본문 61~63쪽 |

대표문제 1 14	1-1 ④	1-2 ④	1-3 20	1-4 ②
대표문제 2 23	2-1 ④	2-2 ②	2-3 ①	2-4 ②
대표문제 3 7	3-1 18	3-2 4	3-3 ②	3-4 ①

대표문제 1 $\int_a^x f(t)dt=x^3+x^2-2x-8$ …… ㉠

㉠의 양변에 $x=a$를 대입하면

$\int_a^a f(t)dt=a^3+a^2-2a-8$

$0=a^3+a^2-2a-8$

$(a-2)(a^2+3a+4)=0$

$\therefore a=2$ ($\because$ a는 실수)

㉠의 양변을 x에 대하여 미분하면

$f(x)=3x^2+2x-2$

$\therefore f(a)=f(2)=12+4-2=14$ 답 14

1-1 $\int_{-2}^x tf(t)dt=2x^3+ax^2+4$ …… ㉠

㉠의 양변에 $x=-2$를 대입하면

$\int_{-2}^{-2}tf(t)dt=-16+4a+4$

$0=4a-12$ $\therefore a=3$

㉠의 양변을 x에 대하여 미분하면

$xf(x)=6x^2+2ax=6x^2+6x$

$\therefore f(x)=6x+6$

$\therefore f(5)=30+6=36$ 답 ④

1-2 $f(x)=2x^2-5x+2\int_1^x f'(t)dt$ …… ㉠

㉠의 양변에 $x=1$을 대입하면

$f(1)=2-5+2\int_1^1 f'(t)dt$

$\therefore f(1)=-3$

㉠의 양변을 x에 대하여 미분하면

$f'(x)=4x-5+2f'(x)$

$\therefore f'(x)=-4x+5$

$\therefore f(x)=\int(-4x+5)dx$

$=-2x^2+5x+C$

$f(1)=-3$이므로 $-2+5+C=-3$ $\therefore C=-6$

따라서 $f(x)=-2x^2+5x-6$이므로

$f(2)=-8+10-6=-4$ 답 ④

1-3 $\int_1^2 f(t)dt=a$ (a는 상수)로 놓으면

$f(x)=\frac{12}{7}x^2-2ax+a^2$이므로

$\int_1^2 f(t)dt=\int_1^2\left(\frac{12}{7}t^2-2at+a^2\right)dt$

$=\left[\frac{4}{7}t^3-at^2+a^2t\right]_1^2$

$=\left(\frac{32}{7}-4a+2a^2\right)-\left(\frac{4}{7}-a+a^2\right)$

$=4-3a+a^2$

즉, $a^2-3a+4=a$에서 $a^2-4a+4=0$

$(a-2)^2=0$ $\therefore a=2$

$\therefore 10\int_1^2 f(x)dx=10a=10\times2=20$ 답 20

1-4 $\int_1^x(x-t)f(t)dt=x^3-2x^2+ax$의 양변에 $x=1$을 대입하면

$\int_1^1(1-t)f(t)dt=1-2+a$

$0=a-1$ $\therefore a=1$

$\int_1^x(x-t)f(t)dt=x^3-2x^2+x$에서

$x\int_1^x f(t)dt-\int_1^x tf(t)dt=x^3-2x^2+x$

위의 식의 양변을 x에 대하여 미분하면

$\int_1^x f(t)dt+xf(x)-xf(x)=3x^2-4x+1$

$\therefore \int_1^x f(t)dt=3x^2-4x+1$

위의 식의 양변을 x에 대하여 미분하면

$f(x)=6x-4$

$\therefore f(a)=f(1)=6-4=2$ 답 ②

대표문제 2 $f(x)=\int_0^x (t-2)(t-3)dt$의 양변을 x에 대하여 미분하면

$f'(x)=(x-2)(x-3)$

$f'(x)=0$에서 $x=2$ 또는 $x=3$

함수 $f(x)$의 증가와 감소를 표로 나타내면 다음과 같다.

x	$\cdots$	2	$\cdots$	3	$\cdots$
$f'(x)$	+	0	−	0	+
$f(x)$	↗	극대	↘	극소	↗

함수 $f(x)$는 $x=2$에서 극댓값을 가지므로

$$a=f(2)=\int_0^2 (t-2)(t-3)dt$$
$$=\int_0^2 (t^2-5t+6)dt$$
$$=\left[\frac{1}{3}t^3-\frac{5}{2}t^2+6t\right]_0^2$$
$$=\frac{14}{3}$$

또, $x=3$에서 극솟값을 가지므로

$$b=f(3)=\int_0^3 (t-2)(t-3)dt$$
$$=\int_0^3 (t^2-5t+6)dt$$
$$=\left[\frac{1}{3}t^3-\frac{5}{2}t^2+6t\right]_0^3$$
$$=\frac{9}{2}$$

$\therefore 3a+2b=14+9=23$

답 23

2-1 $f(x)=\int_{-2}^x (2-|t|)dt$의 양변을 x에 대하여 미분하면

$f'(x)=2-|x|$

$f'(x)=0$에서 $x=2$ ($\because 0\le x\le 4$)

함수 $f(x)$의 증가와 감소를 표로 나타내면 다음과 같다.

x	0	$\cdots$	2	$\cdots$	4
$f'(x)$		+	0	−	
$f(x)$	$f(0)$	↗	극대	↘	$f(4)$

함수 $f(x)$는 $x=2$에서 극대이면서 최대이므로

$$f(2)=\int_{-2}^2 (2-|t|)dt$$
$$=\int_{-2}^0 (2+t)dt+\int_0^2 (2-t)dt$$
$$=\left[2t+\frac{1}{2}t^2\right]_{-2}^0+\left[2t-\frac{1}{2}t^2\right]_0^2$$
$$=2+2=4$$

답 ④

2-2 주어진 $y=f(x)$의 그래프에서 $f(x)=kx(x+4)$ $(k>0)$로 놓을 수 있다.

$g(x)=\int_x^{x+1} f(t)dt$의 양변을 x에 대하여 미분하면

$$g'(x)=f(x+1)-f(x)$$
$$=k(x+1)(x+5)-kx(x+4)$$
$$=k(x^2+6x+5-x^2-4x)$$
$$=k(2x+5)$$

$g'(x)=0$에서 $x=-\frac{5}{2}$

함수 $g(x)$의 증가와 감소를 표로 나타내면 다음과 같다.

x	$\cdots$	$-\frac{5}{2}$	$\cdots$
$g'(x)$	−	0	+
$g(x)$	↘	극소	↗

따라서 함수 $g(x)$는 $x=-\frac{5}{2}$에서 극소이면서 최소이므로

$a=-\frac{5}{2}$

답 ②

2-3 $f(x)=\int_0^x (6t^2+at+b)dt$의 양변을 x에 대하여 미분하면

$f'(x)=6x^2+ax+b$

함수 $f(x)$는 $x=-1$에서 극댓값 5를 가지므로

$f'(-1)=0$에서 $6-a+b=0$

$\therefore a-b=6$ ······ ㉠

또, $f(-1)=5$에서

$$\int_0^{-1} (6t^2+at+b)dt=-\int_{-1}^0 (6t^2+at+b)dt$$
$$=-\left[2t^3+\frac{1}{2}at^2+bt\right]_{-1}^0$$
$$=-2+\frac{1}{2}a-b=5$$

$\therefore \frac{1}{2}a-b=7$ ······ ㉡

㉠, ㉡을 연립하여 풀면

$a=-2$, $b=-8$

$\therefore a+b=-10$

답 ①

2-4 $F(x)=\int_0^x f(t)dt$이므로 $F'(x)=f(x)$

사차함수 $F(x)$가 오직 하나의 극값을 가지려면 삼차방정식 $F'(x)=0$, 즉 삼차방정식 $f(x)=0$은 중근과 실근 1개를 갖거나 오직 하나의 실근을 가져야 하므로 함수 $f(x)$의 (극댓값)×(극솟값)≥ 0이어야 한다.

$f(x)=x^3-3x+a$에서

$f'(x)=3x^2-3=3(x+1)(x-1)$

$f'(x)=0$에서 $x=-1$ 또는 $x=1$

함수 $f(x)$의 증가와 감소를 표로 나타내면 다음과 같다.

x	$\cdots$	−1	$\cdots$	1	$\cdots$
$f'(x)$	+	0	−	0	+
$f(x)$	↗	극대	↘	극소	↗

함수 $f(x)$는 $x=-1$에서 극댓값, $x=1$에서 극솟값을 가지므로

$f(-1)f(1)\ge 0$에서 $(2+a)(-2+a)\ge 0$

$\therefore a\le -2$ 또는 $a\ge 2$

따라서 양수 a의 최솟값은 2이다.

답 ②

참고 삼차함수 $f(x)$에 대하여 방정식 $f(x)=0$은

① (극댓값)×(극솟값)>0이면 오직 하나의 실근을 갖는다.

② (극댓값)×(극솟값)=0이면 한 실근과 중근을 갖는다.

③ (극댓값)×(극솟값)<0이면 서로 다른 세 실근을 갖는다.

대표문제 3 $F'(t)=f(t)$로 놓으면

$$\lim_{x\to2}\frac{1}{x^2-4}\int_2^x f(t)dt=\lim_{x\to2}\left\{\frac{F(x)-F(2)}{x-2}\times\frac{1}{x+2}\right\}$$
$$=\frac{1}{4}F'(2)=\frac{1}{4}f(2)$$
$$=\frac{1}{4}\times(16+12-2+2)=7$$

답 7

3-1 $F'(t)=f(t)$로 놓으면

$$\lim_{x\to3}\frac{1}{x-3}\int_3^x f(t)dt=\lim_{x\to3}\frac{F(x)-F(3)}{x-3}$$
$$=F'(3)=f(3)$$
$$=27-6-3=18$$

답 18

3-2 $f(x)=x^3-4x^2+5$, $F'(x)=f(x)$로 놓으면

$$\lim_{x\to1}\frac{1}{x-1}\int_1^{x^2}(t^3-4t^2+5)dt$$
$$=\lim_{x\to1}\frac{1}{x-1}\int_1^{x^2}f(t)dt=\lim_{x\to1}\frac{F(x^2)-F(1)}{x-1}$$
$$=\lim_{x\to1}\left\{\frac{F(x^2)-F(1)}{(x-1)(x+1)}\times(x+1)\right\}$$
$$=\lim_{x\to1}\left\{\frac{F(x^2)-F(1)}{x^2-1}\times(x+1)\right\}$$
$$=2F'(1)=2f(1)$$
$$=2\times(1-4+5)=4$$

답 4

3-3 $f(x)=x^2+6x-a$, $F'(x)=f(x)$로 놓으면

$$\lim_{h\to0}\frac{1}{h}\int_3^{3+2h}(x^2+6x-a)dx$$
$$=\lim_{h\to0}\frac{1}{h}\int_3^{3+2h}f(x)dx=\lim_{h\to0}\frac{F(3+2h)-F(3)}{h}$$
$$=\lim_{h\to0}\left\{\frac{F(3+2h)-F(3)}{2h}\times2\right\}$$
$$=2F'(3)=2f(3)$$

즉, $2f(3)=44$에서 $f(3)=22$이므로

$9+18-a=22$ $\therefore a=5$

답 ②

3-4 $x\longrightarrow1$일 때 (분모) $\longrightarrow0$이고 극한값이 존재하므로 (분자) $\longrightarrow0$이어야 한다.

즉, $\int_1^1 f(t)dt-f(1)=0$이므로 $f(1)=0$

이때 $F'(x)=f(x)$로 놓으면

$$\lim_{x\to1}\frac{\int_1^x f(t)dt-f(x)}{x^2-1}$$
$$=\lim_{x\to1}\frac{\int_1^x f(t)dt}{x^2-1}-\lim_{x\to1}\frac{f(x)-f(1)}{x^2-1}$$
$$=\lim_{x\to1}\left\{\frac{F(x)-F(1)}{x-1}\times\frac{1}{x+1}\right\}-\lim_{x\to1}\left\{\frac{f(x)-f(1)}{x-1}\times\frac{1}{x+1}\right\}$$
$$=\frac{1}{2}F'(1)-\frac{1}{2}f'(1)=\frac{1}{2}f(1)-\frac{1}{2}f'(1)$$
$$=-\frac{1}{2}f'(1)\ (\because f(1)=0)$$

즉, $-\frac{1}{2}f'(1)=2$에서

$f'(1)=-4$

답 ①

기출 예상 실전 문제로 마무리

| 본문 64~65쪽 |

01 ①	02 14	03 185	04 ⑤	05 ⑤	06 ⑤
07 ②	08 24	09 ①	10 ⑤	11 ③	

01 $f(x)=\int_2^x(3t^2+2t)dt$의 양변을 x에 대하여 미분하면

$f'(x)=3x^2+2x$이므로

$f'(2)=12+4=16$, $f'(1)=3+2=5$

$\therefore f'(2)-f'(1)=11$

답 ①

02 $\int_0^1 f(t)dt=a$ (a는 상수)로 놓으면

$f(x)=3x^2+4x+2a$이므로

$$\int_0^1 f(t)dt=\int_0^1(3t^2+4t+2a)dt$$
$$=\Big[t^3+2t^2+2at\Big]_0^1$$
$$=3+2a$$

즉, $3+2a=a$에서 $a=-3$

따라서 $f(x)=3x^2+4x-6$이므로

$f(2)=12+8-6=14$

답 14

03 $f(x)=\int_1^x(3t^2-5t+2)dt$의 양변을 x에 대하여 미분하면

$f'(x)=3x^2-5x+2$

$\therefore f'(2)=12-10+2=4$

$$f(2)=\int_1^2(3t^2-5t+2)dt$$
$$=\Big[t^3-\frac{5}{2}t^2+2t\Big]_1^2$$
$$=2-\frac{1}{2}=\frac{3}{2}$$

함수 $y=f(x)$의 그래프 위의 점 $(2,\ f(2))$에서의 접선은 기울기가 4이고 점 $\left(2,\ \frac{3}{2}\right)$을 지나므로 이 직선의 방정식은

$y-\frac{3}{2}=4(x-2)$

$\therefore y=4x-\frac{13}{2}$

따라서 $m=4$, $n=-\frac{13}{2}$이므로

$m^2+4n^2=16+4\times\frac{169}{4}=185$

답 185

04 $f(x)=\int_x^{x+1}t^3dt-\int_0^{x+1}tdt+\int_0^x tdt$의 양변을 x에 대하여 미분하면

$f'(x)=\{(x+1)^3-x^3\}-(x+1)+x$

$=3x^2+3x=3x(x+1)$

$f'(x)=0$에서 $x=-1$ 또는 $x=0$

함수 $f(x)$의 증가와 감소를 표로 나타내면 다음과 같다.

x	$\cdots$	-1	$\cdots$	0	$\cdots$
$f'(x)$	$+$	0	$-$	0	$+$
$f(x)$	↗	극대	↘	극소	↗

따라서 함수 $f(x)$는 $x=0$에서 극솟값을 가지므로

$$f(0)=\int_0^1 t^3dt-\int_0^1 tdt+\int_0^0 tdt$$

$$=\left[\frac{1}{4}t^4\right]_0^1-\left[\frac{1}{2}t^2\right]_0^1+0$$

$$=\frac{1}{4}-\frac{1}{2}=-\frac{1}{4}$$

답 ⑤

05 $\int_1^x (x-t)f'(t)dt=x^3+x^2-5x+3$에서

$$x\int_1^x f'(t)dt-\int_1^x tf'(t)dt=x^3+x^2-5x+3$$

위의 식의 양변을 x에 대하여 미분하면

$$\int_1^x f'(t)dt+xf'(x)-xf'(x)=3x^2+2x-5$$

$$\int_1^x f'(t)dt=3x^2+2x-5$$

위의 식의 양변을 다시 x에 대하여 미분하면

$f'(x)=6x+2$

$f'(x)=0$에서 $x=-\frac{1}{3}$

함수 $f(x)$의 증가와 감소를 표로 나타내면 다음과 같다.

x	$\cdots$	$-\frac{1}{3}$	$\cdots$
$f'(x)$	$-$	0	$+$
$f(x)$	↘	극소	↗

함수 $f(x)$는 $x=-\frac{1}{3}$에서 극소이면서 최소이다.

$f(x)=\int f'(x)dx=\int (6x+2)dx=3x^2+2x+C$에서

$f(0)=2$이므로 $C=2$

따라서 $f(x)=3x^2+2x+2$이므로 함수 $f(x)$의 최솟값은

$$f\left(-\frac{1}{3}\right)=\frac{1}{3}-\frac{2}{3}+2=\frac{5}{3}$$

답 ⑤

06 $f(x)=x^3+2x^2-3x+4$, $F'(x)=f(x)$로 놓으면

$$\lim_{x\to -1}\frac{1}{x^3+1}\int_{-1}^x (t^3+2t^2-3t+4)dt$$

$$=\lim_{x\to -1}\frac{1}{x^3+1}\int_{-1}^x f(t)dt$$

$$=\lim_{x\to -1}\left\{\frac{F(x)-F(-1)}{x-(-1)}\times\frac{1}{x^2-x+1}\right\}$$

$$=\frac{1}{3}F'(-1)=\frac{1}{3}f(-1)$$

$$=\frac{1}{3}\times(-1+2+3+4)=\frac{8}{3}$$

답 ⑤

07 $F'(x)=f(x)$로 놓으면

$$\lim_{h\to 0}\frac{1}{h}\int_{2-h}^{2+2h} f(x)dx$$

$$=\lim_{h\to 0}\frac{F(2+2h)-F(2-h)}{h}$$

$$=\lim_{h\to 0}\frac{F(2+2h)-F(2)+F(2)-F(2-h)}{h}$$

$$=\lim_{h\to 0}\left\{\frac{F(2+2h)-F(2)}{2h}\times 2\right\}-\lim_{h\to 0}\left\{\frac{F(2-h)-F(2)}{-h}\times(-1)\right\}$$

$=2F'(2)+F'(2)$

$=3F'(2)=3f(2)$

$=3\times(8-6+a)=6+3a$

즉, $6+3a=18$에서

$3a=12$ $\quad\therefore a=4$

답 ②

08 $(x+2)f(x)=2(x+2)^2+\int_0^x f(t)dt$ …… ㉠

㉠의 양변을 x에 대하여 미분하면

$f(x)+(x+2)f'(x)=4(x+2)+f(x)$

$(x+2)f'(x)=4(x+2)$

$\therefore f'(x)=4$

$\therefore f(x)=\int f'(x)dx$

$=\int 4dx=4x+C$ …… ㉡

㉠의 양변에 $x=0$을 대입하면

$2f(0)=8+0$ $\quad\therefore f(0)=4$

㉡에서 $f(0)=C$이므로 $C=4$

$\therefore f(x)=4x+4$

이때 $F'(x)=f(x)$로 놓으면

$$\lim_{x\to 0}\frac{1}{x}\int_5^{x+5} f(t)dt=\lim_{x\to 0}\frac{F(x+5)-F(5)}{x}$$

$=F'(5)=f(5)$

$=24$

답 24

09 $\int_1^x f(t)dt=xf(x)-3x^4+2x^2$ …… ㉠

㉠에 $x=1$을 대입하면

$0=f(1)-3+2$

$\therefore f(1)=1$

㉠의 양변을 x에 대하여 미분하면

$f(x)=f(x)+xf'(x)-12x^3+4x$

$xf'(x)=12x^3-4x$

$\therefore f'(x)=12x^2-4$

$\therefore f(x)=\int f'(x)dx=\int (12x^2-4)dx$

$=4x^3-4x+C$

$f(1)=1$이므로

$4-4+C=1$ $\quad\therefore C=1$

따라서 $f(x)=4x^3-4x+1$이므로

$f(0)=1$

답 ①

10 $g(x)=\int_{2}^{x} f(t)dt$이므로 $g'(x)=f(x)$

$f(x)=0$에서 $x=-4$ 또는 $x=-2$ 또는 $x=0$

함수 $g(x)$의 증가와 감소를 표로 나타내면 다음과 같다.

x	$\cdots$	-4	$\cdots$	-2	$\cdots$	0	$\cdots$
$g'(x)$	$-$	0	$+$	0	$-$	0	$+$
$g(x)$	↘	극소	↗	극대	↘	극소	↗

함수 $g(x)$는 $x=-2$에서 극댓값을 가지므로 $\alpha=-2$

$$\therefore g(\alpha)=g(-2)=\int_{2}^{-2} t(t+2)(t+4)dt$$

$$=-\int_{-2}^{2}(t^3+6t^2+8t)dt=-2\int_{0}^{2} 6t^2 dt$$

$$=-2\times\Big[2t^3\Big]_{0}^{2}=-32$$

답 ⑤

11 $g(x)=\int_{-1}^{x}(t-1)f(t)dt$의 양변을 x에 대하여 미분하면

$$g'(x)=(x-1)f(x)$$

$$=\begin{cases}-(x-1) & (x<1)\\ (x-1)(-x+2) & (x>1)\end{cases}$$

ㄱ. 구간 $(1, 2)$에서

$g'(x)=-(x-1)(x-2)$이므로

$g'(x)>0$

따라서 $g(x)$는 구간 $(1, 2)$에서 증가한다. (참)

ㄴ. $\lim_{x\to1-} g'(x)=\lim_{x\to1-}(-x+1)=-1+1=0$

$\lim_{x\to1+} g'(x)=\lim_{x\to1+}(-x^2+3x-2)=-1+3-2=0$

$\therefore \lim_{x\to1-} g'(x)=\lim_{x\to1+} g'(x)$

즉, $g(x)$는 $x=1$에서 미분가능하다. (참)

ㄷ. $g'(x)=0$에서 $x=1$ 또는 $x=2$

함수 $g(x)$의 증가와 감소를 표로 나타내면 다음과 같다.

x	$\cdots$	1	$\cdots$	2	$\cdots$
$g'(x)$	$+$	0	$+$	0	$-$
$g(x)$	↗		↗	극대	↘

$$g(1)=\int_{-1}^{1}(t-1)f(t)dt=\int_{-1}^{1}(-t+1)dt$$

$$=2\int_{0}^{1}dt=2\Big[t\Big]_{0}^{1}$$

$$=2\times1=2$$

$$g(2)=\int_{-1}^{2}(t-1)f(t)dt$$

$$=\int_{-1}^{1}(-t+1)dt+\int_{1}^{2}(-t^2+3t-2)dt$$

$$=2+\Big[-\frac{1}{3}t^3+\frac{3}{2}t^2-2t\Big]_{1}^{2}$$

$$=2+\frac{1}{6}=\frac{13}{6}$$

$$g(0)=\int_{-1}^{0}(t-1)f(t)dt=\int_{-1}^{0}(-t+1)dt$$

$$=\Big[-\frac{1}{2}t^2+t\Big]_{-1}^{0}$$

$$=\frac{3}{2}$$

함수 $y=g(x)$의 그래프는 오른쪽 그림과 같으므로 방정식 $g(x)=k$가 서로 다른 세 실근을 갖도록 하는 실수 k는 존재하지 않는다. (거짓)

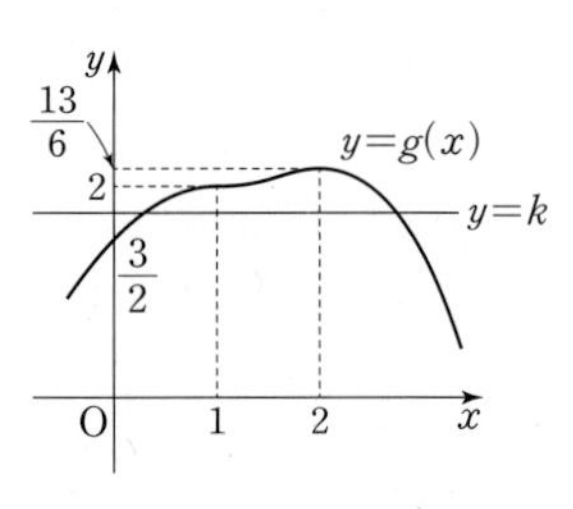

따라서 옳은 것은 ㄱ, ㄴ이다.

답 ③

참고 함수 $g(x)$의 도함수 $g'(x)$를 다음과 같이 구할 수도 있다.

(i) $x<1$일 때

$$g(x)=\int_{-1}^{x}(t-1)f(t)dt$$

$$=\int_{-1}^{x}(t-1)(-1)dt$$

$$=\int_{-1}^{x}(-t+1)dt$$

$$=\Big[-\frac{1}{2}t^2+t\Big]_{-1}^{x}$$

$$=-\frac{1}{2}x^2+x+\frac{3}{2}$$

(ii) $x\geq1$일 때

$$g(x)=\int_{-1}^{x}(t-1)f(t)dt$$

$$=\int_{-1}^{1}(t-1)f(t)dt+\int_{1}^{x}(t-1)f(t)dt$$

$$=\int_{-1}^{1}(t-1)(-1)dt+\int_{1}^{x}(t-1)(-t+2)dt$$

$$=\int_{-1}^{1}(-t+1)dt+\int_{1}^{x}(-t^2+3t-2)dt$$

$$=\Big[-\frac{1}{2}t^2+t\Big]_{-1}^{1}+\Big[-\frac{1}{3}t^3+\frac{3}{2}t^2-2t\Big]_{1}^{x}$$

$$=-\frac{1}{3}x^3+\frac{3}{2}x^2-2x+\frac{17}{6}$$

(i), (ii)에 의하여

$$g'(x)=\begin{cases}-x+1 & (x<1)\\ -x^2+3x-2 & (x>1)\end{cases}$$

11강 정적분의 활용

| 본문 66쪽 |

확인 1 곡선 $y=x^2-4$와 x축의 교점의 x좌표는 $x^2-4=0$에서

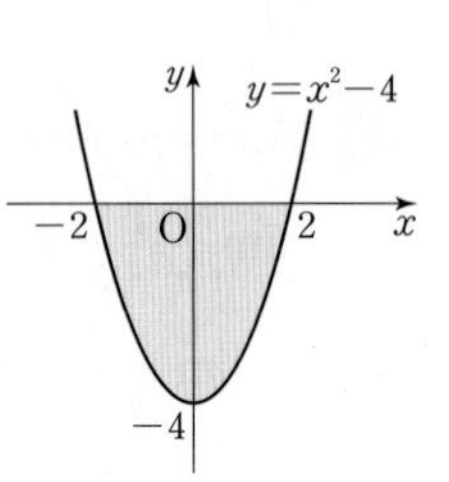

$(x+2)(x-2)=0$

$\therefore x=-2$ 또는 $x=2$

따라서 구하는 넓이는

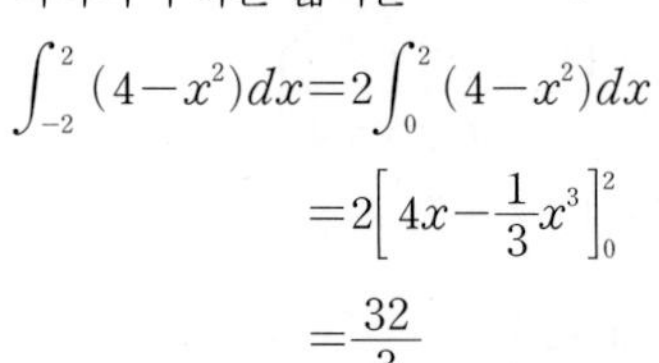

$$\int_{-2}^{2}(4-x^2)dx=2\int_{0}^{2}(4-x^2)dx$$

$$=2\Big[4x-\frac{1}{3}x^3\Big]_{0}^{2}$$

$$=\frac{32}{3}$$

답 $\frac{32}{3}$

확인 2 주어진 그림에서 두 곡선 $y=x^2-2x+1$, $y=-x^2+4x+1$의 교점의 x좌표는 0, 3이다.
따라서 구하는 넓이는

$$\int_0^3 \{(-x^2+4x+1)-(x^2-2x+1)\}dx$$
$$=\int_0^3 (-2x^2+6x)dx$$
$$=\left[-\frac{2}{3}x^3+3x^2\right]_0^3=9$$

답 9

확인 3 (1) $\int_0^2 (3t^2-6t)dt=\left[t^3-3t^2\right]_0^2=-4$

(2) $\int_1^3 |3t^2-6t|dt$

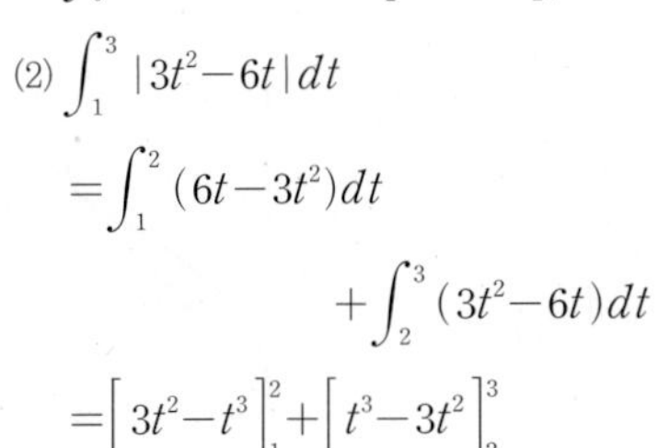

$$=\int_1^2 (6t-3t^2)dt+\int_2^3 (3t^2-6t)dt$$
$$=\left[3t^2-t^3\right]_1^2+\left[t^3-3t^2\right]_2^3$$
$$=2+4=6$$

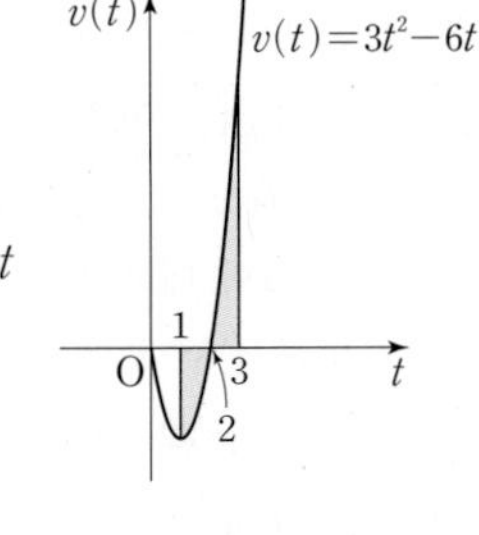

답 (1) -4 (2) 6

핵심 유형 익히기

| 본문 67~69쪽 |

대표문제 1 ③	1-1 ①	1-2 ②	1-3 4	1-4 ④
대표문제 2 4	2-1 8	2-2 128		
대표문제 3 3	3-1 ①	3-2 ③		
대표문제 4 ①	4-1 ②	4-2 ④	4-3 ③	4-4 ⑤

대표문제 1 곡선 $y=x^2-6x+5$와 x축의 교점의 x좌표는 $x^2-6x+5=0$에서
$(x-1)(x-5)=0$
$\therefore x=1$ 또는 $x=5$
따라서 구하는 넓이는

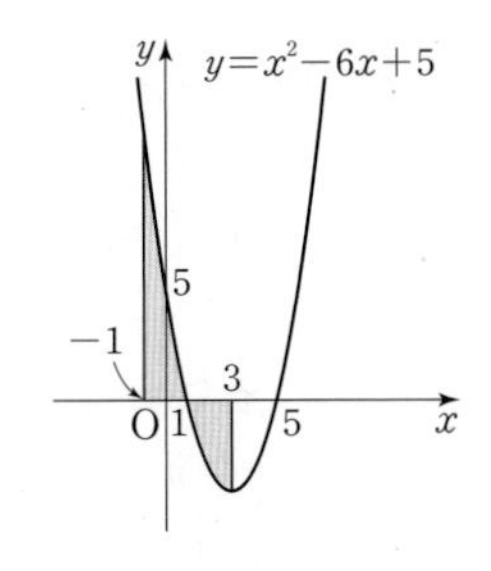

$$\int_{-1}^1 (x^2-6x+5)dx+\int_1^3 (-x^2+6x-5)dx$$
$$=2\int_0^1 (x^2+5)dx+\int_1^3 (-x^2+6x-5)dx$$
$$=2\left[\frac{1}{3}x^3+5x\right]_0^1+\left[-\frac{1}{3}x^3+3x^2-5x\right]_1^3$$
$$=\frac{32}{3}+\frac{16}{3}=16$$

답 ③

1-1 곡선 $y=3x^2-4x+2$와 x축, y축 및 직선 $x=2$로 둘러싸인 도형의 넓이는

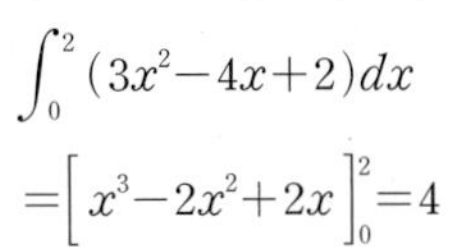

$$\int_0^2 (3x^2-4x+2)dx$$
$$=\left[x^3-2x^2+2x\right]_0^2=4$$

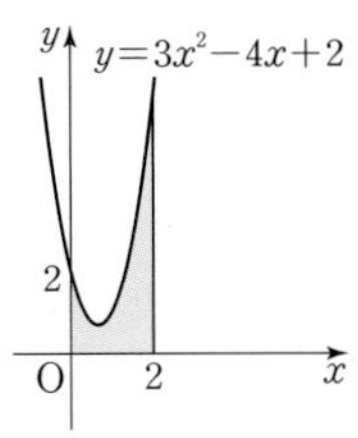

답 ①

참고 이차방정식 $3x^2-4x+2=0$의 판별식을 D라 하면
$\frac{D}{4}=4-6=-2<0$
즉, 이차방정식 $3x^2-4x+2=0$의 실근은 존재하지 않으므로 곡선 $y=3x^2-4x+2$는 x축과 만나지 않는다.

1-2 $f(x)=x^2(x-2)$
$=x^3-2x^2$
따라서 구하는 넓이는

$$\int_0^2 (-x^3+2x^2)dx=\left[-\frac{1}{4}x^4+\frac{2}{3}x^3\right]_0^2$$
$$=\frac{4}{3}$$

답 ②

1-3 곡선 $y=x(x-2)(x-a)$와 x축의 교점의 x좌표는 0, 2, a이다.
오른쪽 그림에서 색칠한 두 도형의 넓이가 서로 같으므로

$$\int_0^a x(x-2)(x-a)dx=0$$
$$\therefore \int_0^a x(x-2)(x-a)dx=\int_0^a \{x^3-(2+a)x^2+2ax\}dx$$
$$=\left[\frac{1}{4}x^4-\frac{2+a}{3}x^3+ax^2\right]_0^a$$
$$=\frac{a^4}{4}-\frac{(2+a)a^3}{3}+a^3$$
$$=\frac{a^3(4-a)}{12}$$

즉, $\frac{a^3(4-a)}{12}=0$에서
$a=4$ ($\because a>2$)

답 4

1-4 $f(x)=\int f'(x)dx$
$=\int (x^2-1)dx$
$=\frac{1}{3}x^3-x+C$
이때 $f(0)=0$이므로 $C=0$
$\therefore f(x)=\frac{1}{3}x^3-x$
곡선 $y=f(x)$와 x축의 교점의 x좌표는 $\frac{1}{3}x^3-x=0$에서
$\frac{1}{3}x(x^2-3)=0$

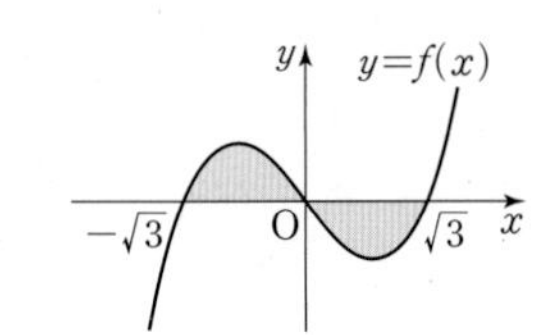

$\therefore x=-\sqrt{3}$ 또는 $x=0$ 또는 $x=\sqrt{3}$
함수 $y=f(x)$의 그래프가 원점에 대하여 대칭이므로 구하는 넓이는

$$2\int_0^{\sqrt{3}} \left(x-\frac{1}{3}x^3\right)dx=2\left[\frac{1}{2}x^2-\frac{1}{12}x^4\right]_0^{\sqrt{3}}$$
$$=2\times\left(\frac{3}{2}-\frac{3}{4}\right)$$
$$=\frac{3}{2}$$

답 ④

대표문제 2 곡선 $y=-2x^2+3x$와 직선 $y=x$의 교점의 x좌표는 $-2x^2+3x=x$에서

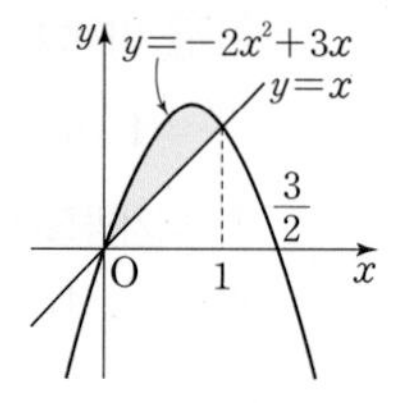

$2x^2-2x=0$

$2x(x-1)=0$

$\therefore x=0$ 또는 $x=1$

따라서 구하는 넓이는

$$\int_0^1 \{(-2x^2+3x)-x\}dx=\int_0^1 (-2x^2+2x)dx$$
$$=\left[-\frac{2}{3}x^3+x^2\right]_0^1$$
$$=\frac{1}{3}$$

즉, $p=3$, $q=1$이므로

$p+q=4$

답 4

2-1 두 곡선 $y=x^3-4x^2$, $y=2x^2-8x$의 교점의 x좌표는

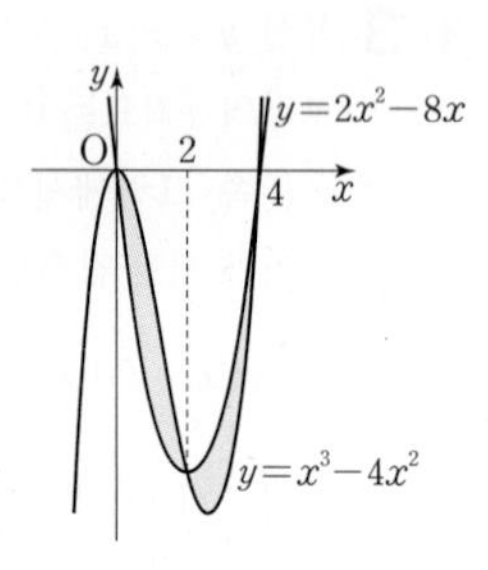

$x^3-4x^2=2x^2-8x$에서

$x^3-6x^2+8x=0$

$x(x-2)(x-4)=0$

$\therefore x=0$ 또는 $x=2$ 또는 $x=4$

따라서 구하는 넓이는

$$\int_0^2 \{(x^3-4x^2)-(2x^2-8x)\}dx$$
$$+\int_2^4 \{(2x^2-8x)-(x^3-4x^2)\}dx$$
$$=\int_0^2 (x^3-6x^2+8x)dx+\int_2^4 (-x^3+6x^2-8x)dx$$
$$=\left[\frac{1}{4}x^4-2x^3+4x^2\right]_0^2+\left[-\frac{1}{4}x^4+2x^3-4x^2\right]_2^4$$
$$=4+4=8$$

답 8

2-2 곡선 $y=x^2-4x$와 직선 $y=mx$의 교점의 x좌표는 $x^2-4x=mx$에서

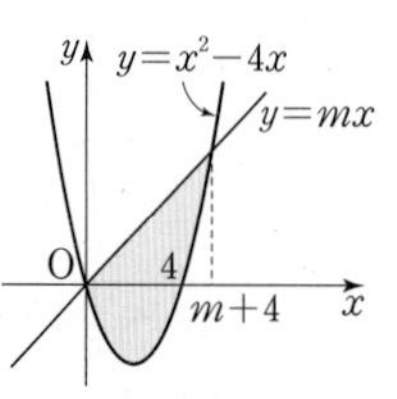

$x^2-(m+4)x=0$

$x(x-m-4)=0$

$\therefore x=0$ 또는 $x=m+4$

곡선 $y=x^2-4x$와 직선 $y=mx$로 둘러싸인 도형의 넓이는

$$\int_0^{m+4}\{mx-(x^2-4x)\}dx$$
$$=\int_0^{m+4}\{-x^2+(m+4)x\}dx$$
$$=\left[-\frac{1}{3}x^3+\frac{m+4}{2}x^2\right]_0^{m+4}$$
$$=\frac{1}{6}(m+4)^3$$

이때 곡선 $y=x^2-4x$와 x축으로 둘러싸인 도형의 넓이는

$$\int_0^4 (-x^2+4x)dx=\left[-\frac{1}{3}x^3+2x^2\right]_0^4$$
$$=\frac{32}{3}$$

즉, $\frac{1}{6}(m+4)^3=2\times\frac{32}{3}$에서

$(m+4)^3=128$

답 128

대표문제 3 함수 $f(x)=2x^3+1$ $(x\geq 0)$의 역함수가 $g(x)$이므로 두 함수 $y=f(x)$, $y=g(x)$의 그래프는 직선 $y=x$에 대하여 대칭이다.

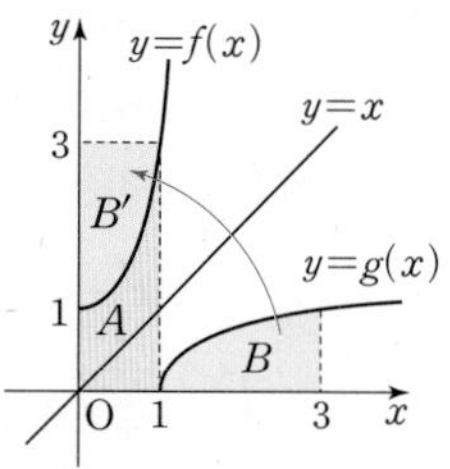

오른쪽 그림에서

(B의 넓이)=(B'의 넓이)이므로

$$\int_0^1 f(x)dx+\int_1^3 g(x)dx=(A\text{의 넓이})+(B\text{의 넓이})$$
$$=(A\text{의 넓이})+(B'\text{의 넓이})$$
$$=1\times 3=3$$

답 3

3-1 함수 $f(x)=\frac{1}{2}x^2$ $(x\geq 0)$의 역함수가 $g(x)$이므로 두 곡선 $y=f(x)$, $y=g(x)$는 직선 $y=x$에 대하여 대칭이다.

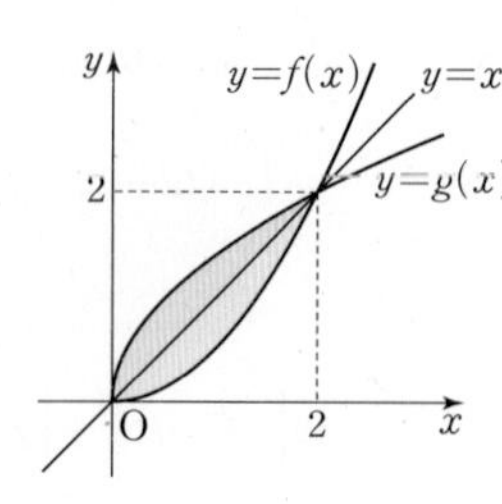

따라서 두 곡선 $y=f(x)$와 $y=g(x)$의 교점의 x좌표는 곡선 $y=f(x)$와 직선 $y=x$의 교점의 x좌표와 같다.

$\frac{1}{2}x^2=x$에서 $\frac{1}{2}x(x-2)=0$

$\therefore x=0$ 또는 $x=2$

이때 두 곡선 $y=f(x)$와 $y=g(x)$로 둘러싸인 도형의 넓이는 곡선 $y=f(x)$와 직선 $y=x$로 둘러싸인 도형의 넓이의 2배와 같으므로 구하는 넓이는

$$2\int_0^2 \left(x-\frac{1}{2}x^2\right)dx=2\left[\frac{1}{2}x^2-\frac{1}{6}x^3\right]_0^2$$
$$=2\times\frac{2}{3}$$
$$=\frac{4}{3}$$

답 ①

3-2 $f(x)=y$일 때, $x=g(y)$이므로 $y=1$, $y=9$일 때 x의 값을 각각 구하면

$x^3+x-1=1$에서 $(x-1)(x^2+x+2)=0$ $\quad\therefore x=1$

$x^3+x-1=9$에서 $(x-2)(x^2+2x+5)=0$ $\quad\therefore x=2$

즉, 함수 $y=f(x)$의 그래프는 두 점 $(1,\ 1)$, $(2,\ 9)$를 지나므로 함수 $y=g(x)$의 그래프는 두 점 $(1,\ 1)$, $(9,\ 2)$를 지난다.

함수 $f(x)=x^3+x-1$의 역함수가 $g(x)$이므로 $y=f(x)$의 그래프와 $y=g(x)$의 그래프는 직선 $y=x$에 대하여 대칭이다.

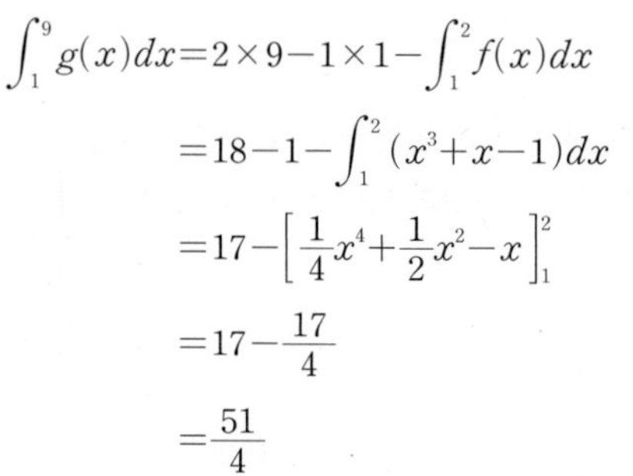

오른쪽 그림에서

(A의 넓이)=(B의 넓이)이므로

$$\int_1^9 g(x)dx=2\times 9-1\times 1-\int_1^2 f(x)dx$$
$$=18-1-\int_1^2 (x^3+x-1)dx$$
$$=17-\left[\frac{1}{4}x^4+\frac{1}{2}x^2-x\right]_1^2$$
$$=17-\frac{17}{4}$$
$$=\frac{51}{4}$$

답 ③

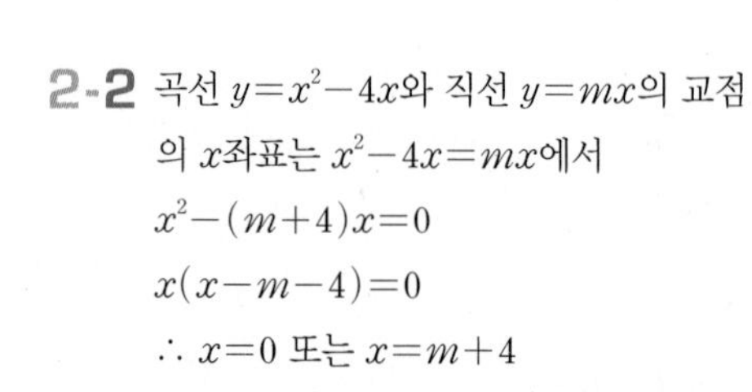

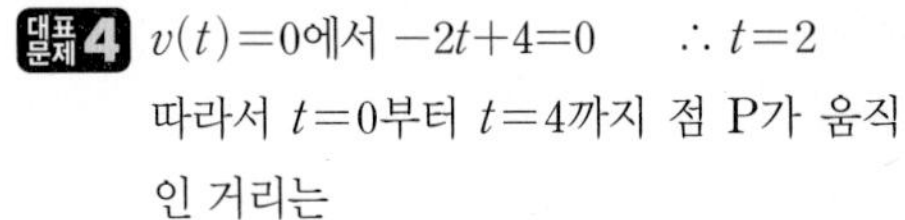

대표문제 4 $v(t)=0$에서 $-2t+4=0$ $\quad\therefore t=2$

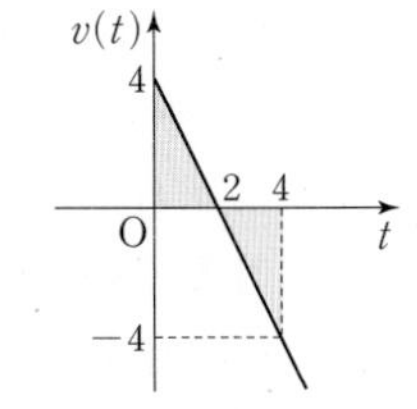

따라서 $t=0$부터 $t=4$까지 점 P가 움직인 거리는

$$\int_0^4 |v(t)|dt$$
$$=\int_0^2 v(t)dt+\int_2^4 \{-v(t)\}dt$$
$$=\int_0^2 (-2t+4)dt+\int_2^4 (2t-4)dt$$
$$=\Big[-t^2+4t\Big]_0^2+\Big[t^2-4t\Big]_2^4$$
$$=4+4=8$$

답 ①

다른 풀이 $t=0$부터 $t=4$까지 점 P가 움직인 거리는 속도 $v(t)$의 그래프와 t축, $v(t)$축 및 직선 $t=4$로 둘러싸인 부분의 넓이와 같으므로

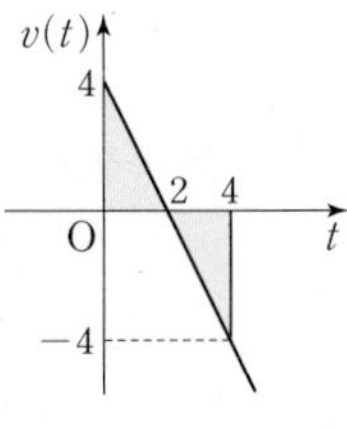

$$\frac{1}{2}\times2\times4+\frac{1}{2}\times2\times4=8$$

4-1 $v(t)=4t^3-3t^2-1=0$에서

$(t-1)(4t^2+t+1)=0$ $\quad\therefore t=1\ (\because t>0)$

따라서 시각 $t=1$에서 점 P의 위치는

$$3+\int_0^1 v(t)dt=3+\int_0^1 (4t^3-3t^2-1)dt$$
$$=3+\Big[t^4-t^3-t\Big]_0^1$$
$$=3+(-1)=2$$

답 ②

4-2 점 P가 원점을 출발하여 다시 원점으로 돌아오는 데 걸리는 시간을 a초라 하면 출발한 지 a초 후의 점 P의 위치의 변화량은 0이므로

$$\int_0^a (4t-t^2)dt=0,\ \Big[2t^2-\frac{1}{3}t^3\Big]_0^a=0$$

$$2a^2-\frac{1}{3}a^3=0,\ \frac{1}{3}a^2(6-a)=0 \qquad \therefore a=6\ (\because a>0)$$

따라서 점 P가 다시 원점으로 돌아오는 데 걸리는 시간은 6초이다.

답 ④

4-3 자동차가 정지할 때의 속도는 0 m/초이므로

$v(t)=20-5t=0$ $\quad\therefore t=4$

따라서 자동차가 브레이크를 밟은 후 정지할 때까지 움직인 거리는

$$\int_0^4 |20-5t|dt=\int_0^4 (20-5t)dt=\Big[20t-\frac{5}{2}t^2\Big]_0^4$$
$$=40\ (\text{m})$$

답 ③

4-4 점 P가 시각 $t=0$에서 시각 $t=6$까지 움직인 거리는 함수 $v(t)$의 그래프와 t축으로 둘러싸인 부분의 넓이와 같으므로

$$\int_0^6 |v(t)|dt$$
$$=\frac{1}{2}\times1\times1+\frac{1}{2}\times(1+2)\times2+\frac{1}{2}\times1\times2+\frac{1}{2}\times2\times1$$
$$=\frac{11}{2}$$

답 ⑤

기출 & 예상 실전 문제로 마무리

| 본문 70~71쪽 |

01 ⑤	02 ②	03 ①	04 ④	05 13	06 ①
07 ⑤	08 ②	09 ③	10 ④	11 40	

01 곡선 $y=3x^2-ax$와 x축의 교점의 x좌표는

$3x^2-ax=0$에서 $x(3x-a)=0$

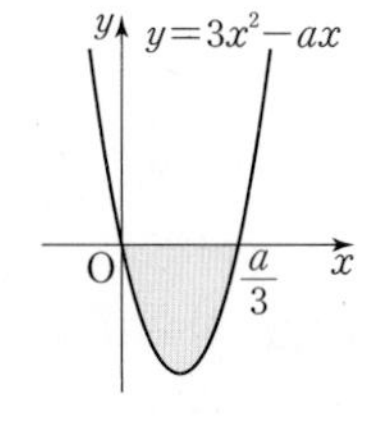

$\therefore x=0$ 또는 $x=\frac{a}{3}$

따라서 구하는 넓이는

$$\int_0^{\frac{a}{3}} (-3x^2+ax)dx=\Big[-x^3+\frac{a}{2}x^2\Big]_0^{\frac{a}{3}}$$
$$=\frac{a^3}{54}$$

즉, $\frac{a^3}{54}=4$에서 $a^3=216$

$\therefore a=6\ (\because a>0)$

답 ⑤

02 오른쪽 그림에서 색칠한 두 도형의 넓이가 서로 같으므로

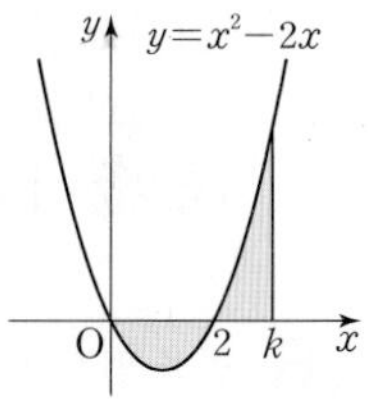

$$\int_0^k (x^2-2x)dx=0$$
$$\Big[\frac{1}{3}x^3-x^2\Big]_0^k=0$$
$$\frac{1}{3}k^3-k^2=0,\ \frac{1}{3}k^2(k-3)=0$$

$\therefore k=3\ (\because k>2)$

답 ②

03 $y=-x^2+2$에서 $y'=-2x$이므로 곡선 $y=-x^2+2$ 위의 점 $(1,\ 1)$에서의 접선의 기울기는 $-2\times1=-2$

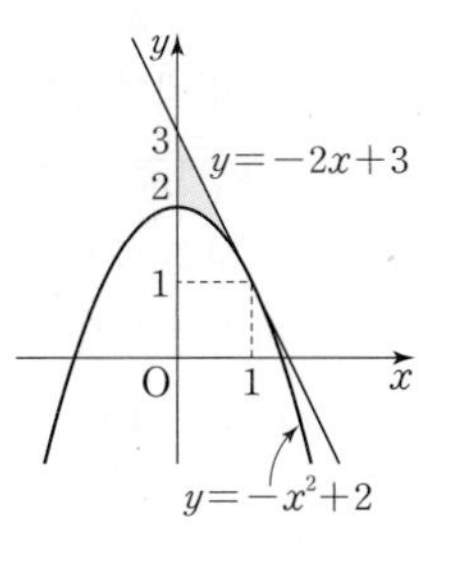

즉, 접선의 방정식은

$y-1=-2(x-1)$

$\therefore y=-2x+3$

따라서 구하는 넓이는

$$\int_0^1 \{(-2x+3)-(-x^2+2)\}dx=\int_0^1 (x^2-2x+1)dx$$
$$=\Big[\frac{1}{3}x^3-x^2+x\Big]_0^1$$
$$=\frac{1}{3}$$

답 ①

04 $y=|x^2-3x|=\begin{cases}-x^2+3x & (0<x<3)\\ x^2-3x & (x\le0\ \text{또는}\ x\ge3)\end{cases}$

곡선 $y=|x^2-3x|$와 직선 $y=x$의 교점의 x좌표는

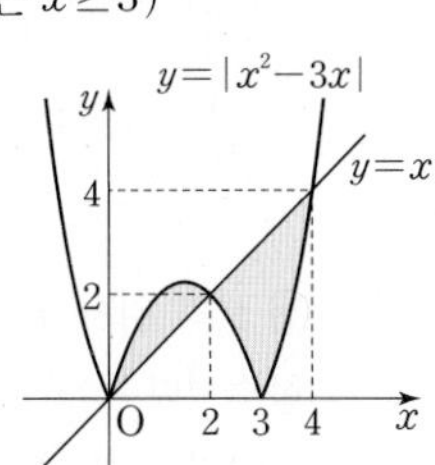

(i) $0<x<3$일 때

$-x^2+3x=x$에서 $x^2-2x=0$

$x(x-2)=0$ $\quad\therefore x=2$

(ii) $x\le0$ 또는 $x\ge3$일 때

$x^2-3x=x$에서 $x^2-4x=0$

$x(x-4)=0$ $\quad\therefore x=0$ 또는 $x=4$

따라서 구하는 넓이는

$$\int_0^2 \{(-x^2+3x)-x\}dx+\int_2^3 \{x-(-x^2+3x)\}dx$$
$$+\int_3^4 \{x-(x^2-3x)\}dx$$
$$=\int_0^2 (-x^2+2x)dx+\int_2^3 (x^2-2x)dx+\int_3^4 (-x^2+4x)dx$$
$$=\left[-\frac{1}{3}x^3+x^2\right]_0^2+\left[\frac{1}{3}x^3-x^2\right]_2^3+\left[-\frac{1}{3}x^3+2x^2\right]_3^4$$
$$=\frac{4}{3}+\frac{4}{3}+\frac{5}{3}=\frac{13}{3}$$

답 ④

05 함수 $f(x)=2x^2-1\ (x\geq 0)$의 역함수가 $g(x)$이므로 두 함수 $y=f(x)$, $y=g(x)$의 그래프는 직선 $y=x$에 대하여 대칭이다.

오른쪽 그림에서

(B의 넓이)$=$(B'의 넓이)이므로

$$\int_1^2 f(x)dx+\int_1^7 g(x)dx$$
$=$(A의 넓이)$+$(B의 넓이)

$=$(A의 넓이)$+$(B'의 넓이)

$=2\times 7-1\times 1=13$

답 13

06 공을 던진 지 t초 후의 높이를 $x(t)$라 하면

$$x(t)=20+\int_0^t (15-10t)dt$$
$$=20+\left[15t-5t^2\right]_0^t$$
$$=20+15t-5t^2$$

공이 지면에 떨어질 때의 높이는 0 m이므로

$20+15t-5t^2=0$

$-5(t+1)(t-4)=0 \qquad \therefore t=4\ (\because t>0)$

따라서 시각 $t=4$에서 공의 속도는

$v(4)=15-40=-25$ (m/초)

답 ①

07 점 P가 시각 $t=0$에서 $t=4$까지 움직인 거리는

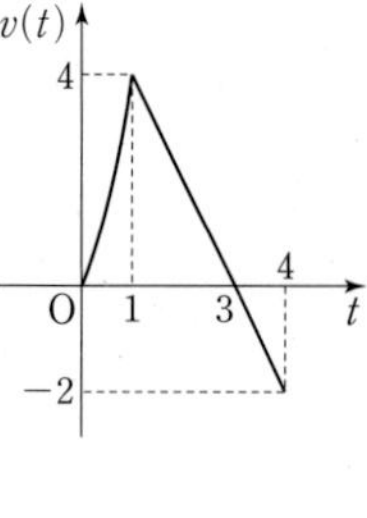

$$\int_0^4 |v(t)|dt$$
$$=\int_0^1 (t^2+3t)dt+\int_1^3 (-2t+6)dt$$
$$+\int_3^4 (2t-6)dt$$
$$=\left[\frac{1}{3}t^3+\frac{3}{2}t^2\right]_0^1+\left[-t^2+6t\right]_1^3+\left[t^2-6t\right]_3^4$$
$$=\frac{11}{6}+4+1=\frac{41}{6}$$

답 ⑤

08 점 P의 위치 $f(t)$를 미분한 이차함수 $f'(t)$는 점 P의 속도의 함수이다.

주어진 그래프와 x축의 교점의 x좌표가 2, 4이므로

$f'(t)=a(t-2)(t-4)\ (a>0)$

로 놓을 수 있다.

이때 $f'(0)=8$이므로

$8a=8 \qquad \therefore a=1$

$\therefore f'(t)=(t-2)(t-4)=t^2-6t+8$

점 P가 출발할 때의 운동 방향과 반대 방향으로 움직인 시간은 $t=2$에서 $t=4$까지이므로 점 P가 반대 방향으로 움직인 거리는

$$\int_2^4 (-t^2+6t-8)dt=\left[-\frac{1}{3}t^3+3t^2-8t\right]_2^4$$
$$=\frac{4}{3}$$

답 ②

09 $-f(x-1)-1=-\{(x-1)^2-2(x-1)\}-1$

$=-(x^2-4x+3)-1$

$=-x^2+4x-4$

두 곡선 $y=x^2-2x$,

$y=-x^2+4x-4$의 교점의 x좌표는

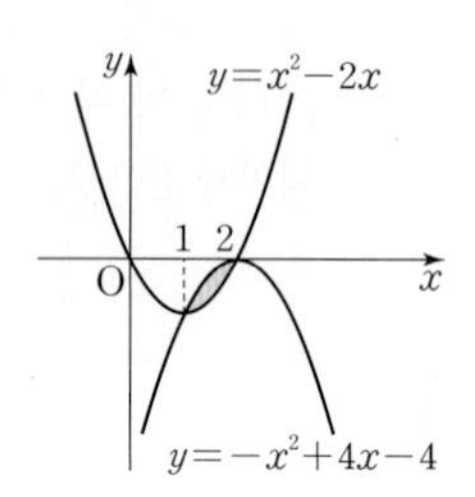

$x^2-2x=-x^2+4x-4$에서

$2x^2-6x+4=0$, $x^2-3x+2=0$

$(x-1)(x-2)=0$

$\therefore x=1$ 또는 $x=2$

따라서 구하는 넓이는

$$\int_1^2 \{(-x^2+4x-4)-(x^2-2x)\}dx$$
$$=\int_1^2 (-2x^2+6x-4)dx$$
$$=\left[-\frac{2}{3}x^3+3x^2-4x\right]_1^2$$
$$=\frac{1}{3}$$

답 ③

10 두 곡선 $y=-x^4+x$, $y=x^4-x^3$으로 둘러싸인 도형의 넓이는

$$\int_0^1 \{(-x^4+x)-(x^4-x^3)\}dx=\int_0^1 (-2x^4+x^3+x)dx$$
$$=\left[-\frac{2}{5}x^5+\frac{1}{4}x^4+\frac{1}{2}x^2\right]_0^1$$
$$=\frac{7}{20}$$

두 곡선 $y=-x^4+x$, $y=ax(1-x)$로 둘러싸인 도형의 넓이는

$$\int_0^1 \{(-x^4+x)-ax(1-x)\}dx$$
$$=\int_0^1 \{-x^4+ax^2+(1-a)x\}dx$$
$$=\left[-\frac{1}{5}x^5+\frac{1}{3}ax^3+\frac{1}{2}(1-a)x^2\right]_0^1$$
$$=-\frac{1}{5}+\frac{1}{3}a+\frac{1}{2}(1-a)$$
$$=\frac{3}{10}-\frac{1}{6}a$$

즉, $\frac{1}{2}\times\frac{7}{20}=\frac{3}{10}-\frac{1}{6}a$에서

$\frac{1}{6}a=\frac{1}{8} \qquad \therefore a=\frac{3}{4}$

답 ④

다른 풀이 $f(x)=x^4-x^3$, $g(x)=ax(1-x)$, $h(x)=-x^4+x$로 놓으면 두 곡선 $y=f(x)$, $y=h(x)$로 둘러싸인 부분의 넓이가 곡선 $y=g(x)$에 의하여 이등분되므로 두 곡선 $y=f(x)$, $y=g(x)$로 둘러싸인 부분의 넓이와 두 곡선 $y=g(x)$, $y=h(x)$로 둘러싸인 부분의 넓이는 서로 같다. 즉,

$\int_0^1 \{g(x)-f(x)\}dx=\int_0^1 \{h(x)-g(x)\}dx$이므로

$2\int_0^1 g(x)dx=\int_0^1 \{f(x)+h(x)\}dx$

$2\int_0^1 (ax-ax^2)dx=\int_0^1 (-x^3+x)dx$

$2\left[\frac{1}{2}ax^2-\frac{1}{3}ax^3\right]_0^1=\left[-\frac{1}{4}x^4+\frac{1}{2}x^2\right]_0^1$

$\frac{a}{3}=\frac{1}{4}$ $\quad\therefore a=\frac{3}{4}$

11 곡선 $y=f(x)$와 x축 및 직선 $x=1$로 둘러싸인 부분의 넓이 S_1은

$S_1=\int_0^1 \frac{1}{2}x^3dx=\left[\frac{1}{8}x^4\right]_0^1=\frac{1}{8}$

곡선 $y=f(x)$와 두 직선 $x=1$, $y=b$로 둘러싸인 부분의 넓이 S_2는

$S_2=\int_1^a \left(b-\frac{1}{2}x^3\right)dx$ $\quad\cdots\cdots$ ㉠

이때 점 $\mathrm{P}(a, b)$가 함수 $f(x)=\frac{1}{2}x^3$의 그래프 위의 점이므로

$b=\frac{1}{2}a^3$

$b=\frac{1}{2}a^3$을 ㉠에 대입하면

$S_2=\int_1^a \left(\frac{1}{2}a^3-\frac{1}{2}x^3\right)dx=\left[\frac{a^3}{2}x-\frac{1}{8}x^4\right]_1^a$

$=\frac{3}{8}a^4-\frac{1}{2}a^3+\frac{1}{8}$

$S_1=S_2$이므로 $\frac{1}{8}=\frac{3}{8}a^4-\frac{1}{2}a^3+\frac{1}{8}$

$3a^4-4a^3=0$, $a^3(3a-4)=0$

이때 $a>1$이므로 $a=\frac{4}{3}$

$\therefore 30a=30\times\frac{4}{3}=40$

답 40

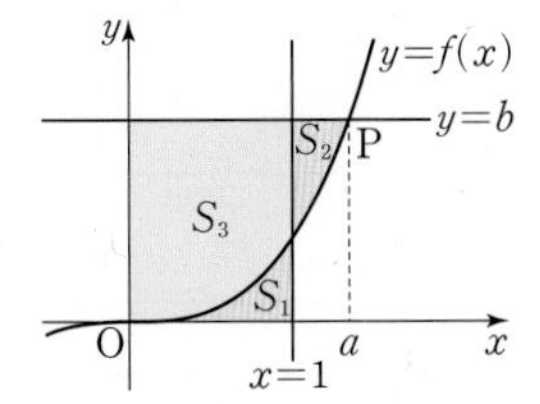

다른 풀이 오른쪽 그림과 같이 곡선 $y=f(x)$와 두 직선 $x=1$, $y=b$, y축으로 둘러싸인 부분의 넓이를 S_3이라 하면 $S_1=S_2$이므로

$S_1+S_3=S_2+S_3$

즉, $1\times b=\int_0^a \left(b-\frac{1}{2}x^3\right)dx$이므로

$b=\left[bx-\frac{1}{8}x^4\right]_0^a$

$ab-\frac{1}{8}a^4=b$ $\quad\cdots\cdots$ ㉠

이때 점 P는 $y=f(x)$의 그래프 위의 점이므로

$b=\frac{1}{2}a^3$

$b=\frac{1}{2}a^3$을 ㉠에 대입하여 정리하면

$\frac{3}{8}a^4-\frac{1}{2}a^3=0$, $\frac{3}{8}a^3\left(a-\frac{4}{3}\right)=0$

$\therefore a=\frac{4}{3}$ $(\because a>1)$

$\therefore 30a=30\times\frac{4}{3}=40$

MEMO

MEMO

정답과 해설